**DEUXIÈME ÉDITION**

LES PUBLICATIONS DU QUÉBEC
1000, route de l'Église, bureau 500, Québec (Québec) G1V 3V9

VENTE ET DISTRIBUTION
Téléphone : 418 643 - 5150, sans frais, 1 800 463 - 2100
Télécopieur : 418 643 - 6177, sans frais, 1 800 561 - 3479
Internet : www.publicationsduquebec.gouv.qc.ca

**Catalogage avant publication de**
**Bibliothèque et Archives nationales du Québec**
**et Bibliothèque et Archives Canada**

Vedette principale au titre :

La santé des enfants-- en services de garde éducatifs
2e éd. / coordination du contenu, Louise Guay; recherche
et rédaction, Nathalie Smith.

(Collection Petite enfance)
Publ. antérieurement sous le titre : Des enfants gardés – en santé. 1985.
Publ. à l'origine dans la coll. : Collection Ressources et petite enfance.
Comprend des réf. bibliogr. et un index.

ISBN 978-2-551-19835-1

1. Enfants d'âge préscolaire - Soins. 2. Enfants d'âge préscolaire - Santé et hygiène. 3. Garderies - Salubrité. 4. Enfants d'âge préscolaire - Alimentation. 5. Enfants d'âge préscolaire - Psychologie. I. Guay, Louise, 1957- . II. Smith, Nathalie, 1968- . III. Québec (Province). Ministère de la famille et de l'enfance. Direction du développement de la qualité. IV. Québec (Province). Ministère de la famille et de l'enfance. Direction des communications. V. Québec (Province). Ministère de la famille et des aînés. VI. Larose, Andrée. Santé des enfants-- en services de garde éducatifs. VII. Titre: Des enfants gardés-- en santé. VIII. Collection : Collection Petite Enfance.

HQ778.5.L37 2009 649'.1 C2009-940903-8

DEUXIÈME ÉDITION

**Collection**
**Petite enfance**

LES PUBLICATIONS DU QUÉBEC

Québec

Cette publication a été réalisée par la
Direction du développement
et de la qualité et la
Direction des communications du
ministère de la Famille et de l'Enfance.

*Coordination du contenu*
Marie-Patricia Gagné

*Recherche et rédaction*
Andrée Larose

*Conseil*
Linda Guerra
Nathalie St-Roch

*Soutien*
Diana Groleau
Thuy-Nam Nguyen
Sophie Veilleux

*Coordination du contenu de la deuxième édition*
Louise Guay

*Recherche et rédaction*
Nathalie Smith

*Coordination de l'édition*
Danielle Gladu

Ce document a été édité par
Les Publications du Québec
1000, route de l'Église, bureau 500,
Québec (Québec)
G1V 3V9

*Charge de projet, direction artistique, infographie et charge de production*
Les Publications du Québec

*Conception de la couverture*
Jean-René Caron, graphiste

*Photo de la couverture*
Alain Désilet

*Grille typographique*
Charles Lessard, graphiste

*Illustrations*
Bertrand Lachance

*Infographie*
Info 1000 Mots inc.

BIO GAZ
Papier 50% fibres recyclées postconsommation, certifié Éco-Logo et fabriqué à partir d'énergie biogaz.

Les pages intérieures de ce document sont imprimées sur du papier Rolland Opaque50[MC]

Dépôt légal - 2009
Bibliothèque et Archives nationales du Québec
Bibliothèque et Archives Canada
ISBN 978-2-551-19835-1

# AVANT-PROPOS
## DE LA DEUXIÈME ÉDITION

**MISE EN GARDE**

*Cette deuxième édition du guide modifie essentiellement les références à la législation et à la réglementation sur les services de garde pour qu'elles correspondent à la nouvelle Loi sur les services de garde éducatifs à l'enfance et à son règlement d'application, dans un objectif d'harmonisation et de cohérence. Cependant, elle ne tient pas compte du jugement de la Cour supérieure du Québec rendu le 31 octobre 2008, qui a invalidé les articles 56 et 125 à 132 de la Loi sur les services de garde éducatifs à l'enfance.*

Le ministère de la Famille et des Aînés est responsable du développement de services de garde éducatifs de qualité. Dans ce contexte, il doit veiller à la santé, à la sécurité et au bien-être des enfants qui fréquentent les centres de la petite enfance, les garderies et les services de garde en milieu familial au Québec.

Le Ministère assume cette importante responsabilité en s'assurant de l'application de la réglementation et en proposant aux personnes qui travaillent en services de garde des guides qui constituent de véritables outils de gestion. Ces ouvrages visent notamment à bien informer le personnel pour qu'il soit en mesure de prévenir les problèmes de santé ou de sécurité des enfants, de favoriser leur développement ainsi que leur bien-être et d'intervenir au besoin.

Le présent guide est consacré à la santé des enfants en services de garde éducatifs. Publié d'abord en 1985 sous le titre *Des enfants gardés… en santé*, il a été révisé en 2000. Cette révision a été rendue possible grâce à l'engagement et à la collaboration de nombreux partenaires du réseau de la santé et des services sociaux et de celui des services de garde qui, tout comme le Ministère, croient à l'importance de bien outiller celles et ceux à qui nous confions nos enfants.

*La santé des enfants… en services de garde éducatifs* est le premier titre de la collection Petite Enfance, qui compte aussi les guides *La sécurité des enfants* et *À nous de jouer!* Ces ouvrages se révèlent de précieux outils pour créer et maintenir les conditions propices au développement et au bien-être des enfants tout en prévenant les problèmes de santé ou de sécurité qui pourraient les affecter.

# Remerciements

Le Ministère tient à remercier les membres du comité d'orientation qui ont mis à contribution leurs connaissances et leur expertise pour la mise à jour du guide. Ce sont :

Dre Michèle Bier, médecin-conseil, Direction de la santé publique de la Régie régionale de la santé et des services sociaux de Montréal-Centre, représentante du Conseil des directeurs de santé publique ;

madame Francine Lessard, directrice, Fédération des centres de la petite enfance du Québec ;

madame Lucie Pettigrew, enseignante au cégep de Saint-Jérôme et représentante de l'Association des enseignants et enseignantes en techniques d'éducation en services de garde ;

madame Solange Turner, éducatrice au centre de la petite enfance Pierrot La Lune inc., représentante de Concertaction inter-régionale des centres de la petite enfance du Québec.

Le Ministère veut également souligner de façon particulière la contribution de madame Claire Godin, infirmière-bachelière, représentante de l'Association des CLSC et des CHSLD du Québec, assistante au directeur *Enfance et Famille* au CLSC des Faubourgs, maintenant de l'équipe régionale des soins en périnatalité au Centre hospitalier ambulatoire régional de Laval.

L'apport de nombreuses personnes ou groupes qui ont été consultés à titre d'experts doit aussi être souligné. Il s'agit de :

Dr Pierre Déry, pédiatre-infectiologue, département de pédiatrie, Centre hospitalier universitaire de Québec et de l'Université Laval, représentant du Comité de prévention des infections dans les centres de la petite enfance du Québec ;

monsieur Jean-Claude Dionne, Institut de recherche en santé et sécurité du travail ;

Dr Pierre Gaudreault, pédiatre, professeur adjoint de clinique, département de pédiatrie, Université de Montréal, chef de section de pharmacologie et toxicologie clinique, département de pédiatrie, Hôpital Sainte-Justine, président de l'Association des pédiatres du Québec;

madame Guylaine Jutras, orthophoniste, Centre médical Laval et membre de l'Association des jeunes bègues du Québec;

madame Brigitte Lachance, diététiste-nutritionniste, responsable de la santé cardiovasculaire, de la nutrition et du diabète à la Direction générale de la santé publique, ministère de la Santé et des Services sociaux;

Dr Bernard Laporte, dentiste-conseil, Direction générale de la santé publique, ministère de la Santé et des Services sociaux; avec la collaboration de Dre Louise Beaudry, dentiste-conseil, Direction de la santé publique de la Régie régionale de la santé et des services sociaux de Québec; Dr Martin Généreux et Dre Ginette Veilleux, dentistes-conseils, direction de la santé publique de la Régie régionale de la santé et des services sociaux de Montréal-Centre; Dr André Lavallière, dentiste-conseil, Direction de la santé publique de la Régie régionale de la santé et des services sociaux de l'Estrie;

madame Francine Poirier, hygiéniste du travail, CLSC des Faubourgs;

madame Reine Roy, conseillère en santé environnementale, Direction de la santé publique de la Régie régionale de la santé et des services sociaux de Québec;

Dr Julio C. Soto, médecin-conseil, Direction de la santé publique de la Régie régionale de la santé et des services sociaux de Montréal-Centre et président du Comité de prévention des infections dans les centres de la petite enfance du Québec;

L'Ordre des pharmaciens du Québec.

# Table des matières

Chapitre 6

## Le bien-être psychologique de l'enfant

# Introduction

Le présent guide est une révision et une mise à jour de l'ancien guide *Des enfants gardés... en santé* qui a été publié en 1985. Malgré son âge vénérable, ce document est toujours très en demande.

Pourquoi ? Parce que les intervenants des services de garde et ceux du réseau de la santé et des services sociaux sont très conscients du rôle qu'ils ont à jouer pour protéger la santé de l'enfant et prévenir les maladies. Plusieurs outils sont venus appuyer leurs efforts dans cette voie ces dernières années :

- Des cours sur la santé de l'enfant sont désormais intégrés au programme d'études en techniques d'éducation à l'enfance dans les cégeps.
- Constitué d'experts en prévention des infections, le Comité de prévention des infections dans les centres de la petite enfance a publié ces dernières années plusieurs documents sur la prévention des infections, entre autres le guide intitulé *Prévention et contrôle des infections dans les centres de la petite enfance*, un *Avis de santé publique sur le contrôle des maladies transmissibles par le sang dans le contexte d'un service de garde à l'enfance*, des affiches (*le changement de couches, le lavage des mains, les infections en milieu de garde,* etc.). Ce comité publie également le bulletin trimestriel *Bye, bye les microbes!*, distribué dans tous les services de garde.
- Le règlement établi en vertu de la *Loi sur les services de garde éducatifs à l'enfance* précise certaines règles que tous les services de garde doivent appliquer et qui visent à maintenir et à favoriser la santé des enfants gardés. Des protocoles pour l'administration d'acétaminophène et l'application d'insectifuge font également partie du Règlement sur les services de garde éducatifs à l'enfance.

- Un outil d'évaluation des services de garde en garderie, *Le kaléidoscope de la qualité* et son complément *Précautions universelles pour prévenir les maladies transmissibles par le sang*, permettent d'évaluer la qualité des mesures préventives que le service de garde prend pour contrôler l'état de santé des enfants et du personnel.
- Certains aspects de la santé, davantage liés au bien-être psychologique des enfants, sont discutés dans d'autres publications du Ministère. Ainsi, des sections de *Jouer, c'est magique* traitent respectivement des interventions auprès de jeunes enfants ayant des conduites difficiles et du développement de comportements sociaux acceptables et d'attitudes non sexistes du jeune enfant.
- La présence et le soutien des CLSC et, dans plusieurs régions, des directions de la santé publique, qui apportent leur expertise à la mise en place des mesures d'hygiène et une réponse aux besoins variés des milieux, ont aussi contribué à la qualité des services de garde.





**Malgré la présence de tous ces outils, l'utilité du présent guide demeure entière**. Le développement accéléré des services de garde ces dernières années exige qu'on investisse aussi dans leur consolidation. Au printemps 2000, le réseau a atteint une capacité de près de 115 000 places, en centre de la petite enfance (installation et milieu familial) et en garderie.

*La santé des enfants... en services de garde éducatifs* vise à offrir au personnel des services de garde, aux responsables d'un service de garde en milieu familial et à toute personne qui s'intéresse à la santé physique du jeune enfant, dans le contexte particulier des services de garde (parents, étudiantes en petite enfance, intervenantes en santé, etc.), un instrument de travail pratique, bien documenté et de consultation facile. On peut s'en servir comme outil pour mettre en place dans le service de garde les normes d'hygiène et de fonctionnement les plus susceptibles de servir la santé. On peut aussi utiliser ce guide comme livre de référence quand on s'interroge sur un point précis.

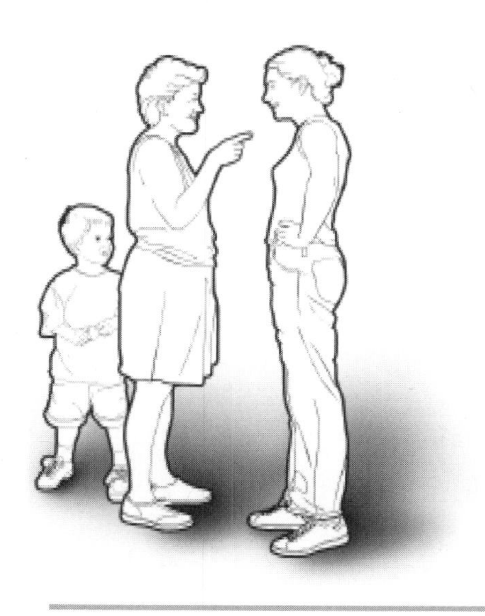

En adoptant les façons de faire et les règles mises de l'avant dans ce guide, les services de garde peuvent être assurés de favoriser la santé des enfants dont ils sont responsables et la santé de leur personnel.

Observer ces conseils peut avoir un effet important sur la santé des enfants. Par exemple, selon de nombreuses études, les enfants qui fréquentent les services de garde en centre de la petite enfance ou en garderie, comparés aux enfants qui demeurent à la maison, présentent un taux plus élevé d'infections respiratoires et diarrhéiques. Dans le cadre d'un programme de prévention des infections réalisé entre 1986 et 1992 dans la région métropolitaine de Montréal, les garderies ont mis en place une formation du personnel en hygiène et lavage des mains de même qu'un système de surveillance et une politique d'intervention pour le contrôle des épidémies. En conséquence, les diarrhées ont diminué de 72 % et les infections des voies respiratoires, de 54 %. Le projet Enviro-Net réalisé en 1996-1997 a permis d'évaluer que la diarrhée et le rhume chez les trottineurs en garderie entraînaient durant l'automne et l'hiver des dépenses de 1 428 464 $ pour les parents et la société. Ces frais comprenaient le coût des médicaments et de consultation, les frais de garde fournis pour des gardiennes de remplacement et les pertes de salaire des parents qui ont dû s'absenter du travail. Par ailleurs, dans ce dernier projet, on a démontré que le fait de noter dans un calendrier la présence des cas de diarrhée au service de garde permet de diminuer de 35 % les nouveaux épisodes de cette affection. L'observation seule a aussi un effet significatif de diminution de la contamination bactérienne des mains des enfants et des éducatrices[1].

1. Hélène Carabin, Theresa W. Gyorkos, Julio C. Soto et coll., *Enviro-Net, Rapport synthèse, Efficacité d'un programme de contrôle des infections et des contaminants de l'environnement dans les garderies*, Régie régionale de la santé et des services sociaux de Laval, Hôpital général de Montréal et Université McGill, 1997, 4 pages.

Les services de garde trouveront dans ce guide un ensemble intégré de renseignements sur la santé des enfants et sur les moyens à prendre pour la conserver et la développer. Nous avons repris une bonne partie des données contenues dans le guide précédent qui sont toujours d'actualité et nous y avons incorporé les données les plus actuelles de diverses disciplines comme la médecine, la pharmacologie et l'hygiène publique, disponibles au moment de la présente publication.

Tout en continuant de consacrer la majorité du guide à la santé physique de l'enfant, le comité d'orientation a jugé important d'ajouter un chapitre sur le bien-être psychologique de l'enfant, répondant en cela au questionnement des services de garde et à une conception globale de la santé qui réunit les aspects physiques et psychologiques.

Nous avons élargi le public auquel ce guide est destiné. L'ancien guide s'adressait avant tout aux services de garde en garderie. Dans la présente version et chaque fois que c'était nécessaire, nous avons précisé et intégré des recommandations ou des règles qui s'adressent la plupart du temps à l'ensemble des services de garde, mais aussi parfois uniquement aux services de garde en milieu familial ou aux services en installation des centres de la petite enfance et aux garderies. L'environnement physique des milieux de garde et le nombre d'enfants qui y sont gardés justifient ces modalités différentes.

Pour alléger le texte, nous utilisons généralement le féminin «éducatrice». Ce terme général comprend aussi bien les hommes que les femmes. Il veut refléter la réalité des travailleuses des services de garde, en très grande majorité des femmes.

Bien que le terme «éducatrice» soit souvent utilisé, le guide s'adresse également à toutes les personnes rattachées aux centres de la petite enfance et aux garderies, aussi bien aux travailleuses en installation et en garderie, aux responsables des services de garde en milieu familial, à leurs assistantes, au personnel de soutien, aux responsables de la gestion, aux cuisinières, aux directrices, etc. Chaque personne peut y trouver des directives qui s'appliquent à son travail propre. Ce livre pourra également être utile au personnel du réseau de la santé, qui travaille en collaboration avec les services de garde, en leur faisant connaître les lignes directrices mises de l'avant par le ministère de la Santé et des Services sociaux et le ministère de la Famille, des Aînés et de la Condition féminine pour favoriser la santé globale des enfants en services de garde. Nous ne pouvons passer sous silence l'enrichissement éventuel à leur formation que trouveront, dans ce guide, les étudiantes en techniques d'éducation à l'enfance. De plus, nombre de parents de jeunes enfants ont l'habitude de chercher un appui dans la documentation du personnel des services de garde.

Dans ce document, l'appellation *services de garde* est souvent utilisée. Elle comprend les centres de la petite enfance, soit les volets installation et garde en milieu familial, et les garderies à but lucratif.

**Le contenu du document a été modifié et augmenté par rapport à la version de 1985:**

- *L'alimentation de l'enfant* constitue désormais le premier chapitre. On y aborde entre autres la question des boires des enfants, l'introduction des aliments solides, l'acquisition des bonnes habitudes alimentaires et les allergies alimentaires.
- *Les soins quotidiens* donnés à l'enfant sont abordés au chapitre 2. On y discute la question des soins d'hygiène, de l'apprentissage de la propreté, de la sieste, de l'habillement de l'enfant, etc. C'est en effet à travers ces activités quotidiennes avec les enfants dont il est responsable que le personnel des services de garde peut contribuer à protéger leur santé tout en répondant à leurs besoins physiques et psychologiques.

- *L'hygiène et la prévention de l'infection* sont le sujet du chapitre 3. Il y est question des mesures de contrôle de l'état de santé du personnel et de l'ensemble des règles d'hygiène requises en milieu de garde. Le chapitre réunit une série de conseils pratiques sur le contrôle de l'air et du bruit, l'entretien des lieux et de l'équipement, la conservation et la manipulation des aliments et la présence d'animaux en milieu de garde.
- Le chapitre 4, *L'enfant et la maladie*, s'intéresse aux moyens dont les services de garde disposent pour connaître l'enfant (dossier de l'enfant et observation) et aux diverses interventions possibles en présence d'un enfant malade ou affecté d'un problème particulier. Une nomenclature des malaises et maladies de la petite enfance complète le chapitre.
- Le chapitre 5 est consacré aux *médicaments*. Il y est question des règles et procédures entourant la conservation et l'administration des médicaments en services de garde, des principales techniques d'administration des médicaments et des catégories de médicaments les plus susceptibles d'être prescrits à des enfants en bas âge.
- Le dernier chapitre est consacré *au bien-être psychologique de l'enfant*, partie intégrante de la santé globale de l'enfant, que les services de garde visent à favoriser. En plus de suggérer des pistes aux services de garde pour développer une bonne santé mentale chez les enfants gardés, nous abordons la question de l'abus sous toutes ses formes, du stress et de l'éducation sexuelle des enfants. Nous insistons sur la nécessité de favoriser le langage, clé de la communication. Nous proposons aussi des façons d'intervenir dans le cas de certaines conduites problématiques souvent présentes chez les enfants d'âge préscolaire.

Notons en terminant que *La santé des enfants... en services de garde éducatifs* ne vise pas à habiliter le personnel des services de garde à poser des diagnostics. C'est pourquoi, partout dans ce guide, nous mettons de l'avant l'importance pour les services de garde de s'en référer aux services des CLSC quand les premiers ont besoin d'information, de conseils supplémentaires ou de soutien dans une tâche précise liée à la santé ou encore quand ils ont besoin d'un lieu où diriger une famille. Les CLSC, désignés dans la *Loi sur les services de santé et les services sociaux* comme la porte d'entrée dans le réseau de la santé et des services sociaux, sont les premiers à qui les centres de la petite enfance peuvent s'adresser quand ils ont besoin de soutien dans ce domaine. D'ailleurs, de nombreux CLSC ont nommé des intervenants à titre de répondants pour les services de garde de leurs territoires. Les services de garde peuvent également s'adresser à d'autres ressources habilitées à leur venir en aide comme Info-Santé CLSC, la Direction de la santé publique, les centres hospitaliers, les ressources communautaires, etc. Mais avant tout, quand un centre de la petite enfance se cherche une ressource liée à la santé globale de l'enfant, il doit d'abord explorer les ressources disponibles au CLSC du voisinage.

*La santé des enfants... en services de garde éducatifs* veut avant tout favoriser la prévention de la maladie et le développement d'une bonne santé chez les enfants. Il fournit des indications sur des modes d'interventions possibles, en présence de certaines maladies.

Ce guide donne plusieurs renseignements de type technique, comme les méthodes d'administration de médicaments, la technique du changement de couches, etc. Les conditions techniques sont nécessaires mais insuffisantes au bien-être des enfants. Le calme, l'attention, l'affection, le respect, la sécurité et plusieurs autres conditions soutiennent et même renforcent les bienfaits des techniques adoptées. Les travailleuses des services de garde éducatifs le savent depuis longtemps. Ce guide leur offre un outil de soutien à cette fin.

# CHAPITRE

# 1 L'alimentation de l'enfant

L'alimentation de l'enfant influence sa croissance et sa santé quand il est petit et durant le reste de sa vie. En services de garde comme à la maison, il a besoin de boires et de repas de qualité qui répondent à ses besoins alimentaires quotidiens. Ces besoins sont particulièrement importants durant cette période de croissance et de développement très rapides. C'est pourquoi la nourriture doit être variée, de qualité, en quantité suffisante et appétissante.

C'est aussi l'époque où l'enfant forme ses habitudes alimentaires pour toute sa vie. Il a besoin d'être encouragé à essayer de nouveaux aliments et de nouvelles textures tout en ayant la possibilité de choisir la quantité de nourriture qu'il veut manger.

Dans ce chapitre, nous abordons de façon détaillée les divers aspects de l'alimentation de l'enfant: d'abord, nous touchons le sujet des boires du bébé et des divers types de lait ainsi que la question des coliques et des poussées de croissance. Ensuite, nous discutons de l'introduction progressive des solides et de l'alimentation des enfants de plus d'un an. Nous traitons de la planification des repas en services de garde, de l'organisation matérielle des repas, du climat des repas et du développement de bonnes habitudes alimentaires.

Nous faisons le point sur la sérieuse question des précautions alimentaires à prendre pour faire face aux dangers d'étouffement et d'allergies de même que sur la question des repas et collations apportés de la maison. Enfin, nous expliquons comment réussir des pique-niques sécuritaires.



photo: Denis Gendron

# Les boires

## Quel type de lait privilégier?

Jusqu'à l'âge de 4 à 6 mois, l'enfant est nourri presque exclusivement de lait, un aliment qui s'adapte bien à ses besoins et à son réflexe naturel de succion. Tous les types de lait ne sont pas de valeur égale.

### Le lait maternel

Le lait maternel est le premier choix de tous les spécialistes de la question (digestion, développement des anticorps, diminution du risque d'allergies, lien affectif).

### L'allaitement maternel

Certaines mères poursuivent l'allaitement au-delà de l'entrée de l'enfant en milieu de garde. Elles préparent alors des biberons à partir du lait qu'elles extraient de leurs seins ou viennent sur place allaiter leur enfant. Dans ce cas, la collaboration du service de garde est indispensable.

- Prévoir un coin tranquille où la mère pourra s'installer confortablement pour allaiter son enfant.
- Se montrer accueillant envers la mère qui allaite et respecter, dans la mesure du possible, son besoin d'intimité.
- S'entendre avec la mère sur ses heures de venue et s'assurer qu'on peut la joindre au moment où l'enfant manifestera des signes de faim.
- Avoir en réserve un biberon de lait maternel ou de préparation lactée au cas où la mère ne pourrait pas venir allaiter son enfant comme prévu.

### Les formules lactées enrichies de fer

Si cela n'est pas possible ou si l'allaitement maternel doit être interrompu, **les formules lactées enrichies de fer** sont recommandées jusqu'à ce que l'enfant ait au moins 9 mois et, de préférence, jusqu'à ce qu'il ait un an. Ces formules lactées sont beaucoup mieux adaptées aux besoins du poupon que le lait de vache, qui contient trois fois trop de protéines et de sels minéraux; de plus, il contient deux fois moins de lactose que le lait maternel[2].

2. N. Doré et D. Le Hénaff, *Mieux vivre avec son enfant*, ministère de la Santé et des Services sociaux du Québec et Régie régionale de la santé et des services sociaux de Québec, Direction de la santé publique, édition 1998, p. 80.

**Les préparations spéciales[3]**

- Les préparations lactées à base de soya ne doivent être utilisées que pour les nourrissons qui ne peuvent consommer de produits laitiers en raison de leur santé, de leur culture ou de leur religion. Dans les cas d'intolérance ou d'allergie alimentaire au lait de vache, le médecin de l'enfant décidera jusqu'à quel âge il faut continuer à servir les préparations lactées commerciales spéciales.
- Durant les deux premières années, les boissons de soya (ne pas confondre avec les préparations lactées de soya), les boissons de riz et les autres boissons végétariennes, enrichies ou pas, ne sont pas des substituts appropriés du lait maternel, des préparations lactées ou du lait de vache entier pasteurisé.
- Les préparations spéciales sont réservées aux nourrissons qui ont une pathologie diagnostiquée ou présumée.

## Quand introduire le lait de vache?

**À compter du 9e mois,** l'enfant né à terme peut toutefois commencer à boire du lait de vache entier (3,25 %), s'il consomme une bonne variété de chacun des 4 groupes d'aliments.

**Pour l'enfant né prématurément**, on introduira le lait de vache selon son degré de prématurité et sa progression générale.

Un enfant prématuré a des besoins particuliers qui s'expriment dans tous les aspects de son développement. L'apprentissage du langage, de la locomotion et de l'autonomie en général peuvent être plus lents. Il en est de même pour la satisfaction de ses besoins nutritifs.

Pendant toute la petite enfance et la période préscolaire, l'enfant peut boire du lait entier à 3,25 % de matière grasse (m.g.). Il a besoin de gras animal et végétal pour sa croissance de même que pour le développement de son système nerveux et de son cerveau. Il faut attendre que l'enfant ait 2 ans avant de lui offrir du lait partiellement écrémé (2 % de m.g.). Le lait à 1 % de m.g. et le lait complètement écrémé ne sont pas recommandés pour les enfants d'âge préscolaire[4].

3. La nutrition du nourrisson né à terme et en santé, www.hc-sc.gc.ca/hppb/enfance-jeunesse/cyfh/homepage/nutrition/exec_f.html
4. N. Doré et D. Le Hénaff, *op. cit.*, p. 82.

## De quelle quantité de lait les enfants ont-ils besoin ?

- Entre 3 et 7 mois, l'enfant peut prendre 5 à 6 boires de 180 à 240 ml (6 à 8 oz) par période de 24 heures.
- Entre 8 et 12 mois, l'enfant prend de 3 à 4 biberons de 180 à 240 ml (6 à 8 oz) par période de 24 heures.
- Entre 1 et 2 ans, l'enfant prend environ 725 ml (25 oz) par jour.

## Le lait des nourrissons : une responsabilité du parent

- Tant que l'enfant ne consomme pas de lait de vache, demander au parent de préparer lui-même les biberons de son enfant. Il sera ainsi plus aisé d'offrir à chacun la formule à laquelle il est habitué.
- Au besoin, demander au parent de consulter un professionnel de la santé pour connaître la meilleure alimentation pour son enfant.
- S'il faut plus d'information sur l'alimentation des nourrissons, ne pas hésiter à communiquer avec le CLSC du territoire du service de garde.
- S'assurer que les biberons remis par le parent sont identifiés au nom de l'enfant et que leur nombre est suffisant pour une journée.



**Que faire si le lait maternel est donné par mégarde à un autre enfant que celui auquel il était destiné[5] ?**

- Rincer la bouche de l'enfant à l'eau claire.
- Noter les détails de l'incident.
- Aviser la responsable de la gestion du service de garde.
- Aviser les parents des 2 enfants concernés par l'incident.
- Consulter le CLSC, au besoin, en cas de doute.
- Surveiller l'état général et les signes tels que l'éruption cutanée, les vomissements et la diarrhée ; les noter au cahier de bord.

5. Direction de la santé publique de la Régie régionale de la santé et des services sociaux de la Montérégie, *Précautions universelles pour prévenir les maladies transmissibles par le sang, complément au chapitre «santé et sécurité» du document le Kaléidoscope de la qualité, Outil d'évaluation des services de garde en garderie*, diffusé par le ministère de la Famille et de l'Enfance, 1998, p. 21.

## Comment donner le biberon?

En même temps qu'il répond à des besoins nutritifs, le boire est une source de plaisir et une occasion privilégiée de contact entre l'enfant et l'adulte. La dimension affective de cette activité est donc tout aussi importante que ses aspects techniques. Dans la mesure du possible, le jeune enfant doit être nourri sur demande par une éducatrice qui lui est familière. Il faut toutefois éviter d'utiliser les boires pour répondre à toutes les détresses de l'enfant. Le prendre dans ses bras, lui frotter le dos, le bercer sont des réconforts libres de calories et plus adaptés à ses besoins émotifs.

- Prévoir un coin tranquille où l'on peut s'asseoir confortablement avec l'enfant – une berceuse munie d'un appui-bras est tout indiquée – et réunir à l'avance ce dont on aura besoin au moment du boire: serviette douce pour couvrir l'épaule, débarbouillette propre.
- Bien se laver les mains avant de prendre l'enfant. Un lavage approprié et fréquent des mains constitue une des mesures les plus efficaces pour la prévention des infections en services de garde.
- Tant que l'enfant ne peut tenir lui-même son biberon, c'est-à-dire jusqu'à ce qu'il ait atteint au moins l'âge de 6 mois, le faire boire dans les bras. On évite ainsi les risques de suffocation et on répond au besoin de contact physique de l'enfant.
- Tenir le bébé comme pour le nourrir au sein; il lui est ainsi plus facile d'avaler. La tétine doit être remplie de lait quand on l'introduit dans la bouche. Ainsi, l'enfant n'avale pas d'air et sa succion est facilitée. Ne pas forcer l'enfant à boire plus qu'il ne le veut; l'appétit varie d'un enfant à l'autre et d'une journée à l'autre.
- Faire passer un rot en appuyant le bébé sur l'épaule ou en l'asseyant sur ses cuisses, incliné vers l'avant. Frotter légèrement le dos. Si, après quelques minutes, le rot ne vient pas, cesser l'opération. L'enfant n'a pas d'air à évacuer. On doit faire passer un rot à toutes les onces pour les bébés de 0 à 3 mois et à toutes les deux onces par la suite. Ce besoin diminue avec la croissance physiologique du bébé.
- À partir du moment où l'enfant est en mesure de tenir lui-même son biberon, vers l'âge de 6 mois, l'installer confortablement dans une chaise inclinée ou sur des coussins, en position assise. Assurer une surveillance adéquate et voir à ce que le biberon de l'enfant ne traîne pas.
- Ne pas coucher l'enfant avec un biberon, car il risque de s'étouffer. De plus, en dormant, l'enfant continue de téter; le lait qui reste dans sa bouche est source de caries dentaires et peut aussi provoquer ou entretenir des otites. Dès l'inscription, informer le parent des méfaits de cette pratique, de façon qu'il puisse, au besoin, habituer son enfant à s'endormir sans son biberon.
- Après chaque boire, rincer soigneusement le biberon et la tétine.

## Tiédir le lait du biberon[6]

Il faut tiédir le lait à la température du corps, soit 37 °C (98,6 °F). Au toucher, le biberon n'est ni chaud ni froid. Vérifier la température avant de servir, en faisant couler quelques gouttes sur le dos de la main.

- Mettre le sac ou le biberon dans l'eau chaude jusqu'à ce qu'il soit tiède (1 à 2 minutes). Éviter de tremper la tétine dans l'eau, puisqu'elle a déjà été stérilisée.
- On peut utiliser un réchauffe-bouteille.
- Ne jamais faire bouillir un biberon ni un sac de lait.

### L'utilisation du four à micro-ondes pour tiédir le lait

Selon une étude réalisée en 1998 par Santé Canada (Bureau de la radioprotection), tous les fours à micro-ondes domestiques neufs sont conformes aux exigences du Règlement touchant le rayonnement de fuite admissible. Donc, le rayonnement émis ne devrait pas avoir d'effets néfastes sur la santé des personnes qui y sont exposées[7]. Pour que les fours à micro-ondes conservent, après vente, une telle performance, il suffit de les entretenir de façon régulière (nettoyage et inspection visuelle des charnières, de la porte et de l'enceinte).

Bien que les fours à micro-ondes ne soient pas conseillés pour tiédir le lait, car ils chauffent inégalement et souvent à des températures trop hautes, ils sont beaucoup utilisés à cette fin. Des bébés ont déjà été brûlés accidentellement en buvant du lait trop chaud sortant du four à micro-ondes. Voici les précautions essentielles à prendre si vous utilisez quand même cette méthode :

- Ne réchauffer que des biberons qui sortent du réfrigérateur ;
- Choisir des biberons de plastique, pas de verre (trop chaud) ni de sacs (danger d'éclatement) ;
- Mettre le biberon sans bouchon ni tétine dans un four propre ;
- Tiédir 120 ml (4 oz) à la fois, jamais moins ;
- Pour tiédir 120 ml (4 oz), programmer de 20 à 30 secondes à « **température élevée** » ;
- Pour tiédir 240 ml (8 oz), programmer de 30 à 45 secondes à « **température élevée** » ;

6. N. Doré et D. Le Hénaff, *op. cit.*, p. 140-143.
7. Art Thansandote, Dave Lecuyer, Angéline Blais et Greg Gajda, *Conformité des fours à micro-ondes neufs au Règlement canadien sur les dispositifs émettant des radiations*, Bureau de la radioprotection, Division des dangers des rayonnements des produits cliniques et à la consommation, Santé Canada, 1er décembre 1998, se retrouve à l'adresse : www.hc-sc.gc.ca/main/hc/web/ehp/dhm/brp/consommateur/micro_ondes.htm

- La durée de la programmation pour tiédir le lait variant d'un four à micro-ondes à l'autre, faire un test en commençant par une faible durée pour éviter que le lait ne soit trop chaud. Il est ensuite pratique de se faire un tableau du temps requis selon le nombre d'onces à réchauffer;
- Agiter doucement, environ 10 fois, et vérifier la température.

Le lait maternel ne doit jamais être tiédi au four à micro-ondes. La chaleur du four peut détruire les enzymes vivantes contenues dans le lait maternel ainsi que les anticorps qui protègent le bébé contre les maladies des systèmes digestif et respiratoire.

## La conservation du lait

- Le lait maternel frais se conserve au réfrigérateur de 4 à 5 jours, 3 ou 4 mois au congélateur du réfrigérateur à deux portes et 6 mois ou plus au congélateur coffre. Le lait maternel décongelé se conserve 24 heures au réfrigérateur[8].
- Conserver les biberons au réfrigérateur jusqu'au moment de servir; les bactéries se multiplient rapidement à la température de la pièce.
- Le lait tiédi doit être bu dans l'heure qui suit. Jeter le surplus car les bactéries se multiplient rapidement et pourraient provoquer une diarrhée.
- Ne jamais laisser un biberon se réchauffer à la température de la pièce.

## Les autres liquides dans l'alimentation du nourrisson

### L'eau

- Pour répondre à la soif et au besoin de succion du bébé, lui présenter occasionnellement un biberon d'eau entre les boires et en petite quantité.
- Le bébé allaité étanche sa soif naturellement au sein et n'a pas besoin d'eau sauf durant les périodes de chaleur.
- Le bébé nourri aux préparations lactées a besoin de se désaltérer entre les repas. Après l'âge de 4 à 6 mois, éviter de donner au bébé de l'eau dans l'heure qui précède le boire pour ne pas nuire à son appétit.

8. N. Doré et D. Le Hénaff, *op. cit.*, p. 154.

- Pour éliminer la présence de tout élément pathogène, il est recommandé de faire bouillir 5 minutes toute eau qui sera bue ou qui entre dans la préparation des boires des bébés de 4 mois et moins. L'eau doit bouillir dans un contenant avec couvercle, pour éviter la concentration des minéraux par l'évaporation.
- Les eaux suivantes peuvent être utilisées pour les nourrissons:
  - L'eau d'aqueduc (du robinet);
  - L'eau d'un puits privé;
  - Les eaux embouteillées commerciales non gazeuses, c'est-à-dire l'eau de source naturelle et l'eau traitée (non minéralisée).
- Attention, si l'on utilise un refroidisseur d'eau, s'assurer qu'il est nettoyé régulièrement comme le fabricant le recommande.
- Toutes les eaux suggérées doivent être bouillies pour les nourrissons de 4 mois et moins[9].

## Le jus de fruits

- Le jus de fruits peut être introduit après 6 mois, mais n'est pas essentiel. Limiter les jus pour éviter de nuire à l'ingestion de lait (Santé Canada). Il est suggéré d'attendre que le bébé boive au gobelet pour lui donner du jus. Choisir des jus frais non sucrés, congelés ou en boîte de carton. Chaque jour, de 60 à 90 ml de jus pur (2 ou 3 oz) suffisent. Le passer au tamis et le diluer au début, moitié jus, moitié eau[10].
- Ne servir que des jus de pomme pasteurisés et les garder au réfrigérateur à une température de 4°C (39,2 °F) après ouverture. Les jus de pomme non pasteurisés comportent la mention «garder réfrigéré» mais ne sont pas nécessairement étiquetés comme non pasteurisés, la loi ne les y obligeant pas. Le jus de pomme non pasteurisé peut contenir des bactéries ou des parasites qui pourraient causer des infections intestinales parfois graves chez les jeunes enfants, l'infection E. coli 0157:H7, l'infection à Salmonella ou l'infection à Cryptosporidia[11].

9. N. Doré et D. Le Hénaff, op. cit., p. 161.
10. *Ibid.*, p. 218.
11. Comité de prévention des infections dans les centres de la petite enfance du Québec, *Avis sur les jus de pommes non pasteurisés à l'intention des services de garde à l'enfance*, mise à jour du 1er septembre 2000, ministère de la Santé et des Services sociaux et ministère de la Famille et de l'Enfance.

## Pour tenir le parent au courant : le journal de bord

Tenir un journal de bord dans lequel seront notées les recommandations du parent, les heures de boire et la quantité de lait consommée à chaque fois. Plus tard, y ajouter des renseignements sur ce que mange l'enfant. Inciter le parent à consulter régulièrement le journal de bord de son enfant et à y inscrire ses commentaires.

## Situations préoccupantes durant la période où l'enfant ne boit que du lait

Deux situations préoccupent particulièrement les parents et les éducatrices pendant la période où le nourrisson ne boit que du lait : les coliques et les poussées de croissance.

### Les coliques

Les coliques, ou pleurs excessifs du nouveau-né qui se prolongent jusqu'à 3 heures de suite, se produisent plusieurs fois par semaine durant plusieurs semaines. La plupart du temps, elles cessent vers le 3$^{e}$ ou le 4$^{e}$ mois. Les coliques ont lieu en général vers la fin de la journée et en soirée.

Il semble que les coliques soient liées à des malaises gastro-intestinaux ou à des gaz, mais elles ne sont pas considérées comme une maladie. Si l'enfant conserve son appétit, se développe normalement et apprécie être caressé durant ses périodes de pleurs, il souffre de coliques.

Il faut toutefois vérifier que l'enfant ne souffre pas d'autres malaises et ne nécessite pas une consultation médicale. Si les coliques persistent au delà du 4$^{e}$ mois, suggérer aux parents de consulter un médecin.

### Quelques suggestions qui peuvent aider à calmer les coliques

Parler doucement à l'enfant, le prendre contre son ventre ; mettre sur son ventre un lainage réchauffé à la sécheuse ; le promener, le bercer, le porter dans un porte-bébé ventral ; l'enfant peut aussi se consoler en suçant son poing ou à l'aide d'une sucette.

Il arrive aussi que tous ces bons soins ne calment pas l'enfant ! La patience est nécessaire en cette période difficile pour tous ceux qui prennent soin de bébé[12] !

12. *All about colic* sur le Net : www.careguide.net

### Les poussées de croissance

Par moments, surtout dans les trois premiers mois, l'appétit de certains bébés augmente soudainement. Il faut augmenter la ration de lait, que l'enfant soit nourri au sein ou à la préparation lactée :

- Si l'enfant est nourri au sein, prévoir une réserve de lait maternel.
- Augmenter la ration de 15 à 30 ml par biberon (1/2 à 1 oz) jusqu'à un maximum de 240 ml (8 oz) par biberon, et ce, jusqu'à 1 050 ml ou 1 200 ml (35 à 40 oz) aux 24 heures. Après 2 ou 3 jours, revenir à 1 050 ml de lait par jour (35 oz). Si l'enfant boit plus de 1 200 ml (40 oz) par jour pendant une semaine, on peut songer à commencer l'alimentation solide[13].

## Le passage au gobelet ou au verre

C'est généralement vers 9 mois, parfois avant, que le gobelet commence à être accepté. On commence à offrir à l'enfant un peu d'eau, de lait ou de jus dans un verre à bec qui bascule sans se renverser. Il se peut que dans les premiers jours le bébé ne boive qu'une petite quantité au gobelet. Il faut s'assurer que l'enfant prend une quantité suffisante de lait en continuant les biberons.

Progressivement, l'enfant s'habitue à boire au verre. Il peut cependant rester attaché à son biberon encore longtemps. Cette phase d'initiation au verre doit être vécue en douceur ; elle marque une étape importante dans les acquisitions de l'enfant.

Pour une cohérence des interventions, s'entendre avec le parent sur le moment et la façon de passer progressivement du biberon au verre. La communication et la confiance sont ici essentielles.



13. N. Doré et D. Le Hénaff, *op. cit.*, p. 58.

# Les repas et les collations

## L'introduction des aliments solides : quand commencer ?

Une collaboration étroite entre le parent et le service de garde est essentielle au moment de l'introduction des solides. Les manières de procéder du parent et du service de garde doivent être similaires et se compléter, pour le bien-être de l'enfant.

Dans la mesure du possible, il est recommandé que ce soit le parent qui commence à la maison l'introduction des solides et de tout nouvel aliment, en particulier pour les enfants qui ont une histoire familiale d'allergies. Il est très important de toujours solliciter l'accord du parent et de l'obtenir avant d'offrir de nouveaux aliments.

Au cours des ans, les recommandations concernant l'âge d'introduction des aliments solides ont varié considérablement. Aujourd'hui, on considère généralement que le système digestif du bébé est prêt à recevoir de la nourriture solide vers l'âge de 4 ou 5 mois. À cet âge, ses lèvres se referment sur la cuillère, l'enfant a plus de salive et peut mieux utiliser sa langue pour avaler ; il s'assoit relativement droit, contrôle mieux les mouvements de sa tête et cherche à saisir les objets avec ses mains. Son organisme commence également à nécessiter plus de calories et d'éléments nutritifs pour continuer sa croissance.

> La décision de commencer les aliments solides appartient aux parents. Pendant toute la période d'introduction des solides, la communication avec les parents est essentielle. Chaque parent ou éducatrice doit informer l'autre des expériences alimentaires de l'enfant, de ses réactions.

Pendant toute la période d'introduction des solides, le service de garde doit noter ce que l'enfant mange à chaque repas et surveiller les réactions particulières. Le journal de bord est l'endroit le plus indiqué pour ces notes.

Il faut éviter que l'éducatrice pose un diagnostic d'allergie alimentaire ; elle doit noter toute réaction spéciale – rougeurs, œdème, urticaire –, mais en aucun cas poser un diagnostic comme celui d'allergie alimentaire. Elle peut toutefois suggérer au parent de consulter son médecin pour faire préciser la nature de ces réactions et noter les aliments qui sont en cause.

## Par quoi commencer?

L'ordre d'introduction des aliments varie selon les coutumes et la culture de chaque pays. Au Québec, on recommande généralement de commencer par les céréales, pour introduire ensuite les légumes, puis les fruits et les jus de fruits et terminer avec la viande et ses substituts.

Afin de ne pas surcharger les reins de l'enfant, il est recommandé de ne pas donner avant six mois des aliments riches en protéines comme la viande, le yogourt, le fromage et le jaune d'œuf[14].

### Vers 4-5 mois: les céréales

- Le bébé pourrait commencer les céréales plus tôt, vers l'âge de 3 mois, s'il boit plus de 40 oz pendant au moins une semaine. Cependant, l'ordre d'introduction des solides demeure le même. C'est naturellement le parent qui doit prendre la décision de commencer l'alimentation de son enfant plus tôt en fonction de sa consommation de lait.
- Il est recommandé de commencer par des céréales de riz ou d'orge pour bébés, sans légumes ou fruits ajoutés. Après 6 mois, on peut donner aussi des céréales d'avoine et de soya. Quand l'enfant mangera plusieurs céréales simples, on pourra alors lui offrir des céréales mixtes à grains mélangés.
- Il faut toujours choisir des céréales enrichies de fer pour bébés et nourrissons.
- La quantité de lait ne doit pas diminuer après l'introduction des céréales: environ 1 050 ml (35 oz) par jour jusqu'à 6 mois, 900 ml (30 oz) après 6 mois, 750 ml (25 oz) après 9 mois.
- Commencer le repas avec le lait puis offrir les céréales avec la cuillère.
- Commencer par donner de 1/2 à 1 c. à thé de céréales à la fois, mélangées au lait maternel ou à la préparation lactée. Au début, faire une pâte très liquide, en utilisant deux fois plus de lait que de céréales sèches.
- Augmenter graduellement la quantité de céréales pour atteindre environ 1/2 à 3/4 de tasse (120 à 180 ml) par jour vers l'âge d'un an.
- Ne pas ajouter de sucre aux céréales.
- Commencer par donner des céréales une fois par jour, puis passer à deux fois par jour. En général, durant la période d'introduction des solides, on recommande de donner les céréales au déjeuner et au souper.

14. N. Doré et D. Le Hénaff, *op. cit.*, p. 202.

- Ne pas ajouter de céréales dans le biberon, sauf sur recommandation médicale.
- Varier les céréales une fois qu'elles sont toutes introduites.

## Vers 5-6 mois: les légumes et les fruits

### Les légumes

- On peut passer aux légumes 2 ou 3 semaines après avoir commencé les céréales, soit vers l'âge de 5 mois, plus tôt si l'enfant a faim.
- Commencer par la courge, la courgette, la carotte, les pois verts et les haricots verts ou jaunes. On peut par la suite ajouter le brocoli, le chou-fleur et la patate douce.
- Varier les légumes.
- À cause de leur teneur en nitrates, qui peuvent être toxiques pour les bébés, ne pas donner de betterave, de navet et d'épinards avant l'âge de 9 mois. Ne pas utiliser l'eau de cuisson de ces légumes pour faire les purées.
- Ne donner qu'un seul légume nouveau à la fois. Attendre plus de 3 jours avant de lui en offrir un autre, pour voir s'il le digère bien. Quand l'enfant est habitué à un légume, lui en offrir un autre. L'enfant doit avoir mangé les légumes séparément avant de les prendre mélangés pour s'assurer qu'il digère bien chaque légume.
- Commencer par 3 ou 5 ml (1/2 ou 1 c. à thé) d'un légume par repas, midi et soir; augmenter progressivement, de 5 à 15 ml (1 à 3 c. à thé) par repas.
- Utiliser l'eau de cuisson, pour faire les purées maison, sauf pour les légumes mentionnés plus haut et les carottes à cause de leur teneur élevée en nitrates. Ne pas saler les légumes.
- Privilégier la cuisson à la vapeur pour conserver le maximum de saveur et de valeur nutritive.
- Éviter les purées de légumes qui contiennent du jus de tomate ou des amidons, avant 6 mois.

### Les fruits

- Commencer les fruits, 2 ou 3 semaines après avoir introduit les légumes.
- Offrir une variété de fruits en purée sans sucre ajouté: pomme cuite, poire, pêche, abricot, banane bien mûre.
- Ne donner qu'un seul fruit nouveau à la fois. Attendre de 3 à 7 jours avant d'en offrir un autre à l'enfant, pour voir s'il le digère bien. Lorsque l'enfant est habitué à un fruit, lui en offrir un autre. L'enfant doit avoir mangé les fruits séparément avant de les prendre mélangés.

- Commencer par 3 ou 5 ml (1/2 ou 1 c. à thé) d'un fruit par repas, midi et soir; augmenter progressivement de 5 à 10 ml (1 à 2 c. à thé) par repas.
- S'il y a des allergies de quelque nature dans la famille, ne pas donner de purées de fruits contenant des jus de citron, d'orange, de pamplemousse, de l'acide citrique, des tomates ou des fraises. Lire l'étiquette sur les pots.
- Toujours avant l'âge de 6 mois, éviter les purées de fruits ou desserts qui contiennent du tapioca, de l'amidon de maïs, de la farine, du sucre ou du jaune d'œuf. Souvent ajoutés aux fruits en petits pots, ces produits ont moins de valeur alimentaire que les fruits[15] et peuvent causer des intolérances.
- Continuer de donner le lait avant les céréales, les légumes et les fruits.

### Vers 6 mois, 6 mois et demi: la viande, le poisson et les substituts

- Il est important d'attendre que l'enfant ait atteint 6 mois avant d'introduire la viande et les substituts.
- Offrir une variété de viandes en purée sans sel et sans épice: débuter par le poulet, la dinde, l'agneau. Par la suite ajouter veau, bœuf et, de temps à autre, un peu de foie mélangé aux légumes.
- Donner des poissons de mer (aiglefin, morue, sole, turbot, flétan, thon à chair blanche) sans arête. Ne pas donner avant un an les fruits de mer, le saumon, la goberge et les crustacés, à cause des risques élevés d'allergies. S'il y a des allergies dans la famille, ne pas donner avant 4 ans.
- Commencer par 3 ou 5 ml (1/2 ou 1 c. à thé) de viande le midi; augmenter lentement de 5 ml (1 c. à thé) à la fois, selon le goût et l'appétit de l'enfant.
- Choisir de préférence les viandes, volailles et poissons maigres.
- La quantité recommandée à l'âge d'un an est d'environ 50 à 100 ml (3 à 7 c. à table) par jour.
- Offrir le jaune d'œuf cuit dur. Commencer par une cuillérée à thé et augmenter progressivement jusqu'à un demi jaune d'œuf par jour. Habituellement, on ne donne pas plus de 3 jaunes d'œuf par semaine. Attendre l'âge de 12 mois avant d'introduire le blanc d'œuf à cause des risques d'allergies.
- Le fromage (cottage, quark ou ricotta) peut remplacer la viande à l'occasion.

15. N. Doré et D. Le Hénaff, *op. cit.*, p. 211.

- On peut commencer à offrir du yogourt et d'autres aliments à base de lait quand l'enfant a 8 ou 9 mois et qu'il mange à peu près de tout. Entre 6 et 9 mois, les quantités de lait diminuent à plus ou moins 900 ml (30 oz).
- Le lait peut être offert avant ou après les aliments solides.

### Quelques règles à respecter pendant la période d'introduction des aliments

- Ne pas mettre d'aliments solides dans le biberon, sauf sur recommandation médicale. L'enfant doit apprendre à manger à la cuillère et s'habituer à de nouvelles saveurs.
- Ne pas forcer un enfant à avaler un aliment qu'il n'aime pas. Lui laisser le temps de se familiariser; en offrir à nouveau quelques jours plus tard.
- Opter de préférence pour des purées maison qui sont plus économiques que les purées commerciales. Toutefois, on peut acheter des purées commerciales de qualité, sans sucre, ni sel, ni agent de préservation, ni aliments superflus (amidon, tapioca, farine, œuf, sucre).

### La conservation et la congélation des purées

- Pour congeler la purée, la verser tiède dans des moules à glaçons et la faire refroidir au réfrigérateur. Recouvrir de papier ciré et mettre au congélateur de 8 à 12 heures. Une fois la purée congelée, verser les cubes dans un sac en plastique en indiquant le nom de l'aliment et la date de congélation.
- Les légumes et les fruits se conservent 2 ou 3 jours au réfrigérateur et de 6 à 8 mois au congélateur. Pour les viandes, les volailles, les œufs et les viandes avec légumes, la durée de conservation est de 1 ou 2 jours au réfrigérateur et de 1 ou 2 mois au congélateur[16]. Ne jamais recongeler une purée dégelée. Elle perd toute sa qualité nutritive.
- Réfrigérer jusqu'au moment de servir les purées maison et les pots de purée commerciale qui ont été entamés. Bien marquer au nom de l'enfant les purées fournies par le parent; ne les servir qu'à l'enfant concerné.
- Au moment du repas, réchauffer seulement la quantité de purée requise pour le repas et non le pot de purée en entier. Éviter de remettre dans le pot la cuillère qu'un enfant a déjà portée à sa bouche; au contact de la salive, la nourriture risque de se contaminer.

16. N. Doré et D. Le Hénaff, *op. cit.*, p. 215.

## De 7 mois à 1 an: une variété d'aliments et d'apprentissages

À partir de 7 ou 8 mois, s'il n'a pas tendance à s'étouffer, on initie progressivement l'enfant aux aliments plus consistants. On peut lui offrir des purées moins fines, bien écrasées à la fourchette et, progressivement, de petits morceaux. L'objectif est que l'enfant vers l'âge d'un an soit prêt à accepter le menu régulier du service de garde, à moins qu'il ne présente des besoins particuliers.

- Après le repas, l'enfant peut boire du lait au gobelet, au verre ou à la tasse. Au début, les enfants ont tendance à boire de petites quantités au verre. Il faut donc s'assurer que l'enfant prend au biberon le reste du lait dont il a besoin.
- De 9 mois à 1 an, le lait maternel et les préparations lactées pour nourrissons, avec fer, demeurent le meilleur choix. Selon la décision du parent, on peut introduire graduellement le lait de vache entier (3,25 % m.g.) durant cette période. Limiter progressivement la quantité de lait à 750 ml (25 oz) par jour pour donner plus de place aux aliments solides.
- Par mesure de prudence, ne pas donner de miel même pasteurisé ou de sirop de maïs aux enfants de moins d'un an pour ne pas les habituer aux aliments sucrés. De plus, ces produits peuvent contenir des spores de botulisme qui, si elles se développent dans l'intestin du jeune enfant, peuvent causer le botulisme infantile, maladie rare mais souvent mortelle[17].
- Diversifier les aliments déjà offerts: ajouter de nouvelles céréales enrichies de fer tout en conservant celles qui sont déjà connues de l'enfant. Ajouter de nouveaux légumes et de nouveaux fruits, écrasés à la fourchette.
- Aliments nouveaux: blanc d'œuf à 12 mois; légumineuses écrasées (une portion = 1/4 de tasse ou 60 ml), et tofu écrasé (une portion = 30 g [1 oz])[18], fromage (une portion = 15 g [1/2 oz]).
- Les matières grasses sont essentielles à la croissance et au développement du bébé. L'huile, la margarine et le beurre peuvent être utilisés à la cuisson ou sur le pain[19].
- Donner de l'eau si l'enfant a soif.
- Limiter les jus pendant l'enfance à environ une tasse par jour. S'ils sont donnés en quantité pendant la journée, ils prennent la place du lait et des aliments essentiels à la croissance et à la santé de l'enfant.

---

17. N. Doré et D. Le Hénaff, *op. cit.*, p. 203.
18. *Ibid.*, p. 237.
19. Regroupement des diététistes en santé communautaire, Région de Montréal, *L'alimentation du bébé 7-24 mois*, dépliant du CLSC Les Faubourgs, juin 1995.

- L'enfant n'a pas besoin de chocolat, de crème glacée, de croustilles, de fritures, de boissons gazeuses ni de bonbons. Éviter de lui en donner[20].
- Si l'enfant a faim, on peut lui offrir une collation environ deux heures avant le prochain repas. La collation doit être nutritive et légère[21].
- Suggestions de collations: lait, jus de fruits, légumes, fruits, craquelins, pain, fromage, yogourt, muffins, céréales sèches non sucrées[22].
- Faire attention au «jello». Il est peu nutritif et ne contient pas de fruits. De plus, il est à proscrire pour les enfants qui ont une allergie diagnostiquée aux protéines bovines. Cette donnée est importante car certains services de garde offrent parfois du «jello» en guise de dessert ou de collation aux enfants.

## Le comportement alimentaire de 7 mois à 1 an

- À cet âge, l'enfant apprend à se nourrir seul et aime prendre les aliments avec ses doigts. Il faut le laisser faire, même si les dégâts sont nombreux, car c'est une étape importante de son développement[23]. Tout comme au temps de la tétée ou du biberon, l'enfant a besoin de sentir que manger est un moment agréable et que son apprentissage de l'indépendance est accepté.
- On peut le laisser mastiquer des aliments mous vers 7 ou 8 mois, comme de petits morceaux de banane mûre, de légumes cuits, etc.[24]. Nous reviendrons plus loin sur certains aliments qui présentent des risques d'étouffement.
- Vers 9 mois, on peut le laisser mastiquer des aliments secs, par exemple, bâtonnets de pain, biscottes, cornets vides. À cet âge, il pourrait s'étouffer avec des aliments crus et durs. S'il a besoin de mordre parce qu'il fait ses dents, lui donner un anneau de dentition solide[25].
- Servir les repas des bébés dans un endroit calme et de préférence toujours le même.
- Mettre à chaque enfant un bavoir confortable et facile d'entretien.
- Avant d'installer les enfants, rassembler ce dont on aura besoin pendant le repas: vaisselle, aliments, débarbouillettes, etc. Voir à ce que la vaisselle et les ustensiles soient sécuritaires et adaptés aux capacités des enfants, de sorte qu'ils passent progressivement du bol à l'assiette et du gobelet au verre.



---

20. N. Doré et D. Le Hénaff, *op. cit.*, p. 230.
21. *Ibid.*
22. Regroupement des diététistes en santé communautaire, Région de Montréal, *op. cit.*, note 19.
23. *Ibid.*
24. N. Doré, et D. Le Hénaff, *op. cit.*, p. 222.
25. *Ibid.*, p. 234.

- Se laver les mains et laver celles des enfants.
- Un enfant doit manger en présence d'un adulte et sous la surveillance de celui-ci. Il doit manger assis à la table ou dans une chaise haute. Il ne doit ni marcher ni courir avec des aliments dans la bouche[26]. Cela augmente les risques d'étouffement et nuit au développement de bonnes habitudes alimentaires.

### Entre 1 et 2 ans: adoption par l'enfant du menu du service de garde

- À cet âge, l'enfant partage dans la mesure du possible le menu des enfants plus âgés du service de garde. Après un an, la croissance du bébé ralentit et son appétit diminue. Ne pas le forcer à manger.
- L'enfant est de plus en plus habile à manger seul. L'encourager à se servir de la cuillère, tout en l'aidant au besoin[27]. Les dégâts seront également au menu. Demander la collaboration du parent pour encourager le développement de l'autonomie de l'enfant par rapport à l'alimentation, de sorte qu'il puisse prévoir des vêtements que l'enfant pourrait salir.
- Continuer d'offrir des céréales pour bébés jusqu'à l'âge de 2 ans ainsi que les céréales sèches non sucrées ou la crème de blé, car elles sont plus riches en fer. Les céréales à déjeuner à grains entiers prêtes à servir peuvent aussi être offertes à l'occasion.
- Ajouter au menu fraises, framboises et rôties tartinées de beurre d'arachide crémeux s'il n'y a pas d'allergies connues à ces aliments parmi les enfants du service de garde.
- Servir de préférence des produits composés de grains entiers ou enrichis. Par exemple, servir des pâtes alimentaires enrichies de fer.
- S'assurer que l'enfant découvre une variété d'aliments à cette période cruciale dans le développement des habitudes alimentaires.

## L'alimentation des enfants à partir de 2 ans

Progressivement, à partir de l'âge de 1 an et complètement à l'âge de 2 ans, les services de garde à l'enfance doivent fournir aux enfants qui leur sont confiés une alimentation basée sur les normes du Guide alimentaire canadien pour manger sainement.

26. N. Doré et D. Le Hénaff, *op. cit.*, p. 232.

27. Regroupement des diététistes en santé communautaire, Région de Montréal, *op. cit.*, note 19.

Les services de garde ont un rôle important à jouer dans l'alimentation des enfants, car les repas et collations qu'on y sert constituent souvent une bonne part de leur apport alimentaire quotidien. Il importe donc que ces repas et collations soient variés, attrayants et adaptés aux besoins nutritifs des enfants.

## Les 4 groupes alimentaires

Dans cette perspective, la réglementation[28] oblige les services de garde à s'assurer que les repas et collations qu'ils dispensent respectent les exigences du Guide alimentaire canadien, publié par Santé Canada. Les repas doivent donc contenir des aliments de chacun des 4 groupes d'aliments présentés dans ce guide: lait et produits laitiers; fruits et légumes; pain et céréales; viande, poisson, volaille et substituts.

- Lait et produits laitiers. Choisir le lait entier (3,25 % matière grasse), enrichi de vitamine D. Offrir aux enfants qui n'aiment pas vraiment le lait des collations ou des potages à base de lait. Même s'ils sont riches en calcium, le fromage et le yogourt ne peuvent remplacer le lait complètement car ils ne contiennent pas de vitamine D qui permet notamment de mieux assimiler le calcium.
- Fruits et légumes. Offrir un peu de fruits et de légumes au repas principal. En offrir à nouveau à la collation. Diversifier les fruits et légumes et les servir sous diverses formes: crus, cuits, en jus.
- Pains et céréales. Choisir de préférence des produits à grains entiers.
- Viande, poisson et volaille. Servir aussi des substituts: œufs, légumineuses (pois chiches, lentilles, etc.).

## Portions quotidiennes pour enfants de 2 à 5 ans

Le Guide alimentaire canadien pour manger sainement recommande pour la population en général de manger:

- De 5 à 12 portions par jour de produits céréaliers;
- De 5 à 10 portions par jour de légumes et de fruits;
- 2 ou 3 portions de produits laitiers;
- 2 ou 3 portions de viandes et de substituts.

Le guide alimentaire suggère un nombre variable de portions pour chaque groupe d'aliments, dans le but d'adapter le Guide aux membres d'une famille et aux âges variés.

28. *Règlement sur les services de garde éducatifs à l'enfance,* art. 110.

## Les 4 groupes d'aliments

### Leur valeur nutritive et leurs fonctions dans l'organisme[29]

| Les 4 groupes d'aliments | Éléments nutritifs | Quelques fonctions générales |
|---|---|---|
| Lait et produits laitiers | Calcium, phosphore, vitamine D (le lait seulement), protéines, vitamines A et B, sodium | Formation des os et des dents<br>Fonctionnement du système nerveux<br>Maintien de la santé de la peau et des yeux<br>Maintien de la musculature et d'un bon rythme cardiaque: calcium |
| Produits céréaliers (de préférence de grains entiers) | Fibre et vitamine E, vitamines du groupe B, fer, zinc, magnésium | Fabrication d'énergie pour l'organisme<br>Fonctionnement des systèmes nerveux, cardiovasculaire et digestif |
| Fruits et légumes | Vitamine A: légumes et fruits verts et jaune foncé<br>Vitamine C: fruit citrin, tomate, kiwi, poivron, chou, cantaloup, fer, sodium, potassium, minéraux | Fonctionnement normal de l'intestin (fibres)<br>Formation et équilibre du sang: vitamine C, fer, sodium, potassium<br>Absorption du fer<br>Bonne vision de nuit, santé de la peau: vitamine A et minéraux Production d'énergie (sucres) |
| Viandes, volailles, poissons, œufs, légumineuses, beurre d'arachide | Vitamines du groupe B: fer, zinc, magnésium, phosphore et calcium | Formation et réparation des cellules de l'organisme (protéines)<br>Formation du fer (protéines)<br>Véhicule des vitamines A, D, E, K (les gras)<br>Maintien en santé des systèmes nerveux et digestif<br>Formation et maintien en santé des os et des dents |

Pour établir le nombre de portions à donner aux enfants de 2 à 5 ans, il est suggéré de s'inspirer des directives générales suivantes données par Santé Canada[30]:

- Produits laitiers: les enfants d'âge préscolaire doivent en prendre 2 ou 3 portions, dont, au moins 500 ml (2 tasses) de lait par jour, soit 2 portions, parce que c'est leur principale source alimentaire de vitamine D. L'enfant peut aussi consommer une portion pour enfant d'autres produits laitiers, comme le fromage ou le yogourt.

29. Santé Canada, *Le Guide alimentaire pour manger sainement*: renseignements sur les enfants d'âge préscolaire à l'intention des éducateurs et des communicateurs, 1995, www.hc-sc.gc.ca/hppb/la-nutrition/pubf/prescolaire/guide.htm

30. *Ibid.*

- Produits céréaliers et fruits et légumes: les enfants d'âge préscolaire ont tendance à se satisfaire du plus petit nombre de portions suggérées dans le Guide, soit 5 portions de produits céréaliers et 5 portions de légumes ou de fruits.
- Viandes et substituts: 2 à 3 portions pour enfant.

Généralement, la grandeur d'une portion augmente avec l'âge de l'enfant. Par exemple, une portion de produit céréalier peut être constituée d'une demi-tranche de pain pour un enfant de 2 ans et d'une tranche complète pour un enfant de 4 ans.

## Exemples de portions

### Pour les 4 groupes alimentaires

| Les 4 groupes d'aliments | Nombre de portions par jour | Exemples d'une portion pour des enfants de 2 à 5 ans |
|---|---|---|
| Lait et produits laitiers | 2 à 3 portions | 1 tasse (250 ml) de lait<br>1/3 à 3/4 tasse (85 à 175 ml) de yogourt<br>1/8 à 1/4 tasse (25 à 50 g) de fromage<br>**Les enfants d'âge préscolaire doivent consommer 2 tasses (500 ml) de lait par jour.** |
| Produits céréaliers | 5 portions | 1/2 à 1 tranche de pain;<br>1/4 à 1/2 muffin<br>1/4 à 1/2 bagel, pain pita, petit pain<br>4 à 8 craquelins<br>15 à 30 g de céréales prêtes à servir*<br>1/3 à 3/4 tasse (85 à 175 ml) de céréales chaudes<br>1/4 à 1/2 tasse (60 à 125 ml) de pâtes alimentaires ou de riz |
| Fruits et légumes | 5 portions | 1/2 à 1 légume ou fruit de grosseur moyenne<br>1/4 à 1/2 tasse (60 à 125 ml) de fruits ou de légumes frais, surgelés ou en conserve<br>1/2 à 1 tasse (125 à 250 ml) de salade<br>1/4 à 1 tasse (125 à 250 ml) de jus |
| Viandes et substituts | 2 ou 3 portions | 1/8 à 1/4 tasse (25 à 50 g) de viande, volaille, poisson<br>1/4 à 1/3 tasse (60 à 85 ml) de tofu<br>1 œuf; 1 à 2 cuillerées à table de beurre d'arachide<br>1/4 à 1/2 tasse (60 à 125 ml) de légumineuses |

* Une portion de céréales sèches correspond approximativement aux volumes suivants:
1/2 à 1 tasse (125 à 250 ml) de céréales en flocons;
1 à 2 tasses (250 à 500 ml) de céréales soufflées;
2 cuillerées à table à 1/3 tasse (30 à 175 ml) de céréales de type muesli.

## L'alimentation végétarienne

Les régimes végétariens bien élaborés ne nuisent pas à la santé.

- Types de régimes végétariens:
  - Le régime végétalien exclut tous les aliments d'origine animale.
  - Le régime ovovégétarien exclut tous les aliments d'origine animale, sauf les œufs.
  - Le régime lacto-ovovégétarien exclut tous les aliments d'origine animale, sauf les œufs et les produits laitiers.
- Si un régime végétarien est adopté pour un enfant, le régime lacto-ovovégétarien, moins restrictif, doit être encouragé.
- Le régime végétalien très strict peut entraîner un manque de fer, de calcium, des vitamines D et B12, de riboflavine et d'énergie. Un tel régime demande qu'on planifie sérieusement les repas de l'enfant et qu'on ajoute des suppléments vitaminiques et minéraux pour parer entre autres à un risque d'anémie. Dans l'objectif d'offrir à l'enfant une alimentation conforme à ses besoins et au Guide alimentaire canadien pour manger sainement, il est suggéré que le service de garde se renseigne auprès de son CLSC, si un parent demande que son enfant inscrit au service de garde soit nourri selon un tel régime.
- Les nourrissons non allaités et alimentés selon un régime végétalien doivent être nourris avec une préparation lactée à base de soya enrichie de fer. Les laits de soya vendus dans les magasins d'alimentation naturelle ne permettent pas une alimentation équilibrée, ne remplacent pas les préparations lactées et peuvent causer de sérieuses carences alimentaires[31].
- Les enfants végétariens doivent bénéficier du même choix de légumes, de fruits et de céréales que les autres enfants du même âge.
- Pour remplacer la viande, la volaille, le poisson et, selon les régimes, les produits laitiers, les enfants végétariens doivent prendre des protéines végétales comme des légumineuses, du tofu, des substituts de viande fabriqués à partir de protéines végétales et du fromage de lait doux si le type de régime le permet.
- Des œufs peuvent être consommés par les bébés nourris selon le régime lacto-ovovégétarien si l'on suit les mêmes recommandations que pour tous les nourrissons: le jaune d'œuf cuit dur vers 6 mois et l'œuf entier vers 12 mois.

31. N. Doré et D. Le Hénaff, *op. cit.*, p. 78.

- Comme pour tous les petits, on doit attendre que l'enfant végétarien ait atteint l'âge de 2 ans (ou de 4 ans dans la famille où il y a des allergies), avant de lui permettre de consommer du beurre de noix ou du beurre d'arachide à cause de la propriété allergène de ces derniers[32].

## La planification et la préparation des repas

La préparation des repas en milieu de garde exige qu'on tienne compte d'un grand nombre de données: goûts et besoins alimentaires des enfants, particularités de la clientèle (convictions religieuses, diètes spéciales, etc.), disponibilité et coût des aliments, possibilité d'entreposage et temps de préparation, etc. Elle nécessite donc la présence d'un personnel compétent, sensible à ces diverses dimensions et conscient de l'importance des mesures d'hygiène qui doivent entourer la préparation des aliments.

- S'assurer qu'on connaît bien les caractéristiques de sa clientèle: âge et modalités de fréquentation des enfants, goûts et habitudes alimentaires, ethnies et convictions religieuses des parents, diètes spéciales, allergies, etc.
- Préparer un menu pour une période minimale de 3 à 4 semaines. Ce menu pourra être réutilisé par la suite. Dans l'élaboration du menu, prévoir des mets au goût des enfants de groupes ethniques particuliers et des menus spéciaux pour les fêtes et les anniversaires. Éviter d'introduire plus d'un aliment nouveau à la fois et s'assurer de l'équilibre alimentaire de chacun des repas. Si l'on opte pour des menus végétariens, de façon régulière ou occasionnelle, préférer la cuisine lacto-ovovégétarienne plutôt que végétalienne stricte.
- En installation et en garderie, afficher le menu hebdomadaire à la vue du parent et du personnel, y inscrire toute modification à apporter. En service de garde en milieu familial, informer le parent du contenu des collations et repas dispensés aux enfants. Le parent pourra ainsi tenir compte de ces menus dans la planification de ses repas à la maison. S'assurer que les repas et collations sont conformes au menu affiché[33]. Conserver les menus au dossier au moins 30 jours après

32. Les renseignements sur le régime végétarien sont tirés d'un texte de la Société canadienne de pédiatrie, *Le soin de nos enfants - les régimes végétariens* : www.cps.ca/francais/carekids/eating/07.htm

33. *Règlement sur les services de garde éducatifs à l'enfance,* art. 112.

leur utilisation. Si un problème d'allergie survient chez un enfant, la consultation du menu permettra peut-être d'aider à détecter la source de l'allergie.

- Avec l'autorisation écrite du parent, afficher à la cuisine et dans les locaux des enfants concernés la liste des enfants allergiques à certains aliments avec une photo récente des enfants. En informer les éducatrices responsables et les remplaçantes. Vérifier la liste quotidienne et prévoir des aliments de remplacement pour les enfants allergiques.
- Dans le cas de diètes spéciales prescrites par un membre du Collège des médecins du Québec, remettre au personnel responsable de la préparation des repas et à l'éducatrice responsable de l'enfant copie des directives écrites du parent; ces directives doivent être conservées au dossier de l'enfant. S'assurer que ces directives sont respectées fidèlement[34].
- Demander au personnel affecté à la préparation des repas de respecter fidèlement le menu, de bien prévoir les quantités de nourriture requises, de choisir des aliments de bonne qualité, de leur assurer des conditions de conservation adéquates et de respecter rigoureusement les normes d'hygiène qui doivent entourer la préparation des aliments. Permettre à ce personnel de participer régulièrement à des activités de formation ou d'obtenir la collaboration d'une nutritionniste du CLSC ou d'une autre cuisinière plus expérimentée.
- S'assurer que l'équipement mis à la disposition du personnel de la cuisine est maintenu propre et en bon état pour la préparation d'aliments en quantité suffisante pour les repas et les collations des enfants du service de garde.
- S'assurer que l'horaire des repas et des collations est bien adapté aux enfants. Prévoir au moins deux heures entre la collation du matin et le repas du midi. Servir la collation de l'après-midi entre 15 heures et 16 heures. Ne pas oublier que la plupart des enfants qui fréquentent un service de garde le jour ne prennent pas leur repas du soir avant 18 heures ou même 19 heures. De même, un certain nombre d'enfants qui arrivent tôt peuvent avoir besoin de déjeuner.
- S'assurer du dialogue constant avec le parent pour tout ce qui touche l'alimentation de l'enfant: a-t-il été fiévreux la veille? A-t-il refusé son dîner au service de garde ou son souper à la maison?, etc. Autant de données à connaître pour que les éducateurs et le parent s'adaptent à la situation que vit l'enfant. Inscrire ces données au journal de bord et inciter le parent à les lire et à formuler ses propres commentaires.

34. *Règlement sur les services de garde éducatifs à l'enfance,* art. 111.

## L'organisation matérielle des repas

L'aménagement et l'équipement des repas doivent favoriser le plus possible l'autonomie des enfants, une atmosphère calme et relaxante et la mise en place de certaines règles d'hygiène.

- Prévoir, si possible, un lavabo avec distributeur de savon, des essuie-mains en papier et un rangement pour les brosses à dents dans chacun des locaux où des repas sont servis. Les activités d'hygiène reliées aux repas s'en trouveront grandement facilitées.
- Choisir de préférence des tables rondes; elles facilitent la communication. S'assurer que les tables et les chaises sont adaptées à la taille des enfants; ceux-ci pourront davantage se débrouiller seuls, en toute sécurité.
- S'assurer que les tables ont été désinfectées avant les repas et les collations.
- Choisir de la vaisselle incassable et des ustensiles adaptés aux capacités des enfants; ceux-ci pourront davantage se débrouiller seuls, en toute sécurité.
- S'assurer que les aliments sont transportés de la cuisine aux salles à manger de façon sécuritaire et qu'ils sont encore à la bonne température au moment de les servir[35]. Le repas terminé, débarrasser la table, la désinfecter et ramasser les restes de nourriture.

35. *Règlement sur les services de garde éducatifs à l'enfance,* art. 113.

# Le plaisir de manger

## Le climat du repas

Le repas est un moment important dans la vie de l'enfant. Manger est un des plaisirs de la vie ! Il faut viser une atmosphère de repas ou de collation calme, chaleureuse et détendue.

L'instauration d'un rituel autour des repas est une bonne façon de favoriser l'ambiance désirée.

- Prévenir les enfants que l'heure du repas approche et qu'ils devront bientôt mettre fin à leurs jeux. Le moment venu, demander aux enfants de ranger les jouets.
- Il peut être souhaitable de prévoir une activité de transition comme un conte ou une chanson pour permettre aux enfants de se calmer avant de passer à table.
- Voir à ce que les enfants se lavent les mains à l'eau et au savon.
- Inviter les enfants à passer à table et servir sans délai, en faisant appel à leur collaboration.
- Pour des raisons d'hygiène, demander que les jouets et objets personnels des enfants restent loin de la table.
- S'asseoir à la même table et partager le repas avec les enfants.
- À table, habituer les enfants à rester calmes, à prendre leur temps et à mastiquer. Favoriser les échanges entre les enfants. Ne pas presser les enfants de manger.
- Apprendre aux enfants à ne pas partager la nourriture, les ustensiles ou les verres, surtout si certains enfants ont des allergies alimentaires et afin de diminuer les risques de transmission de microbes.
- Attendre que le groupe ait terminé le plat principal avant de servir le dessert, le cas échéant.
- Tout en enseignant et en encourageant une tenue de table et une hygiène appropriées, éviter de répéter constamment les mêmes remarques et de gronder. L'assimilation de ces bonnes habitudes prend du temps.
- La télévision ouverte n'a pas sa raison d'être durant les repas et les collations car elle distrait l'enfant et l'empêche de se concentrer sur l'action de manger. Il faut éviter que l'enfant associe télévision et nourriture.

- Au sortir du repas, faire laver les mains et brosser les dents des enfants.
- Prévoir une activité de transition après le repas, par exemple, lire un conte, écouter de la musique, etc.

## Le développement d'un bon comportement alimentaire

L'alimentation des enfants en qualité et en quantité suffisantes est une préoccupation que partagent les parents et les éducatrices à l'enfance. On s'inquiète qu'un enfant ne mange pas suffisamment, qu'il refuse certains aliments jugés essentiels à sa santé, etc.

Bon nombre des conduites qui inquiètent les responsables des enfants font partie du développement normal de l'enfant, de sa curiosité naturelle, de son désir d'indépendance.

L'enfant se porte bien, il est actif, de bonne humeur, il grandit normalement. Dans ces circonstances, les éducatrices et les parents n'ont pas à s'inquiéter.

**Il est normal:**

- Qu'un enfant manque d'appétit certains jours.
- Qu'un enfant mange sans problème une denrée une journée et la refuse le lendemain.
- Qu'il examine attentivement ses aliments avant de les manger.
- Qu'il insiste pour être servi dans telle assiette qu'il aime et pas dans une autre.
- Qu'il renverse son verre de lait.
- Qu'il insiste pour se servir lui-même.
- Qu'il ne mange son pain que s'il est coupé d'une manière précise, en triangles, par exemple.
- Qu'il refuse de goûter un nouveau légume, etc.

L'appétit d'un enfant varie d'un jour à l'autre. Dans les périodes creuses, il faut continuer de lui offrir une alimentation saine et variée. Dans l'ensemble, l'équilibre devrait se faire et l'apport en nutriments et en énergie être garanti.

- L'enfant d'âge préscolaire peut apprendre à choisir la quantité de nourriture nécessaire à la satisfaction de ses besoins alimentaires. Lui laisser choisir la quantité d'aliments qu'il désire dans le plat de service.
- Lui présenter de petites portions. S'il a encore faim, on peut toujours le resservir.

- Ne jamais forcer un enfant à manger. S'il n'a pas mangé au bout de 20 minutes, retirer l'assiette et éviter de gronder. En discuter avec le parent pour comprendre la situation, si cela se répète.
- Ne pas priver un enfant de sa portion de dessert parce qu'il n'a pas mangé le plat principal. Il pourrait développer une attirance pour le dessert et rejeter d'autres mets nutritifs.
- Éviter de récompenser, punir, calmer ou apaiser par des aliments.
- Les régimes amaigrissants ne sont pas de mise pour les enfants, peu importe leur âge. Il faut soutenir les bonnes habitudes alimentaires, ne pas donner à manger en dehors des repas et collations et encourager l'enfant à bouger.
- Si l'enfant ne consomme pas de lait, le service de garde et le parent doivent discuter avec une diététiste d'autres façons de fournir à l'enfant le calcium et la vitamine D dont il a besoin.

## Comment initier l'enfant à de nouveaux aliments

- Donner l'exemple : les enfants sont plus portés à manger un aliment quand ils voient que les adultes autour d'eux y prennent plaisir.
- Apprêter les aliments de façon attrayante, en agençant les couleurs, les textures et les formes.
- Susciter l'intérêt des enfants pour de nouveaux aliments en mettant en place des activités autour de ces aliments : les cultiver, aller les acheter avec les enfants, les cuisiner, etc.
- Offrir un nouvel aliment en même temps qu'un autre qui est déjà connu.
- Servir une petite portion, aussi peu qu'une demi-cuillerée à thé pour faire goûter un nouvel aliment.
- Si l'enfant refuse le nouvel aliment, ne pas insister et le présenter de nouveau quelques jours plus tard. Plus les enfants sont exposés à de nouveaux aliments, plus ils sont susceptibles d'y goûter et d'apprendre à les apprécier.
- Encourager l'intérêt des enfants pour la nourriture apprêtée selon les habitudes de diverses communautés culturelles, plus particulièrement celles qui sont représentées au service de garde. Voilà une bonne façon pour eux d'apprendre à apprécier la différence ethnique et culturelle.
- Respecter les préférences alimentaires individuelles des enfants de 2 à 5 ans. Chaque enfant et chaque adulte ont les leurs[36].

36. Conseils tirés du *Guide alimentaire canadien pour manger sainement*, *op. cit.*, note 29.

# Prévenir les risques d'étouffement

Certains aliments sont de la même grosseur que l'œsophage (le tube qui conduit à l'estomac) d'un enfant de moins de 4 ans. Ils peuvent rester pris dans la gorge, bloquer les voies respiratoires et provoquer l'étouffement.

Il vaut mieux éviter, jusqu'à ce que l'enfant ait 4 ans, les aliments petits, ronds, durs et croustillants: maïs soufflé, noix, amandes et arachides, beurre d'arachide croquant, gomme à mâcher, croustilles, bonbons durs, rondelles de saucisses et de carottes crues, raisins et fruits secs.

Voici d'autres précautions pour éviter l'étouffement:

- Pour l'enfant de moins de 1 an, les pommes fraîches doivent être râpées, les raisins frais coupés en quatre et les saucisses taillées dans le sens de la longueur puis coupées en plusieurs morceaux. Il faut enlever les pelures, les noyaux et les pépins des fruits et mettre en purée les petits fruits comme les fraises, les framboises, etc.
- À partir de 1 an, on peut donner des morceaux de certains légumes crus s'ils sont très tendres: concombre, champignon, tomate; les autres légumes doivent être râpés ou taillés en fines lanières. La pomme crue, la pêche et la poire doivent être coupées en morceaux fins, sans pelure ni pépins.
- Avant 2 ans, on ne doit pas donner de fruits durs ni de légumes crus comme la carotte ou le céleri, ni de mie de pain fraîche. Celle-ci risque de former une boulette compacte dans la gorge.
- À partir de 2 ans, l'enfant peut manger la pomme entière sans pelure, les petits fruits entiers et les crudités taillées en lanières ou légèrement cuites[37].
- Le personnel de garde et les responsables d'un service de garde en milieu familial doivent suivre un cours de secourisme général[38]. Ce cours intègre des notions sur le déblocage des voies respiratoires.

37. N. Doré et D. Le Hénaff, *op. cit.*, p. 233.

38. *Règlement sur les services de garde éducatifs à l'enfance,* art. 20 et art. 51, par. 8.

# Les intolérances et les allergies alimentaires

Certains aliments ne semblent pas convenir à certains enfants. L'enfant peut alors être affecté par une intolérance alimentaire ou une allergie alimentaire, deux états différents qu'il est important de distinguer.

## L'intolérance alimentaire

Une intolérance alimentaire est une incapacité de supporter un médicament, un aliment ou un additif alimentaire aux doses tolérées par les autres individus. L'intolérance alimentaire entraîne des réactions physiques qui ne mettent pas en cause le système immunitaire.

- Certains signes peuvent indiquer qu'un enfant ne tolère pas un nouvel aliment:
  - Gaz, coliques, vomissements, selles trop liquides ou diarrhées, constipation;
  - Eczéma, urticaire, yeux et nez qui coulent sans raison, nez bouché sans rhume;
  - Gain de poids insuffisant, anémie par manque de fer;
  - Difficultés à dormir, irritabilité, changement rapide de l'état général.
- La réaction d'intolérance peut se manifester dans les 15 minutes qui suivent l'absorption de l'aliment ou survenir deux heures plus tard.
- Les intolérances sont ordinairement temporaires.
- Il faut éliminer le produit non toléré et le réintroduire plus tard. Si c'est le lait qui n'est pas toléré, il doit nécessairement être remplacé, son importance étant primordiale dans l'alimentation de l'enfant durant les premières années de sa vie.
- Si l'enfant donne des signes d'intolérance alimentaire, le service de garde doit recommander au parent de consulter un médecin ou son CLSC, qui aidera à modifier la diète en conséquence.
- Les principales intolérances concernent le lactose, les colorants alimentaires et les amines actives, celles qu'on retrouve dans les agrumes, les kiwis et les tomates.

## L'allergie alimentaire

L'allergie alimentaire est occasionnée par la consommation d'un aliment lié à une protéine ou d'un additif alimentaire qui entraîne une réaction du système immunitaire. La réaction peut être soudaine et amener des conséquences graves, voire mettre la vie en danger. Cette violente réaction s'appelle le **choc anaphylactique** ou l'**anaphylaxie**. Pour en savoir plus, on peut consulter la vidéocassette *Pas de risque à prendre* réalisée conjointement par l'Association québécoise des allergies alimentaires, le ministère de la Santé et des Services sociaux et plusieurs autres partenaires[39].

- Certains signes indiquent un choc anaphylactique :

Premiers signes d'alarme :
  - Démangeaison ou enflure des lèvres, de la langue, de la figure ou de la bouche ;
  - Constriction de la gorge ou nausées ;
  - Plaques rouges sur le corps ;

- Suivis des premiers symptômes de détresse respiratoire :
  - Dyspnée (difficulté à respirer) ;
  - Dysphagie (difficulté à avaler) ;
  - Disparition ou modification de la voix (voix rauque) ;
  - Sifflement, état de choc et perte de connaissance.

Ces symptômes ne se présentent pas toujours dans le même ordre, ne sont pas tous nécessairement présents et peuvent s'associer en plusieurs combinaisons. Il peut suffire de quelques minutes entre l'apparition des premiers symptômes et la mort si la réaction n'est pas traitée. De plus, si les symptômes disparaissent après un premier traitement, ils peuvent réapparaître jusqu'à huit heures après l'exposition à la substance allergène.

- Les aliments qui entraînent le plus souvent une réaction allergique sont les suivants :
  - Les noix ;
  - Les arachides et le beurre d'arachide ;
  - Les œufs ;
  - Le poisson ou les crustacés ;
  - La protéine bovine contenue dans le lait de vache, le bœuf et le veau.

39. La vidéocassette est disponible, au coût de 20$ (15$ plus 5$ de frais d'envoi ou 10$ pour les membres de l'Association, plus 5$ de frais d'envoi), en version française ou anglaise auprès de l'Association québécoise des allergies alimentaires, au 2, Complexe Desjardins, C.P. 216, succ. Desjardins, Montréal (Québec) H5B 1G8. On peut commander par téléphone ou télécopieur au (514) 990-2575. Un paiement est exigé au moment de la commande. Site Internet : www.aqaa.qc.ca

**Très important**

Il est recommandé que le parent donne à manger à l'enfant la première fois à domicile, les aliments susceptibles de provoquer une réaction allergique, pour éviter qu'une réaction allergique non diagnostiquée ait lieu dans le cadre des services de garde.

La réaction allergique peut survenir non seulement quand l'enfant mange l'aliment auquel il est allergique mais aussi quand:

- Il porte à sa bouche ses mains mal nettoyées qui ont été en contact avec la substance allergène;
- Un aliment auquel il n'est pas allergique a été en contact avec des particules d'un aliment auquel il est allergique, par exemple par le biais d'un instrument de cuisine;
- La nourriture ingurgitée contient l'aliment auquel il est allergique (exemple: des arachides);
- L'aliment allergène est utilisé au moment de la cuisson (exemple: huile d'arachide);
- Sans pour autant provoquer une réaction allergique, l'odeur produite par l'aliment allergène peut entraîner des symptômes respiratoires chez certaines personnes allergiques.



## Traitement d'urgence dans les cas de réaction allergique

Aucun médicament ne peut guérir une personne de ses allergies alimentaires. Toutefois, certains médicaments aident à contrôler les symptômes d'une allergie et peuvent même sauver la vie d'une personne qui souffre d'une réaction anaphylactique à la suite d'un contact avec la substance allergène.

Un enfant reconnu comme ayant des allergies alimentaires qui peuvent entraîner sa mort devra toujours avoir à sa disposition au service de garde le médicament épinéphrine (ou adrénaline), prescrit par un médecin.

L'épinéphrine se vend dans divers formats prêts à utiliser: Épipen Jr[md], Épipen[md], Ana-Kit[md]. Si le poids de l'enfant le permet, les médecins recommandent les auto-injecteurs Épipen Jr[md] et Épipen[md] parce qu'ils sont faciles à utiliser.

Tout service de garde doit prévoir une marche à suivre en cas de réaction anaphylactique d'un des enfants qui lui est confié. Vous pouvez adopter la marche à suivre ci-après:

**Procédure en cas de réaction allergique de type anaphylactique**

Aux premiers signes des réactions anaphylactiques mentionnées plus haut, le personnel du service de garde doit:

1. Coucher l'enfant et élever ses membres inférieurs.
2. Pour avoir immédiatement le soutien d'un autre adulte à l'intérieur du service de garde, appeler à l'aide en disant 9-1-1.
3. Communiquer avec le service d'urgence 9-1-1 de la municipalité.
4. Administrer l'épinéphrine prescrite pour cet enfant dans les plus brefs délais. L'injection se fait habituellement dans le muscle de la cuisse (intramusculaire).
5. Répéter l'administration aux 15 minutes si l'enfant a de la difficulté à respirer.
6. Surveiller la respiration et le pouls.
7. Commencer la réanimation au besoin.
8. Transporter l'enfant au centre hospitalier le plus près en ambulance et l'accompagner.
9. Aviser le parent ou les responsables de l'enfant.

***Si un enfant non reconnu comme étant allergique semble victime d'une réaction allergique, appeler immédiatement les services ambulanciers d'urgence.***

Bon nombre d'enfants se débarrasseront de leurs allergies alimentaires, surtout si elles ont commencé avant l'âge de 3 ans. Par contre, certaines allergies durent toute la vie, plus particulièrement les allergies aux arachides, aux noix, aux poissons et aux fruits de mer.

En matière d'allergie, la prévention constitue toujours le meilleur traitement.

## Mesures préventives à prendre pour un enfant allergique

- Rencontrer le parent pour connaître les besoins de l'enfant allergique. La présence de l'éducatrice et de la responsable des repas à cette rencontre est recommandée.
- Demander au parent les médicaments d'urgence ainsi que l'ordonnance du médecin (l'étiquette en faisant foi).
- Obtenir une fiche d'identification de l'enfant avec une photographie récente, la liste de ses allergies et les mesures à prendre en cas de réaction allergique.
- Obtenir une autorisation écrite du parent pour que le service de garde puisse, au besoin, utiliser l'auto-injecteur d'épinéphrine ou un autre médicament prescrit.

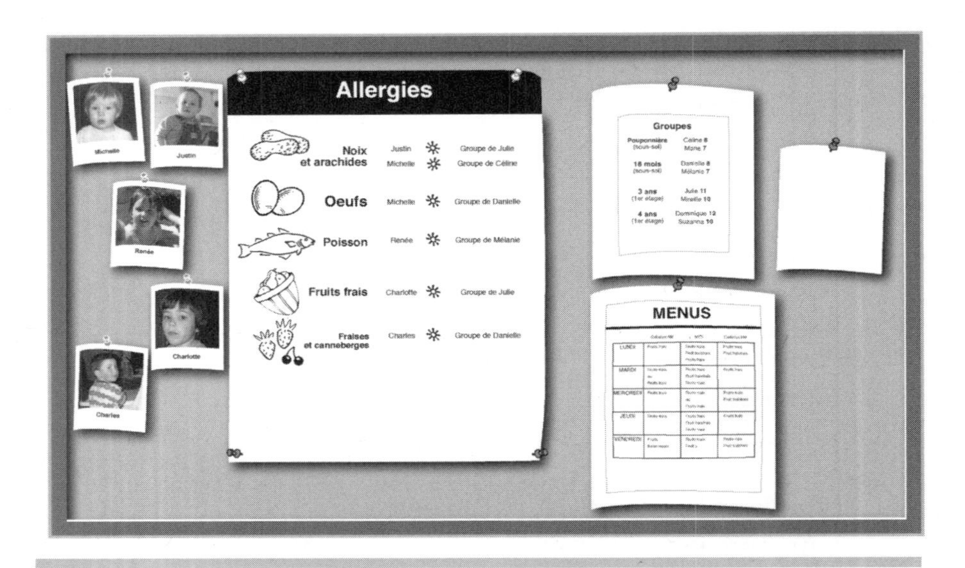


- S'assurer que l'enfant porte un bracelet MedicAlert dès que son âge le permet et qu'il peut le porter en tout temps.
- Voir à ce qu'une copie de la fiche d'identification soit affichée bien en vue pour que tout le personnel puisse facilement la consulter. Cela doit se faire avec l'autorisation du parent.
- Ranger les auto-injecteurs d'épinéphrine de sorte que tout le personnel puisse y avoir rapidement accès en tout temps. L'auto-injecteur d'épinéphrine n'a pas à être entreposé sous clé[40]. Il doit être conservé à la température ambiante, entre 15 et 30 °C (59 et 86 °F). Prévoir une quantité suffisante selon l'éloignement de l'hôpital.
- Dans le cas d'une allergie aux arachides, écrire aux parents des autres enfants et leur demander d'exclure l'aliment allergène des collations et des repas de leurs enfants.
- S'assurer que tout le personnel, y compris les suppléants, soit formé quant aux éléments suivants :
  - L'utilisation de l'auto-injecteur d'épinéphrine ;
  - Les symptômes d'une réaction allergique grave ;
  - Les notions de base sur la contamination par les allergènes ;
  - La procédure à suivre en présence d'une réaction anaphylactique chez un enfant.
- Informer les autres enfants du groupe. En règle générale, les enfants prennent cette information au sérieux et collaborent volontiers.
- Le personnel de garde et les responsables d'un service de garde en milieu familial doivent obligatoirement suivre un cours de secourisme[41]. Ce cours inclut des notions de déblocage des voies respiratoires et de réanimation cardio-respiratoire.

---

40. *Règlement sur les services de garde éducatifs à l'enfance,* art. 120, alinéa 2.

41. *Règlement sur les services de garde éducatifs à l'enfance,* art. 20 et art. 51, par. 8.

# Mesures préventives avec la nourriture non préparée au service de garde

## Les repas apportés de la maison

Certains services de garde ne fournissent pas, ou seulement en partie, la nourriture consommée par les enfants durant les heures de garde.

Si la nourriture est fournie par le parent, s'assurer que:

- Le lunch de chaque enfant est bien identifié à son nom;
- Les enfants ne partagent pas leur repas: la nourriture qu'un enfant apporte de sa maison n'est pas mangée par un autre enfant;
- La nourriture est gardée dans un endroit approprié à sa conservation jusqu'au moment où elle sera mangée.

La nourriture apportée de la maison répond aux besoins nutritionnels de l'enfant. Sinon, le service de garde doit y suppléer tant que le problème n'est pas réglé. Si les repas préparés par le parent ne répondent habituellement pas aux besoins alimentaires de l'enfant, le service de garde lui explique ces besoins et l'invite à consulter le CLSC.

## Nourriture apportée par les parents pour les occasions spéciales

Il est suggéré aux services de garde d'établir une règle écrite pour la nourriture apportée de la maison dans des circonstances spéciales (fête de Noël, anniversaire d'un enfant) et qui sera partagée entre tous les enfants. Cette règle doit être expliquée et remise aux parents au moment où ils inscrivent leurs enfants.

Tout aliment apporté de la maison et qui sera partagé entre les enfants doit être préparé selon les règles d'hygiène appropriées. On préviendra ainsi l'apparition de maladies liées à la consommation d'aliments préparés à la maison, gastro-entérites, par exemple.

Dans le cas d'un partage de nourriture, respecter les recommandations des parents: diète spéciale à cause d'allergies alimentaires, de maladies ou de différences culturelles.

## Des pique-niques sécuritaires

Les enfants adorent les pique-niques. Mais comme la nourriture se gâte rapidement à la chaleur de l'été, il est important de prendre des précautions pour prévenir les maladies liées à la nourriture.

### Conseils pour la préparation de pique-niques savoureux et sans danger[42, 43]

- Envelopper individuellement les sandwiches et les congeler séparément. Quand les sandwiches sont congelés, les mettre ensemble dans un grand sac de plastique et les garder au congélateur jusqu'à l'heure du départ. Les sandwiches au fromage, à la viande tranchée ou au poulet sont ceux qui se congèlent le mieux.
- En quittant le service de garde, mettre les sandwiches dans la glacière. Les sandwiches seront décongelés pour l'heure du lunch. Mettre la laitue et les tomates dans un contenant séparé et les ajouter aux sandwiches au moment de servir.
- Congeler les petits contenants de jus, de yogourt ou de sauce aux pommes et les placer dans la glacière. Eux aussi seront décongelés à l'heure du dîner.
- Mettre directement dans la glacière les autres aliments qui se conservent au réfrigérateur ou au congélateur. Placer au fond de la glacière les aliments qui se conservent au froid et les recouvrir de glace.
- Servir beaucoup d'aliments qui ne demandent pas à être cuits ou réchauffés les jours chauds: fruits frais, légumes crus, craquelins, biscuits.
- Emballer tous les aliments séparément, surtout la volaille, la viande et le poisson: leurs jus pourraient contaminer les autres aliments.
- Jeter tous les aliments qui se conservent au froid et qui n'ont pas été réfrigérés durant 4 heures ou plus.

Dans l'auto, éviter de mettre la glacière dans le coffre ou directement au soleil.





42. *Safe food picnicking with Kids,* National Network for child Care's Connections Newsletter, www.nncc.org/Health/fc45_safe.picnic.html
43. Faits concernant la salubrité des aliments : *les pique-niques,* www.cfia-acia.agr.ca/francais/co.../publications/foodfactsf/pictipsfr.html

### Sur le site du pique-nique

- Appliquer les mêmes règles d'hygiène que dans les locaux du service de garde pour le lavage des mains et la préparation des aliments.
- Toujours laisser la glacière à l'ombre. Garder le couvercle fermé. Éviter d'ouvrir souvent, pour garder les aliments frais.
- Si la glace fond dans la glacière, en ajouter.
- Servir de petites portions. Ainsi, la nourriture sera consommée sans avoir été longtemps sortie de la glacière.
- Par temps chaud, ne pas sortir la nourriture de la glacière pour plus d'une heure.
- Couvrir les aliments et les ustensiles jusqu'au moment de servir, pour se protéger des bactéries que les insectes peuvent transporter.

### La cuisson de la viande sur le site du pique-nique

- Garder la viande au froid jusqu'au moment de la faire griller.
- Cuire la viande à fond, jusqu'à ce qu'il n'y ait plus de rose à l'intérieur.

### Précautions pour les enfants qui souffrent d'allergies alimentaires

Lors des pique-niques et des sorties, pour **les enfants qui souffrent d'allergies alimentaires**, la prévention est toujours la meilleure précaution[44] :

- S'assurer que tous les adultes qui participent à la sortie sont informés des allergies alimentaires de l'enfant et savent comment réagir.
- Apporter la trousse d'urgence de l'enfant. Prévoir plus d'un auto-injecteur si l'hôpital le plus proche est à plus d'une heure de route. S'assurer d'avoir sous la main une quantité suffisante d'épinéphrine (adrénaline) pour en administrer aux 15-20 minutes si les symptômes persistent ou s'aggravent.
- Appliquer toutes les règles de prévention lors de la consommation d'aliments.
- Transporter l'Épipen[md] dans un étui porté à la taille de l'éducatrice du groupe de l'enfant. Ainsi conservé à la bonne température, il est à portée de la main en cas d'urgence.

44. *Les Mets Sages*, document produit par l'Association québécoise des allergies alimentaires, édition produite par le ministère de la Santé et des Services sociaux, Direction des communications, septembre 1998, p. 5-6.

# CHAPITRE

# Les soins quotidiens

Les soins quotidiens constituent une part importante des activités effectuées par les éducatrices des services de garde. Ils varient en fonction de l'âge et du niveau d'autonomie de l'enfant.

Ces soins peuvent paraître fastidieux et accaparants quand on a l'impression qu'ils visent uniquement la santé physique de l'enfant. Mais prendre soin d'un enfant, c'est aussi l'aider à développer sa manière d'être au monde et l'accompagner dans le développement de sa capacité relationnelle. Hygiène corporelle, moments de repos et de sieste ou apprentissage de la propreté, tout est prétexte à l'établissement d'une relation chaleureuse.

> Les soins quotidiens sont des moments privilégiés de contact physique, d'échange et de relation individualisée entre l'adulte et l'enfant. C'est pourquoi les éducatrices appliquent les techniques de soins recommandées avec des sourires, de l'affection, des bons mots, de l'humour, etc., tout ce qui favorise leur enrichissement.

Le chapitre qui suit donne un certain nombre de conseils sur l'organisation de ces activités quotidiennes. Ce sont davantage des pistes à explorer que des prescriptions rigoureuses à observer. Chaque milieu de garde a sa spécificité. Chaque enfant a son individualité.

Souvent, les milieux de garde ne donnent pas les soins de la même manière que le milieu familial. Autant que possible, la personne qui travaille au service de garde doit connaître les habitudes de l'enfant à la maison et essayer d'adapter ses pratiques à la personnalité de chacun. Un bon contact avec le parent facilite l'adaptation réciproque de l'enfant et des éducatrices ou de la responsable d'un service de garde en milieu familial.

Mais il y aura toujours des différences entre ce que l'enfant vit dans sa famille et en milieu de garde. L'enfant sain apprend à tenir compte de ces différences d'autant plus facilement qu'elles lui sont expliquées et qu'il atteint une plus grande maturité.

Dans ce chapitre, nous abordons en première section l'hygiène corporelle à pratiquer avec les enfants en service de garde: les soins à donner aux tout-petits, le bain et l'hygiène lors des changements de couche; l'éducation à la propreté des enfants de 2 ans ou plus, le lavage des mains, les techniques pour se moucher et pour éternuer, l'hygiène dentaire, etc. Les autres sections abordent la sieste et l'habillement des enfants.



photo: Jocelyn Boutin

# L'hygiène corporelle

## Le soin des poupons

### Le soin du visage et des mains

Un enfant se salit chaque fois qu'il mange, boit, évacue, porte ses mains à la bouche, etc. Il est donc nécessaire de lui laver le visage, les mains et les fesses plusieurs fois par jour. La peau du jeune enfant est sensible; il faut la protéger.

Pour éviter toute irritation, laver le visage et le cou du nourrisson à l'eau tiède avec une débarbouillette et les sécher avec soin:

- après les repas;
- lorsque le bébé bave abondamment;
- lorsqu'il régurgite;
- lorsque son nez coule.

Pendant la journée, ne pas utiliser de savon pour laver le visage de l'enfant car cela irrite la peau inutilement.

Pour nettoyer les oreilles et le nez, laver seulement la partie extérieure avec une débarbouillette tiède. Ne jamais utiliser de cotons-tiges pour nettoyer les oreilles ou le nez.

Laver les mains du nourrisson à l'eau et au savon:

- après un changement de couche;
- avant et après les repas.

> Chez les tout-petits, laver et rincer une main à la fois, en tenant le bras, pour éviter que l'enfant se mette du savon dans les yeux ou dans la bouche.

### Le choix du savon

Le savon en pain peut être un agent transmetteur de bactéries. Mieux vaut utiliser un savon liquide dans un distributeur muni d'une cartouche jetable. Sinon, laver le distributeur avant chaque remplissage pour éliminer la contamination.

Si l'on utilise le pain de savon, le déposer dans un porte-savon troué, pour que l'eau s'écoule. Utiliser de petits pains et les changer régulièrement.

Utiliser un savon germicide seulement en cas de problème particulier; le faire alors pour une durée limitée[1].

Si un enfant doit utiliser un savon médicinal, ne l'employer que pour l'enfant concerné et le ranger dans sa case entre chaque utilisation. Ses plaies ou lésions pourraient être infectées par les germes d'un autre enfant ou contaminer quelqu'un d'autre.

### L'entretien des débarbouillettes

Pour des raisons d'hygiène, mieux vaut utiliser une débarbouillette une seule fois et la mettre dans un contenant jusqu'au lavage. Mettre dans des contenants distincts les débarbouillettes qui ont servi pour le visage et les mains et celles qui ont servi pour les fesses.

Sinon, utiliser deux débarbouillettes quotidiennement pour chaque enfant, l'une pour le visage et les mains et l'autre pour les fesses. Bien les marquer au nom de l'enfant et, pour les distinguer, utiliser des couleurs différentes.

Laver les débarbouillettes séparément et selon l'usage qui en a été fait. Il est recommandé d'ajouter de l'eau de Javel dans l'eau de lavage de celles qui ont servi à laver les fesses[2].

## Le bain

Il peut arriver que les travailleuses des services de garde doivent donner un bain à un enfant, durant une garde de soir, par exemple. Dans l'ensemble, appliquer les mesures d'hygiène recommandées pour le soin du visage et des mains. Cependant, quelques précautions supplémentaires s'imposent.

- S'assurer que le local est assez chaud, soit entre 22 et 24°C (72 et 75°F), que la baignoire est propre et que l'eau est à la température du corps de l'enfant, soit 37°C (98,6°F). Vérifier en trempant le coude. Pour éviter tout risque de brûlure, toujours fermer le robinet d'eau chaude avant le robinet d'eau froide. Réunir tout le matériel nécessaire avant de déshabiller l'enfant: débarbouillette, serviette, savon, vêtement de rechange, etc.

1. Comité provincial des maladies infectieuses en services de garde, *Prévention et contrôle des infections dans les centres de la petite enfance, Guide d'intervention*, ministère de la Santé et des Services sociaux; Direction générale de la santé publique, en collaboration avec le ministère de la Famille et de l'Enfance, Les Publications du Québec, 1998, p. 394.
2. Comité provincial des maladies infectieuses en services de garde, *op. cit.*, note 1, p. 391.

- Exercer une surveillance constante : à la maison comme en services de garde, ne jamais laisser un enfant seul dans une baignoire, peu importe son âge. Ne jamais laisser sans surveillance un enfant plus jeune même installé dans un siège muni de ventouses qui adhèrent au fond de la baignoire[3].
- Pour les plus grands, installer un tapis antidérapant dans la baignoire.
- Laver le visage de l'enfant avant de lui donner son bain.
- Ne jamais mettre dans le bain un enfant souillé par des selles. Laver d'abord les fesses selon la méthode conseillée plus loin.
- Adopter la technique de lavage appropriée à l'âge de l'enfant. Tant que le bébé ne s'assoit pas seul, soutenir son dos et sa tête avec le bras et laver avec l'autre main.
- Le bain terminé, envelopper l'enfant dans une serviette de bain souple et chaude. Éviter qu'il n'ait froid, surtout s'il est petit. Rhabiller l'enfant avec ses vêtements de rechange ou son pyjama.
- S'assurer que la baignoire et le tapis antidérapant sont lavés et désinfectés avant de servir à nouveau.



## Le soin des fesses et des organes génitaux



Vu le grand risque de contamination, faire particulièrement attention au soin des fesses et des organes génitaux dans les services de garde.



### Le type de couches recommandé

« Toutes les étapes du changement de couche, que celle-ci soit en papier ou en tissu, peuvent entraîner une contamination avec de l'urine et des matières fécales. Mais quand on utilise des couches en tissu, le risque de contamination est plus grand. Il y a plus d'étapes au changement de couche : on doit manipuler la culotte en plastique ou de nylon, rincer la couche souillée, jeter les selles dans la cuvette des cabinets et déposer la couche dans un contenant fermé[4]. Un lavage inadéquat des couches pourrait également contaminer les prochains lavages si les éléments pathogènes n'ont pas été complètement éliminés »[5].

---

3. N. Doré et D. Le Hénaff, *Mieux vivre avec son enfant*, ministère de la Santé et des Services sociaux du Québec et Régie régionale de la santé et des services sociaux de Québec, Direction de la santé publique, édition 1998, p. 272.
4. *Règlement sur les services de garde éducatifs à l'enfance*, art. 35, alinéa 2.
5. M. Guy et D. Le Hénaff, *Avis de santé publique sur le choix d'une couche en services de garde*, en collaboration avec le Comité provincial des maladies infectieuses en services de garde, 1993, p. 15.

En services de garde, il est recommandé que l'enfant porte des couches en papier superabsorbantes recouvertes d'un vêtement afin de minimiser la transmission d'agents infectieux et la contamination du service de garde (planchers, jouets, chaises).

Plusieurs études en ont fait la preuve: avec des couches en papier superabsorbantes, on risque moins de contaminer l'environnement de l'enfant.

Des recherches ont également démontré que moins d'enfants souffrent de dermatite, soit d'irritation par contact, s'ils portent exclusivement des couches en papier. De plus, la couche en papier superabsorbante est plus absorbante, plus sèche, plus légère et plus mince que la couche en tissu. La couche en papier contient des cristaux qui transforment l'urine en un gel non toxique et la séparent des selles. La peau du bébé risque moins d'être irritée[6].

Certaines couches en papier imprégnées de poudre parfumée peuvent provoquer des irritations et des allergies. Il est conseillé de les éviter. Les couches en papier donnent souvent l'impression que le bébé n'est pas mouillé. Vérifier régulièrement s'il a besoin d'être changé[7].

## Le matériel nécessaire au changement de couches

- La réglementation exige que les services de garde en installation et les garderies soient équipés d'une table à langer située près d'un lavabo[8]. Dans les locaux des services de garde en milieu familial, la personne responsable doit avoir à sa disposition un endroit désigné pour les changements de couches[9]. Ne jamais installer la table à langer dans la cuisine ni utiliser l'évier de la cuisine pour rincer les débarbouillettes qui ont servi à nettoyer les fesses: le risque de contaminer la cuisine serait alors important. De même, ne pas laver ni réchauffer les biberons dans le lavabo (de la pouponnière) qui sert au rinçage du linge souillé ou des débarbouillettes utilisées pour les fesses.
- Ne pas changer l'enfant de couche sur une surface qui sert aux enfants: divan, table de cuisine, plancher sur lequel les enfants jouent, etc.

6. Comité provincial des maladies infectieuses en services de garde, *op. cit.*, note 1, p. 389, et N. Doré et D. Le Hénaff, *op. cit.*, p. 189.
7. N. Doré et D. Le Hénaff, *op. cit.*, p. 190.
8. *Règlement sur les services de garde éducatifs à l'enfance,* art. 35, alinéa 2.
9. *Règlement sur les services de garde éducatifs à l'enfance,* art. 89.

- La surface de la table à langer doit être confortable, non absorbante et lavable.
- La table à langer doit arriver à la taille de l'éducatrice. L'orienter pour que l'éducatrice puisse se placer aux pieds de l'enfant: ainsi elle peut travailler plus facilement et de manière plus ergonomique.
- Organiser le matériel suivant pour l'avoir sous la main durant le changement de couches:
  - les couches propres et des vêtements de rechange si nécessaire;
  - les débarbouillettes et les serviettes;
  - du savon liquide en distributeur: il est plus hygiénique que le pain de savon;
  - un seau fermé pour les débarbouillettes utilisées sur les fesses; s'assurer qu'il contient une solution désinfectante;
  - un contenant fermé pour les couches en tissu souillées[10]; s'assurer qu'il contient une solution désinfectante;
  - une poubelle fermée munie d'un sac de plastique pour les couches en papier et les serviettes en papier;
  - une bouteille en plastique munie d'un vaporisateur et remplie d'une solution désinfectante pour nettoyer la table à langer et les objets touchés pendant le changement de couches. Choisir une bouteille opaque, la garder fermée hermétiquement et renouveler la solution de chlore aux deux semaines (la solution de chlore est affectée par la lumière et s'évapore dans l'eau);
  - la crème pour le siège à base d'oxyde de zinc, si nécessaire. Obtenir l'autorisation parentale écrite prévue au 3e alinéa de l'art. 116 du Règlement sur les services de garde éducatifs à l'enfance.
- Bien garder tous ces contenants hors de la portée des enfants.

10. *Règlement sur les services de garde éducatifs à l'enfance,* art.35, alinéa 2.

## Le changement de couche[11,12]

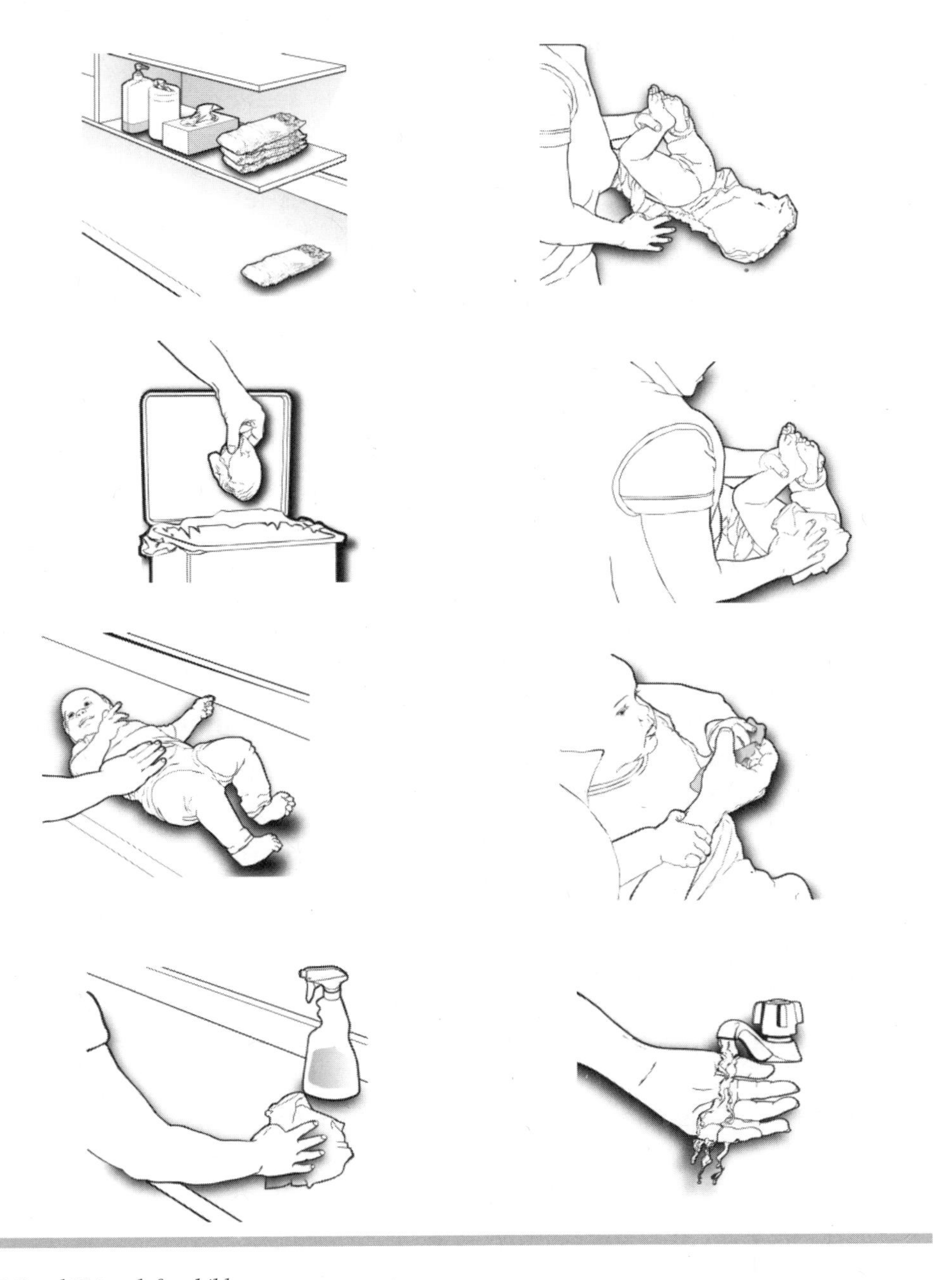

11. *National Network for child care*, www.nncc.org/Health/diaper.change.html et *Following protective practices to reduce disease and injury* in the ABC of safe and healthy child care, www.cdc.gov.ncidod/hip/abc/practi12.htm

12. Comité provincial des maladies infectieuses en services de garde, *op. cit.*, note 1, p. 390.

Toujours garder une attitude agréable pendant le changement de couche, ne pas montrer de dégoût ni gronder l'enfant qui a sali sa couche et ses vêtements. C'est un moment privilégié pour parler avec l'enfant et le stimuler.

Utiliser des gants pour changer la couche seulement si l'éducatrice a des blessures aux mains ou si l'enfant a une diarrhée très importante. Si on utilise des gants, se laver les mains après avoir changé la couche car les matières fécales peuvent passer des gants aux mains.

1. Rassembler tout le matériel nécessaire.
2. Placer l'enfant sur la table à langer, défaire la couche et soulever les fesses.
3. Replier le côté souillé de la couche vers l'intérieur en laissant les selles dans la couche. Ne pas jeter les selles dans la toilette: cela augmente le nombre de manipulations et le risque de contamination de l'environnement.
4. Déposer la couche dans une poubelle avec couvercle dans laquelle on aura mis un sac de plastique. Garder cette poubelle hors de la portée des enfants: ils pourraient aspirer des morceaux de plastique et s'étouffer.
5. Si possible, utiliser d'abord la couche pour enlever les selles sur les fesses du bébé. On peut utiliser des serviettes jetables non parfumées et les jeter dans la poubelle à couches jetables. Ne pas les utiliser si l'enfant a les fesses irritées ou s'il est allergique (dermatite de contact). Une fois les selles enlevées, laver les fesses.
6. À l'aide d'une débarbouillette, laver à l'eau savonneuse les fesses du bébé, les replis cutanés et les organes génitaux externes seulement. Ne pas forcer le prépuce des petits garçons non circoncis. Pour les petites filles, laver de l'avant vers l'arrière pour ne pas transporter les selles vers le vagin et l'urètre. Rincer à l'eau claire.
7. Assécher la peau des fesses à l'aide d'une serviette.
8. Mettre une nouvelle couche à l'enfant et l'habiller.
9. Laver et essuyer les mains de l'enfant.
10. Laver et désinfecter la table à langer après chaque changement de couche.
11. Se laver les mains après chaque changement de couche.
12. Laver et désinfecter la poubelle tous les jours.
13. Toujours garder une main sur l'enfant pendant le changement de couche pour éviter les chutes. Ne jamais laisser l'enfant seul, même si la table à langer est pourvue d'un harnais et d'un rebord.

14. Au besoin, noter la fréquence, la couleur et la consistance des selles et en informer le parent. Noter ces renseignements dans le livre de bord et informer le parent si la texture, la couleur, l'odeur ou la quantité des selles semblent anormales ou s'informer auprès du CLSC ou d'Info-Santé CLSC. Se rappeler que les selles changent selon l'âge de l'enfant.
15. Au besoin, utiliser une brosse pour déloger des matières fécales sous les ongles des éducatrices ou des enfants. C'est important pour éviter tout risque de contamination.
16. Mettre des gants pour rincer les vêtements souillés.
17. Mettre les vêtements sales de l'enfant dans un sac de plastique fermé. De cette façon, on risque moins de se contaminer les mains.

## L'entretien des couches en tissu

Les selles et l'urine sont des agents de contamination importants. L'entretien des couches doit donc être rigoureux. Pour des raisons d'hygiène et d'économie de travail, les services de garde optent avec raison pour des couches en papier.

Toutefois, il peut arriver que des enfants y soient allergiques ou que des parents tiennent à utiliser les couches en tissu qu'ils possèdent déjà. La plupart du temps, les parents sont responsables du lavage des couches en tissu de leur enfant. Le service de garde doit prendre certaines précautions pour éviter la contamination:

### Si les couches sont remises aux parents pour le lavage

- Mettre un papier prévu à cette fin à l'intérieur de la couche en tissu. Ces papiers vendus en pharmacie simplifient le travail en cas de selles.
- Se débarrasser des selles et rincer la couche à fond.
- Bien tordre la couche.
- Ranger les couches sales dans un sac de plastique fermé dans la case de l'enfant.

### Si le service de garde lave les couches en tissu

- Rincer la couche à fond.
- Mettre les couches à tremper dans un seau couvert et rempli d'une solution de chlore. Le garder hors de la portée des enfants. Changer l'eau de trempage 2 fois par jour, car sa concentration diminue avec le temps.
- Bien tordre les couches avant de les laver.
- Toujours laver les couches à part.

- Laver les couches tous les jours à l'eau chaude. Utiliser un savon doux, ne pas employer de détersif ni d'assouplissant de tissu. La peau du jeune enfant est fragile et s'irrite facilement.
- Rincer 2 fois.
- Laver et rincer souvent les culottes en plastique. Pour les culottes en caoutchouc, procéder de la même manière que pour les couches en tissu.

## L'acquisition des habitudes d'hygiène chez les enfants de 2 à 5 ans

### L'éducation des enfants à la propreté

#### Un apprentissage important pour les enfants

L'éducation à la propreté fait partie de la découverte du corps et de son fonctionnement. L'attitude des adultes durant cette période est marquante : elle peut influencer ce que l'enfant ressent au sujet de son corps et la manière dont il s'en occupe, et pour longtemps. Apprendre à être propre dans un climat calme et affectueux favorise le développement pour le reste de la vie.

Uriner et aller à la selle est un plaisir pour l'enfant. Il s'intéresse aussi à ses parties génitales (ses fesses) et à celles des autres. C'est naturel.

On peut profiter du temps de l'apprentissage de la toilette pour enseigner à l'enfant les mots qui désignent les parties et les fonctions du corps.

On peut aussi expliquer à l'enfant que son corps lui appartient et qu'il a le droit à son intimité quand il élimine. L'apprentissage de la propreté ne se limite pas à l'aspect sexuel. Il touche aussi le développement physique, social et cognitif.

Comme pour tous les apprentissages de l'enfant, une entente avec le parent s'impose au moment de l'apprentissage de la propreté, de sorte que les apprentissages qui se font à la maison ou au service de garde soient repris dans les autres lieux de vie de l'enfant.

L'éducation à la propreté doit commencer quand l'enfant est prêt physiquement et émotivement. Cet âge varie beaucoup d'un enfant à l'autre mais il se situe en général entre 2 et 3 ans.

On ne devrait pas entreprendre l'éducation à la propreté avant que l'enfant ait montré des signes qu'il est mûr pour cet apprentissage.

L'enfant est prêt quand:

- Il comprend des consignes simples et peut les suivre.
- Il utilise un mot pour désigner l'urine et les selles.
- Il peut demeurer sans uriner pendant environ deux heures.
- Il est sec après sa sieste.
- Il a des mouvements de selles réguliers chaque jour.
- Il peut marcher seul jusqu'à la toilette, baisser ses culottes et les remonter.
- Il montre des signes d'inconfort quand sa couche est souillée ou mouillée.
- Il montre de l'intérêt pour la toilette ou la chaise percée.
- Il demande de mettre des sous-vêtements de «grand».
- Il n'est pas dans une période de négativisme.
- Il peut s'asseoir et rester tranquille cinq minutes.
- Il est fier de ses réussites.

L'enfant ne doit pas nécessairement maîtriser tous les signes énumérés plus haut, mais plus ils sont nombreux, plus l'apprentissage de la propreté sera facile et rapide.

Si l'enfant vit des changements importants (arrivée au service de garde, arrivée d'un nouvel enfant dans la famille, séparation des parents), il peut être préférable d'attendre quelques mois avant d'entreprendre l'apprentissage de la propreté.

Dans la période qui précède l'apprentissage de la propreté:

- On peut mettre l'enfant sur la chaise percée avec ses vêtements pour qu'il s'habitue et se sente à l'aise sur ce siège.
- Il peut être profitable que l'enfant puisse observer ses parents ou un autre enfant en train d'utiliser la toilette.
- Lire au groupe d'enfants des livres sur l'apprentissage de la propreté.
- S'entendre avec le parent sur l'utilisation de couches ou de culottes d'entraînement à la propreté et sur des vêtements faciles à enlever.

### Le matériel

Le matériel choisi doit être sécuritaire et confortable pour l'enfant. L'enfant doit pouvoir appuyer les pieds sur une surface plate. Il doit se sentir stable et ne pas craindre de tomber.

Les toilettes pour enfant sont idéales pour l'éducation à la propreté. Sinon, opter pour la chaise percée; elle est plus confortable et solide que le pot ordinaire et présente moins de risques de transmission des germes. On peut également utiliser un siège de toilette modifié pour les petits enfants et ajouter un marchepied à la toilette.

Pour les enfants qui sont propres, installer une plate-forme de 15 à 20 cm (6 à 8 po) de hauteur autour des toilettes de taille adulte. Cela en facilite l'accès et favorise l'autonomie des enfants.

Peu importe l'âge des enfants inscrits au service de garde, en installation ou en garderie, il faut une toilette facilement accessible par 15 enfants et une toilette par étage. Le public ne doit pas y avoir accès[13].

Les toilettes doivent être lavées et désinfectées tous les jours.

Si possible, prévoir une toilette près du vestiaire ou de la porte qui mène à la cour extérieure: cela évitera bien des ennuis quand les enfants seront dehors.

**L'apprentissage de la propreté**[14, 15]

- L'enfant montre des signes de vouloir uriner ou d'aller à la selle? Le mettre sur la chaise percée.
- Établir une certaine régularité dans l'horaire de la toilette: par exemple, après les collations et le repas, et avant et après les siestes et sorties à l'extérieur. Toutefois, l'enfant n'évacuera pas nécessairement à ces moments.
- Lui demander de temps à autre, entre ces périodes prédéterminées, s'il veut aller à la toilette.
- Ne pas laisser l'enfant plus de cinq minutes sur la chaise percée. Rester avec lui et lui parler ou lui lire une histoire pour passer le temps agréablement. Ainsi, il ne se sent pas obligé de produire des selles ou de l'urine.
- Retirer l'enfant de la chaise percée au bout de cinq minutes. Le féliciter pour un résultat positif ou simplement lui suggérer d'essayer plus tard si l'effort n'a rien donné.
- Essuyer l'enfant avec soin. Chez les petites filles, toujours essuyer de l'avant (méat urinaire) vers l'arrière, pour éviter de transporter des selles ou des bactéries vers le vagin ou l'urètre et de provoquer des infections.
- Se laver les mains et celles de l'enfant!

13. *Règlement sur les services de garde éducatifs à l'enfance,* art. 33, par. 3.

14. *National Network for child care* et *Following protective practices to reduce disease and injury, op. cit.*

15. *Toilet training,* National Network for child care,
www.exnet.iastate.edu/pages/nnccGuidance/toilet.train.html
www.nncc.org/Child.Dev/toiletlearn.html
et Dr. Brenda Hussey-Gardner, *Parenting to make a difference, Toilet training,*
www.parentingme.com/toiltrng.htm

- En général, les enfants aiment regarder leurs excréments dans le pot ou dans la toilette. Si certains enfants apprécient tirer la chasse d'eau, d'autres peuvent avoir peur du bruit ou de disparaître eux-mêmes. Il faut les rassurer et leur dire que seuls les matières fécales et le papier hygiénique disparaissent.
- Ne pas se surprendre si l'enfant urine ou va à la selle immédiatement après avoir été retiré de la toilette. Cela n'a rien d'inhabituel et ne doit pas être interprété comme un acte de défiance ou d'entêtement. Les accidents font partie du processus d'apprentissage. De plus, développer une nouvelle habileté prend du temps. Toutefois, si les accidents sont trop nombreux, il peut être préférable de reporter l'apprentissage de quelques mois.
- Renforcer les progrès de l'enfant. Donner une attention quotidienne mais non exagérée à cette question.
- Il faut traiter les accidents sans insister. Éviter de punir ou de gronder l'enfant ou encore de lui faire honte. Lui donner du soutien dans un climat de sérénité.
- En parler au parent si les progrès sont trop lents.

**Les règles d'hygiène pour l'apprentissage de la propreté**

- Idéalement, la chaise percée ne doit servir que dans la toilette. La placer pour que les enfants, une fois assis, ne puissent toucher au siège de toilette. Ranger les chaises percées de sorte que les enfants ne puissent les utiliser pour jouer. Par contre, il faut pouvoir y accéder rapidement puisque l'enfant est en période d'apprentissage.
- Après chaque utilisation de la chaise percée :
  - Jeter le contenu dans la cuvette en prenant soin de ne pas éclabousser. Ne pas toucher l'eau dans la toilette.
  - Rincer la chaise percée à l'eau dans un évier qui n'est pas utilisé pour laver les mains ou pour préparer de la nourriture.
  - Laver et désinfecter la chaise percée. Ne jamais laver ces chaises au lave-vaisselle.
  - Laver et désinfecter le lavabo et toutes les surfaces exposées aux excréments.
  - Se laver les mains avec du savon.

**La routine des toilettes, une fois terminé l'apprentissage de la propreté**

L'enfant qui contrôle ses sphincters (muscles des orifices d'élimination, l'urètre et l'anus) peut apprendre à utiliser la toilette.

- Conduire les plus petits à la salle de toilette à heures fixes. Pour des raisons d'hygiène, éviter qu'ils y apportent des jouets ou qu'ils s'assoient par terre en attendant leur tour. Leur demander d'attendre qu'on les essuie avant de descendre de la toilette.

- Montrer aux petites filles comment s'essuyer correctement : de l'avant (méat urinaire) vers l'arrière (anus), pour éviter de transporter des selles ou des bactéries vers le vagin et l'urètre et de provoquer des infections.
- Apprendre aux enfants à utiliser la bonne quantité de papier hygiénique, à tirer la chasse d'eau lorsqu'ils ont terminé et à se laver les mains.
- Leur apprendre également à respecter la pudeur des autres enfants.
- Toujours faire laver les mains des enfants avec du savon quand ils ont utilisé les toilettes.
- Toujours se laver les mains quand on a aidé un enfant à aller à la toilette.

### Le lavage de la figure

Comme pour les nourrissons, il faut laver régulièrement le visage et le cou des enfants de 2 à 5 ans.

Il faut laver le visage après les repas, lorsque le nez coule et chaque fois que la figure de l'enfant est sale. On utilise une débarbouillette tiède réservée à chaque enfant. Le savon n'est pas nécessaire.

À mesure que l'enfant grandit, il prend la responsabilité du lavage de sa figure.

Se rappeler : une débarbouillette, un enfant, un usage.

### Le lavage des mains

Se laver les mains est la manière la plus efficace et la plus simple d'empêcher les infections de se propager en service de garde. Diverses études l'ont démontré : un lavage des mains fréquent et efficace par les éducatrices et les enfants en service de garde fait diminuer le nombre d'infections chez les enfants et chez le personnel.

La routine du lavage des mains doit être prise au sérieux parce qu'elle protège l'enfant des germes qu'il transporte et évite que ces germes se transmettent à d'autres. Avec l'aide de l'adulte, l'enfant doit apprendre à se laver les mains fréquemment et correctement.

#### Le matériel

Un lavabo pour chaque groupe de 15 enfants[16]. Ces lavabos doivent être faciles d'accès et à la hauteur des enfants. Si possible, installer un lavabo dans chaque local où sont servis des repas et des collations. Si possible, opter de préférence pour des lavabos à pédales : ils sont plus hygiéniques parce que les mains ne touchent pas les robinets.

16. *Règlement sur les services de garde éducatifs à l'enfance,* art. 33, par. 3.

- Avoir de l'eau chaude en tout temps pour le lavage des mains.
- Du savon liquide en distributeur.
- La serviette de papier est recommandée pour essuyer les mains. Elle a une double fonction: on peut l'utiliser pour fermer le robinet afin de ne pas contaminer à nouveau les mains[17].
- La serviette de tissu n'est pas recommandée: elle peut devenir une source de contamination. Si elle est utilisée en milieu familial, la changer au moins deux fois par jour.
- Laver et désinfecter les lavabos, les robinets et les planchers des salles de toilette tous les jours.

**Toute personne en contact avec les enfants doit se laver les mains**

- en arrivant au service de garde et en le quittant;
- avant de manger ou de manipuler des aliments et après ces activités;
- après chaque changement de couche;
- après être allée à la toilette ou avoir aidé un enfant à y aller;
- après s'être mouchée ou avoir aidé un enfant à se moucher;
- après avoir touché une surface sale ou du matériel souillé;
- après avoir joué dans la terre ou le sable;
- après avoir été en contact avec un liquide biologique (sang, sécrétions nasales, etc.), même avec des gants;
- avant de changer un pansement et après l'avoir fait;

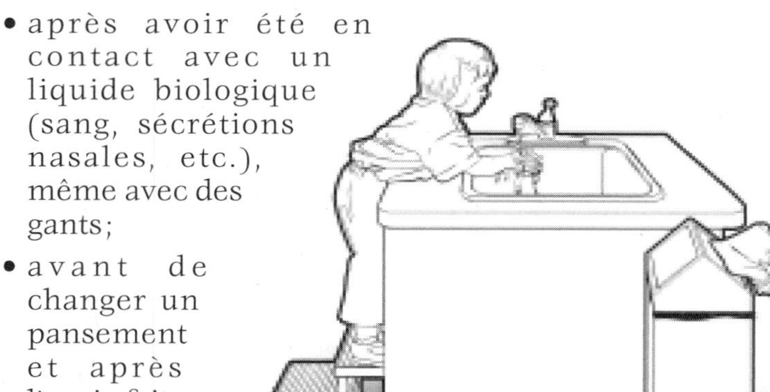



17. Comité provincial des maladies infectieuses en services de garde, *op. cit.*, note 1, p. 395.

- avant de préparer un médicament et de le donner à un enfant (crème, gouttes, autres préparations), et après l'avoir fait;
- après avoir toussé ou éternué;
- après avoir enlevé des gants, peu importe la raison de l'utilisation;
- après avoir nettoyé un enfant ou des jouets, une salle de bain ou une salle;
- en milieu familial, après avoir touché un animal, sa cage ou les autres objets utilisés par l'animal;
- chaque fois qu'on le juge nécessaire.

**L'enfant doit se laver les mains**

- quand il arrive au service de garde;
- avant et après le repas et les collations;
- après avoir utilisé la toilette ou après le changement de couche;
- après avoir joué à l'extérieur, en particulier dans le sable;
- après s'être mouché;
- chaque fois que les mains sont visiblement sales;
- en milieu familial, après avoir touché un animal, la litière, la cage ou les autres objets utilisés par l'animal.







**Se laver les mains**

Avant le lavage, enlever sa montre et ses bijoux. Éviter de porter des bijoux pour travailler en service de garde: ils peuvent héberger des micro-organismes qui ne sont pas nécessairement éliminés par un lavage de mains et ils peuvent occasionner des lésions aux enfants (éraflures, égratignures). Seul un jonc sans incrustation ne présente pas d'inconvénient.

1. Enlever ses bijoux.
2. Ouvrir le robinet.
3. Se mouiller les mains.
4. S'enduire les mains de savon.
5. Frotter vigoureusement les mains, paume contre paume et frotter ensuite le dos des mains.
6. Entrelacer les doigts et faire un mouvement de l'arrière vers l'avant afin de nettoyer entre les doigts.
7. Frotter le bout des doigts, les pouces et les poignets.
8. Rincer abondamment à l'eau courante.
9. Bien assécher avec des serviettes de papier.
10. Utiliser des serviettes pour fermer le robinet.
11. Jeter les serviettes de papier dans une poubelle protégée par un sac de plastique. Les poubelles munies d'une pédale sont préférables.

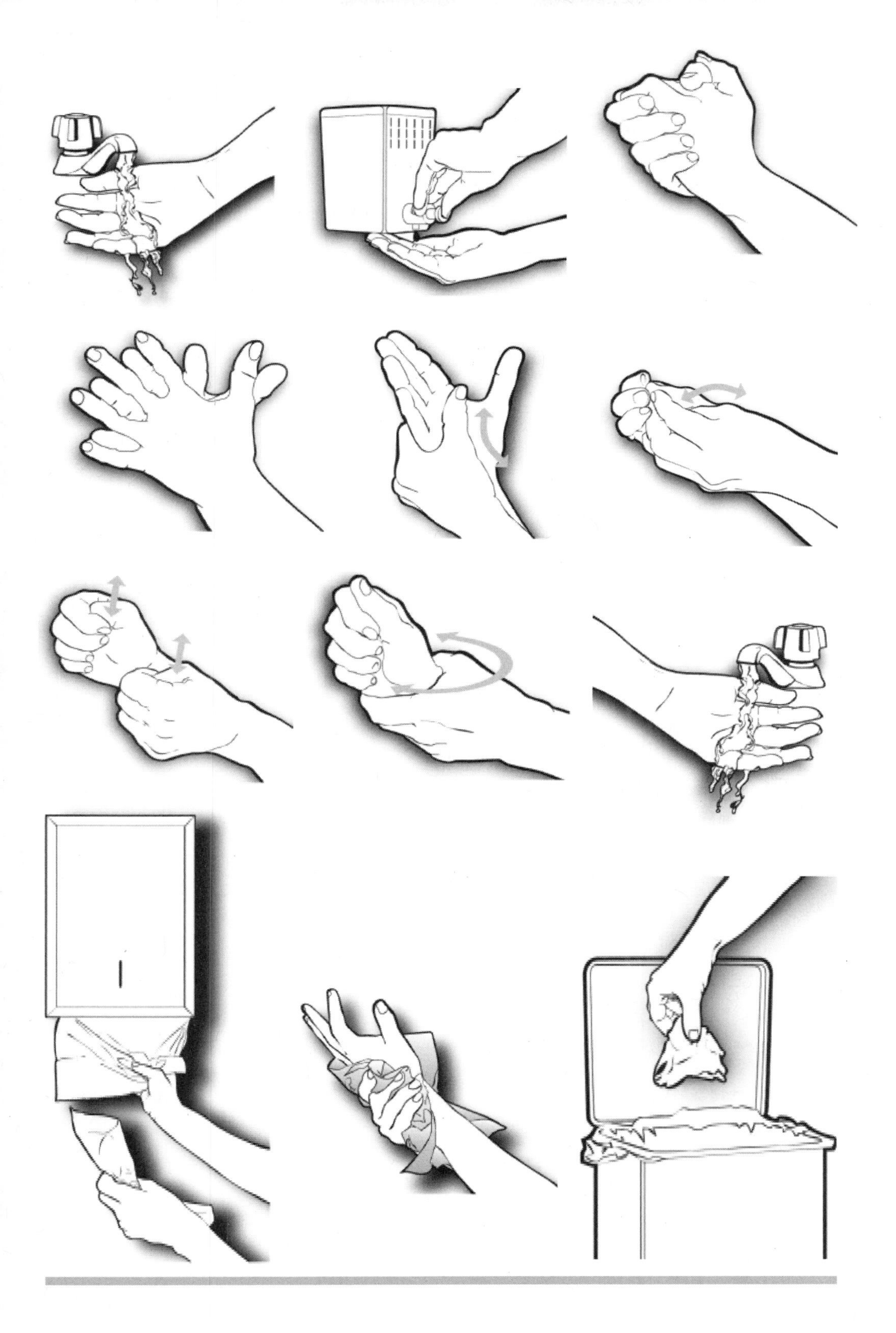

12. Les serviettes humides jetables ne nettoient pas les mains de façon efficace et ne doivent pas remplacer le lavage des mains. Elles peuvent toutefois être utilisées à l'occasion d'une sortie. Se laver les mains une fois de retour au service de garde.

### La durée du lavage des mains[18]

Avec la technique appropriée, 15 secondes suffisent pour éliminer de la peau les micro-organismes de la flore transitoire. Si la peau et les ongles sont visiblement souillés, prolonger la durée du lavage de 30 à 45 secondes au moins.

- Pour nettoyer les ongles, on peut utiliser une petite brosse à ongles imbibée d'eau et de savon liquide.
- Garder les ongles courts et les nettoyer régulièrement: des micro-organismes se logent souvent sous les ongles.

### Doit-on utiliser des lotions pour les mains[19]?

La lotion favorise une hydratation adéquate de la peau. Pour le personnel, il est préférable d'appliquer de la lotion au moment de la sieste des enfants, avant une activité à l'extérieur et avant de quitter la garderie parce que durant ces périodes, on ne se lave pas les mains aussi souvent.

Il n'est pas recommandé d'utiliser ces lotions sur les mains des enfants, sauf si le service de garde a une ordonnance à cette fin pour un enfant donné.



## Apprendre à se moucher et à éternuer

Chaque fois qu'un jeune enfant éternue ou que son nez coule, il y a risque de transmission de l'infection par les sécrétions nasales.

Le jeune enfant a besoin qu'on lui apprenne à se servir d'un papier mouchoir pour éternuer et se moucher quand son nez coule. Cette pratique brise le cycle de propagation de l'infection. On doit aussi lui montrer à éternuer sans papier mouchoir de façon à prévenir la propagation de la maladie infectieuse.

Certains virus dans les sécrétions nasales peuvent survivre sur les mains pendant au moins 30 minutes et sur le papier mouchoir pendant au moins 60 minutes. On sait que les enfants se mettent, de temps à autre, les doigts dans le nez ou essuient leur nez qui coule avec leurs mains. Garder les ongles courts aide à prévenir la blessure aux narines et contribue à diminuer la quantité de germes sous les ongles. De là l'importance de bien

---

18. Comité provincial des maladies infectieuses en services de garde, *op. cit.*, note 1, p. 395.
19. *Ibid.*

se laver les mains après avoir éternué, s'être mouché ou s'être mis les doigts dans les narines. On peut aussi enseigner à l'enfant des trucs pour réduire la contamination des mains, quand il doit se moucher ou éternuer.

Il y a deux méthodes pour éviter de contaminer les mains quand on éternue :

- Éternuer dans le pli du coude. Avec cette méthode, les mains ne sont pas contaminées et le risque de transmission dans l'environnement est réduit de beaucoup.
- Éternuer dans un papier mouchoir. Le papier mouchoir est aussi utilisé pour se moucher. Il sert de barrière de protection pour les mains et l'environnement immédiat. Il y a quand même toujours un risque de contamination des mains avec les sécrétions nasales quand le papier n'est pas assez épais ou pas assez grand. De là l'importance de toujours bien se laver les mains après avoir utilisé un papier mouchoir[20].

### Le matériel

S'assurer que les enfants ont accès à des papiers mouchoirs en tout temps. Les papiers mouchoirs sont plus hygiéniques que les mouchoirs de tissu. Apprendre aux enfants à les utiliser quand ils éternuent. Prévoir une poubelle avec couvercle dans chaque pièce. La vider et la désinfecter tous les jours.

### Comment procéder avec un papier mouchoir

- Prendre assez d'épaisseurs de papiers mouchoirs pour que les doigts ne touchent pas au mucus.
- Couvrir le nez et les narines.
- Éternuer dans le papier mouchoir.
- Demander à l'enfant de souffler doucement, une narine à la fois, en obstruant l'autre. On évite ainsi de faire pénétrer les sécrétions nasales dans les trompes d'Eustache et de provoquer des infections de l'oreille moyenne.
- Jeter le papier mouchoir à la poubelle.
- Se laver les mains avec du savon.

20. C.B. Hall, G. Douglas et J.M. Geiman, *Possible Transmission by Fomites of Respiratory Syncytial Virus*, The Journal of Infectious Diseases, 1980, vol. 141, nº 1, p. 98-102.

## Apprendre à se brosser les dents

Il est important de créer un climat agréable pendant le brossage de dents et d'encourager les efforts des enfants. C'est le gage du développement d'une habitude durable.

## Les bénéfices du brossage de dents en services de garde

Le brossage des dents est une habitude qui se prend en bas âge. Associé à de saines habitudes alimentaires, à l'usage de fluorures et à des visites régulières chez le dentiste, il permet à l'enfant de garder ses dents en santé.

Les parents jouent un rôle essentiel dans l'acquisition de l'habitude de se brosser les dents. Mais il ne faut pas négliger l'influence favorable que peut avoir le service de garde à cet égard. Le brossage quotidien des dents aide l'enfant à acquérir cette habitude.

Certains bénéfices du brossage des dents en services de garde sont déjà connus. Un brossage supervisé en services de garde permet d'améliorer significativement l'hygiène buccale[21]. De plus, l'utilisation d'un dentifrice avec fluorure, en tant que mesure préventive additionnelle appliquée en services de garde, permet de réduire la carie dentaire[22]. Enfin, si les mesures d'hygiène pertinentes au brossage des dents en milieu de garde sont respectées, on peut obtenir des gains de santé dentaire appréciables; cette activité doit donc être encouragée[23].

## Les mesures d'hygiène

Les mesures d'hygiène doivent être respectées lors du brossage de dents. Éviter surtout le partage des brosses à dents entre enfants et entreposer celles-ci pour qu'elles ne se touchent pas et ne dégoulinent pas les unes sur les autres. L'éducatrice doit superviser les enfants pendant cette activité et prendre soin de se laver les mains et de faire laver les mains des enfants avant et après.

Les infections qui peuvent se transmettre par une brosse à dents sont principalement causées par les microbes présents dans les sécrétions du nez et de la bouche. Ces microbes sont responsables d'infections respiratoires et de gastro-entérites. Ils peuvent survivre quelques heures sur les objets. Les mesures d'hygiène pendant le brossage des dents, tout comme les autres mesures d'hygiène, diminuent le risque de contracter ces infections.

---

21. P. Sutcliffe, J. A. Rayner et M.D. Brown, *Daily Supervised Toothbrushing in Nursery Schools*, British Dental Journal, 1984, vol. 157, p. 201-204.

22. P. Holtta et Alaluusua, *Effect of Supervised Use of Fluoride Toothpaste on Caries Incidence in Pre-School Children*, International Journal of Paediatric Dentistry, 1992, vol. 2, p. 145-149.

23. E. Malmberg et autres, *Microorganisms on Toothbrushes at Day-care Centers*, Acta Odontologica Scandinavia, 1994, vol. 52, p. 93-98.

Plus rarement, une infection causée par le virus de l'hépatite B peut être transmise si on utilise une brosse à dents contaminée par ce virus. Cette situation peut survenir s'il y a échange de brosses à dents entre enfants ou s'il y a contamination par contact direct avec une brosse à dents contaminée. Ce virus peut survivre jusqu'à une semaine sur un objet. Cependant, l'application des mesures d'hygiène recommandées pour le brossage des dents permet de contrôler cette éventualité[24].

- Ne jamais **désinfecter** les brosses à dents. Si un enfant utilise la brosse à dents d'un autre enfant ou si 2 brosses à dents viennent en contact, les jeter et donner aux enfants de nouvelles brosses à dents.
- Si un enfant utilise la brosse à dents d'un enfant qui est malade ou qui a une maladie infectieuse comme l'hépatite B, le parent de l'enfant qui a utilisé la brosse à dents de l'enfant malade doit être informé[25].

### Le matériel

#### La brosse à dents

Utiliser une petite brosse à dents avec deux ou trois rangées de soies souples et un manche droit.

Rincer les brosses à dents sous l'eau après chaque usage sans toucher les soies.

Renouveler les brosses dès que les soies sont abîmées ou recourbées.

#### Marquage des brosses à dents

Inscrire le nom de chaque enfant sur la brosse à dents. Utiliser de préférence un crayon à encre permanente ou toute autre méthode qui résiste à l'eau.

#### Le verre personnalisé ou jetable (facultatif)

#### Le porte-brosses à dents

Prévoir un système de rangement qui permet aux soies des brosses à dents de sécher à l'air libre mais à l'abri de la poussière. Éviter le contact entre les soies et le porte-brosses à dents ou les doigts[26].

Utiliser un porte-brosses à dents qui permet de saisir facilement chaque brosse à dents et de la ranger sans qu'elle touche aux autres ou dégouline dessus. Le laver une fois par semaine avec une solution désinfectante (une partie d'eau de Javel pour 9 parties d'eau), le faire tremper pendant deux ou trois minutes puis le rincer à fond.

---

24. Martin Généreux, Diane Lambert, Ginette Veilleux et Marie-Patricia Gagné, en collaboration avec la Direction générale de la santé et des services sociaux, ministère de la Santé et des Services sociaux, l'Office des services de garde à l'enfance, le Comité provincial des maladies infectieuses en services de garde et le Comité provincial de santé dentaire publique, *Avis de santé publique sur le brossage de dents en services de garde*, diffusé par le ministère de la Santé et des Services Sociaux, 1996, 4 pages.

25. *The ABC of safe and healthy child care : Using and handling toothbrushes*, www.cdc.gov/ncidod/hip/abc/practic14.htm

26. M.J. Dusablon, et J.R. Vincent, *Porte-brosses à dents hygiénique pour garderie*, Journal dentaire du Québec, 1989, nº 26, p. 55-59.

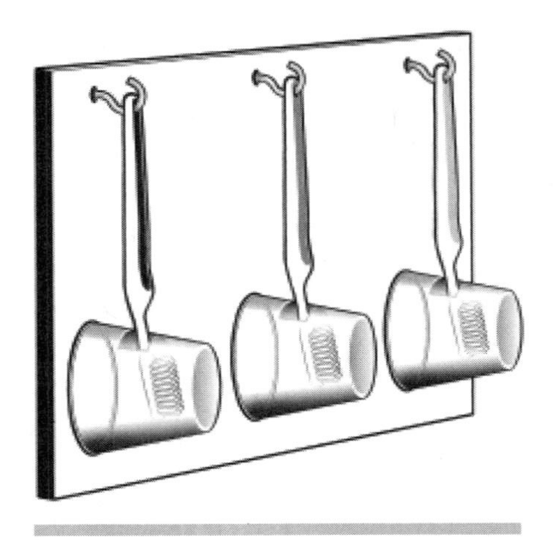

Par exemple, un porte-brosses à dents rectangulaire en acrylique et qui comporte le nombre requis de petits crochets, espacés de 7 cm (2,8 po) environ, peut être suspendu à 2 crochets fixés au mur. Cela permettra de le décrocher facilement pour l'entretien.

En guise de capuchon, on peut utiliser un verre à médicament de 30 ml (1 oz) en plastique que l'on aura perforé sur le côté à l'aide d'un poinçon pour pouvoir insérer la brosse à dents. Les verres à médicament sont jetables et doivent être changés une fois par semaine.

### Le dentifrice

La quantité de dentifrice à utiliser ne doit pas dépasser la grosseur d'un tout petit pois. Utiliser des dentifrices avec fluorure: leur efficacité est reconnue pour prévenir la carie dentaire. Lorsqu'un seul tube de dentifrice est utilisé, éviter de toucher l'orifice du tube avec les brosses à dents.

Voici une méthode pour éviter que l'orifice du tube touche les brosses à dents: pour huit enfants, prendre une feuille de papier ciré d'environ 8 cm sur 5 cm (3 po sur 2 po), la découper en languettes de 1 cm (1/2 po) de largeur jusqu'à 1 cm (1/2 po) de hauteur, et y placer une quantité de dentifrice inférieure à la grosseur d'un pois. Ensuite, détacher les languettes et déposer le dentifrice sur la brosse à dents de chaque enfant.

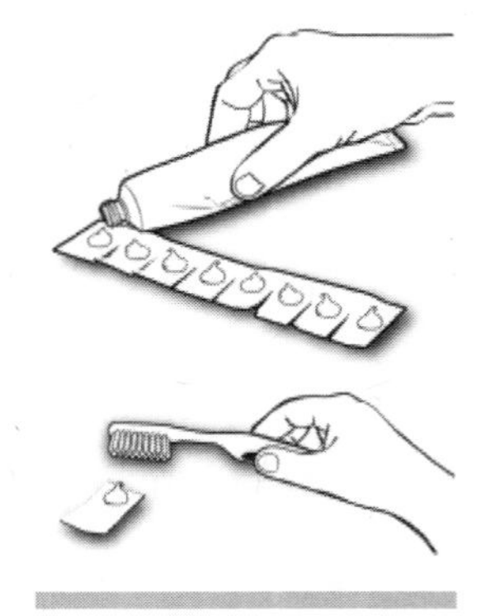

### Le brossage

- Encourager l'enfant à bien brosser chaque dent.
- Pour un enfant de moins de 5 ans, on peut brosser dans le sens où les dents poussent, c'est-à-dire en descendant pour les dents du haut et en montant pour celles du bas. S'assurer que la bouche est ouverte.
- Pour le dessus des dents, un mouvement de va-et-vient horizontal est approprié.
- Demander à l'enfant de ne pas avaler de dentifrice mais de le cracher.

- La pratique actuelle en services de garde est de faire rincer la bouche. À la lumière des connaissances actuelles, le rinçage de la bouche à la fin du brossage n'est probablement plus nécessaire : il risque de réduire l'efficacité de l'action topique des fluorures.
- Si un rinçage est effectué, utiliser un verre personnalisé ou jetable.

### La fréquence et la durée du brossage

Brosser les dents, pendant environ deux minutes, après chaque repas et avant le coucher.

Toujours surveiller les enfants pendant cette activité.

Pour toute question sur la santé dentaire, communiquer avec l'hygiéniste dentaire du CLSC ou le dentiste-conseil de la Direction de la santé publique de la région, là où cette ressource est disponible.

### La pousse des dents

La pousse des dents varie d'un enfant à l'autre ; le tableau qui suit peut toutefois servir d'indicateur.

**Pousse des dents : dentition primaire (dents de lait)**

| Dents | Éruption | Chute |
|---|---|---|
| Incisives centrales | 6 à 8 mois | 6 à 8 ans |
| Incisives latérales | 7 à 9 mois | 7 à 8 ans |
| Canines | 16 à 20 mois | 9 à 12 ans |
| 1re molaire | 12 à 16 mois | 10 à 11 ans |
| 2e molaire | 20 à 30 mois | 10 à 11 ans |

## La sieste

Les bonnes habitudes de sommeil se prennent dans l'enfance, au moment de la sieste et du coucher. La sieste de l'enfant sera facilitée si le service de garde met en place un rituel que l'enfant peut prévoir et attendre et qui lui donne le signal qu'il lui faudra bientôt dormir ou du moins se reposer.

## La sieste des enfants de moins de 18 mois

### Les besoins de sommeil des tout-petits

Les besoins de repos des poupons varient en fonction de l'âge de l'enfant et du rythme biologique de chacun. En pouponnière, les différences sont particulièrement marquées. Entre 3 mois et 15-18 mois, l'enfant a besoin en général de deux siestes par jour. Elles varient de 20 minutes à 3 heures. Vers 18 mois, il fait habituellement une seule sieste.

Il importe donc d'offrir au bébé qui a besoin de sommeil un espace calme, bien aéré et sécuritaire. Pendant ce temps, on permet à un autre enfant de vivre une période de jeux et d'exploration en respectant les exigences réglementaires[27] qui précisent que l'espace réservé aux poupons en installation et en garderie doit être divisé en deux pièces distinctes, l'une pour le jeu et l'autre pour le repos. Le respect des rythmes de vie de chacun est indispensable.

Ne pas oublier que le rythme de sommeil change à mesure que l'enfant grandit et que le changement dans la durée du sommeil peut être soudain. Parfois, aucune raison ne l'explique; parfois, il est dû à des situations comme la percée des dents, la maladie ou une poussée de croissance.

### Le matériel

- Prévoir un local calme, bien aéré et qu'on peut assombrir aisément. Dans la mesure du possible, prévoir également un système qui permet de coucher les bébés dehors quand la température le permet, sous surveillance.
- Pour tous les lits d'enfants avec montants et barreaux, toujours se conformer aux normes édictées par le Règlement sur les lits d'enfants et berceaux adopté en vertu de la *Loi sur les produits dangereux*.
- Pour la garde en installation, disposer d'un lit d'enfant avec montants et barreaux pour chaque enfant. S'assurer que ce lit répond aux exigences du Règlement sur les services de garde éducatifs à l'enfance[28]. Les lits superposés, le berceau et le lit portatif ne sont pas permis[29].
- Pour la garde en milieu familial, on peut utiliser le lit d'enfant avec montants et barreaux, un berceau et un parc pour enfants conformes aux normes adoptées en vertu de la *Loi sur les produits dangereux*[30].

27. *Règlement sur les services de garde éducatifs à l'enfance,* art. 31, par. 1.
28. *Règlement sur les services de garde éducatifs à l'enfance,* art. 37.
29. *Règlement sur les services de garde éducatifs à l'enfance,* art. 36, alinéa 2, et art. 37, alinéa 1.
30. *Règlement sur les services de garde éducatifs à l'enfance,* art. 94.

- Le lit d'enfant avec montants et barreaux doit être conforme aux normes suivantes:
  - L'espace entre le support du matelas et la traverse supérieure du lit a une hauteur d'au moins 66 cm (26 po);
  - Les barreaux du lit ne doivent pas être espacés de plus de 6 cm (2 1/4 po).
  - Il ne doit y avoir aucun espace entre le bord inférieur des panneaux du bout et le bord supérieur du support du matelas.
  - Le côté abaissable doit pouvoir être déclenché en deux coups simultanés et distincts et doit s'enclencher automatiquement.
  - L'extrémité des boulons filetés est inaccessible à l'enfant ou recouverte d'un écrou borgne[31].
- Prévoir environ 2 draps et 2 couvertures par poupon. Laver les draps et les couvertures des poupons chaque semaine et chaque fois qu'ils sont souillés. Désinfecter les lits une fois par semaine et à chaque changement d'usager.

## Quelques conseils de prudence

### Dans le lit

- Ne pas donner de biberon à l'enfant dans son lit.
- Ne jamais mettre d'oreillers ou de petits jouets dans le lit d'un enfant: il risque de s'étouffer.
- Éviter de mettre beaucoup d'objets dans le lit de l'enfant: il peut grimper dessus et tomber.
- Vérifier que l'objet apporté de la maison avec lequel l'enfant dort est sécuritaire.
- N'utiliser que des sucettes faites d'une seule pièce et ne pas les accrocher au cou de l'enfant: il risque de s'étrangler avec le cordon.
- Pour la même raison, ne pas laisser les colliers et les chaînes au cou.
- S'assurer que les coutures des bordures de satin sur les couvertures sont solides.
- Ne jamais attacher l'enfant dans son lit. C'est interdit par le Règlement sur les services de garde éducatifs à l'enfance[32].
- Ne pas utiliser un lit d'eau pour l'enfant: il risque de s'étouffer.
- Coucher l'enfant sur le dos: c'est une recommandation pour prévenir la mort subite du nourrisson.

31. Feuillet d'information de Consommation et Corporations Canada, *La sécurité des berceaux et des lits pour enfants*, C&CC n° 190 17342 B 86-12.

32. *Règlement sur les services de garde éducatifs à l'enfance*, art. 108.

### Les sucettes

- Toujours utiliser une petite sucette pour le nouveau-né, une sucette moyenne pour le nourrisson. Trop grosse, elle risque de nuire au développement de la mâchoire.
- Remplacer les sucettes au fur et à mesure que l'enfant grandit ou lorsqu'elles deviennent collantes.
- S'assurer aussi que la rondelle est bien attachée à la sucette : tirer dessus pour en éprouver la solidité. La rondelle doit toujours rester à l'extérieur de la bouche. Si l'enfant mordille la rondelle de la sucette, il peut la briser ce qui entraîne un risque d'étouffement. Si l'enfant utilise la sucette pour mordiller, il est préférable de lui donner un anneau de dentition.
- Ne pas laisser la sucette constamment dans la bouche de l'enfant. Il peut en avoir besoin à certains moments, pour retrouver plus facilement son calme. Enlevez-la lui doucement quand il n'en a plus besoin pour qu'il ne s'habitue pas à trop l'utiliser.
- Sucer une sucette ou son pouce peut parfois affecter la façon d'avaler, la position des dents et la prononciation.
- Si la sucette est attachée aux vêtements de l'enfant, la fixer avec un velcro, loin du cou, avec un ruban qui ne dépasse pas 15 cm (6 po). Éviter les épingles de sûreté qui risquent de blesser l'enfant. Ne jamais utiliser de chaînette ou de cordon autour du cou[33].
- Ne pas attacher la sucette à l'enfant pour la sieste.

### Quelques conseils pour la sieste du poupon

- Observer les bébés pour connaître les signes de fatigue propres à chacun : bâillement, frottement des yeux ou des oreilles, sucement du pouce, maladresse, ennui, irritabilité ou comportement indésirable.
- Adopter une routine souple. Par exemple, nourrir plus tôt un nourrisson qui s'endort. Tenir compte des habitudes à la maison.
- Bercer ou caresser l'enfant pour qu'il se calme et se sente en sécurité[34].
- Déchausser l'enfant et lui enlever ses vêtements inconfortables : vêtements ornés de boutons en relief ou qui laissent des marques ; vêtements trop chauds : veste, chandail, col roulé ; vêtements rigides ou rugueux : dentelles, jeans ; vêtements serrés ; vêtements avec élastiques aux chevilles, aux poignets ou à la taille.

33. N. Doré et D. Le Hénaff, *op. cit.*, p. 46-47.
34. Adapté de *The bedtime blues, Perth health district*, www.pdhu.on.ca/family/sleeping.htm

- Créer une atmosphère propice à la détente : pénombre, musique douce, chanson, etc.
- Adopter un rituel de mise au lit et donner à l'enfant son objet de lit (couverture ou objet lavable à la machine) s'il en a un. S'assurer que l'objet privilégié (dit aussi transitionnel) sert uniquement à l'enfant en question et seulement durant la sieste.

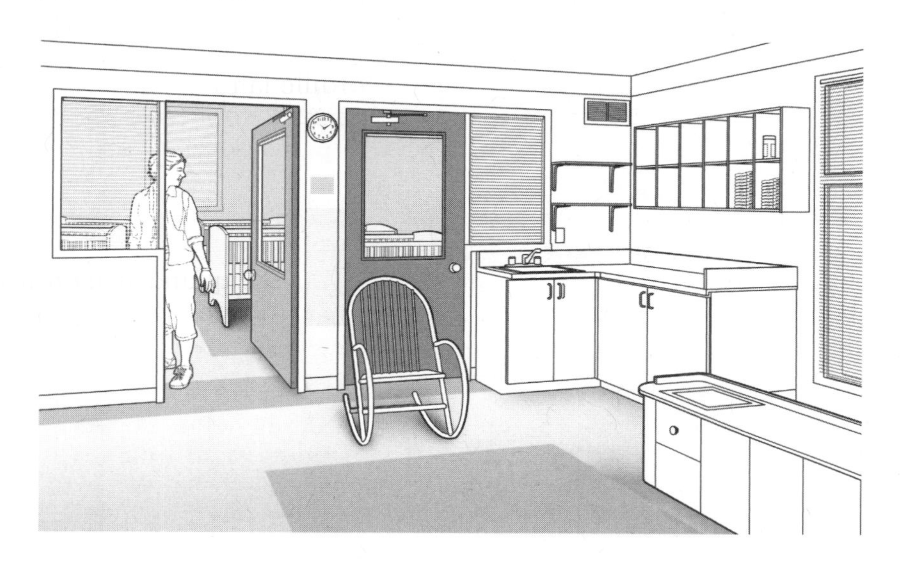

- Pendant la sieste, vérifier régulièrement si tout va bien:
  - S'assurer que rien ne gêne la respiration de l'enfant et que rien ne peut provoquer des risques d'étouffement: couverture, drap, etc.
  - Corriger la position du poupon qui s'est tourné occasionnellement sur le ventre; le retourner sur le dos, les pieds vers l'extérieur.
  - Enlever le pouce de la bouche; à long terme, cette habitude peut entraîner des problèmes orthodontiques.
  - S'assurer de conserver des conditions qui favorisent un repos paisible; éviter la lumière ou les bruits soudains.
- Noter dans le journal de bord les heures de sieste de l'enfant et toute observation particulière.

## Réduire les risques du syndrome de mort subite du nourrisson

Le syndrome de mort subite du nourrisson, parfois appelé mort au berceau, survient de façon imprévue, habituellement pendant le sommeil.

Au Canada, la mort subite du nourrisson est la première cause de décès chez les bébés de un mois à un an.

La médecine ne peut expliquer la cause d'une telle mort. Personne ne sait comment prévenir la mort subite du nourrisson, mais il y a des précautions à prendre pour en réduire le risque:

- Coucher le bébé sur le dos jusqu'à ce qu'il puisse se retourner de lui-même (environ à l'âge de 6 mois) à moins d'un avis contraire du médecin de l'enfant. La mort subite du nourrisson se produit moins fréquemment chez les bébés qui dorment sur le dos.
- Un environnement sans fumée: personne ne devrait fumer près d'un bébé.
- Garder le bébé au chaud, mais sans qu'il ait trop chaud. Pour vérifier si le bébé a trop chaud, placer votre main à l'arrière de son cou: il ne doit pas transpirer.
- L'allaitement maternel peut offrir une certaine protection contre le syndrome de mort subite du nourrisson.

Une éducatrice doit être soutenue advenant la mort subite d'un bébé sous sa garde. La recherche nous apprend comment réduire les risques de mort subite du nourrisson, mais nous ne pouvons pas prévenir tous les décès qui surviennent de cette manière. Les causes réelles de mort subite du nourrisson demeurent encore inconnues[35].

35. Dépliant de Santé Canada, *Fais de beaux rêves*, Réduisez le risque du SMSN, 1995.

## La sieste des enfants de 18 mois à 5 ans

### Les besoins de sommeil des grands

Chez l'enfant de plus de 18 mois, comme chez le poupon, les besoins de repos en services de garde varient en fonction de l'âge, du rythme biologique de chacun et du temps de sommeil pris à la maison. Jusqu'à l'âge de 4 ans environ, l'enfant a besoin de 11 à 12 heures de sommeil par nuit. Si pour une raison ou une autre sa nuit a été écourtée, il lui faudra récupérer davantage durant la journée.

La plupart des enfants de 18 mois ou plus ne font plus qu'une sieste par jour. De façon générale, la période qui suit le repas du midi est une période d'apathie. L'enfant est fatigué par ses activités matinales et trouve le sommeil facilement. Mais il arrive qu'un enfant soit surmené et incapable de se détendre. Il a alors besoin de la présence chaleureuse d'une personne familière. Il importe donc que cette activité soit prise au sérieux et confiée à des personnes qui connaissent déjà bien l'enfant.

À partir de 4 ans, certains «grands» enfants n'ont pas nécessairement besoin de dormir pendant la journée. Le service de garde doit offrir à l'enfant la possibilité de choisir entre une sieste et une période de jeux tranquilles, de dessin ou de lecture. Beaucoup de services de garde instaurent une période de détente couchée de quelques minutes.

L'enfant qui le désire peut ensuite se relever et participer à une activité calme qui ne dérange pas les autres enfants qui dorment à proximité.

Par cette activité, l'enfant fait plus que se reposer. Il apprend aussi à rester tranquille, attitude essentielle pour comprendre, écouter, observer, attendre, etc.

La durée de la sieste ou sa suppression doit faire l'objet de discussions et d'ententes avec le parent compte tenu, avant tout, des besoins de l'enfant.

### Le matériel

- Disposer d'un matelas recouvert d'un drap lavable pour chaque enfant.
- Pour les enfants de 18 mois ou plus, prévoir un minimum d'un drap et d'une couverture par enfant et quelques draps et couvertures de plus, nécessaires à l'occasion.

- Ranger toute la literie dans une case individuelle afin qu'elle n'entre pas en contact avec celle des autres enfants. Si c'est impossible, enlever la housse et le drap après chaque sieste et les déposer dans la case de l'enfant. Voir à ce qu'ils soient lavés chaque semaine[36].
- Ranger les matelas de sorte qu'ils ne se touchent pas ou les désinfecter entre chaque utilisation.
- Désinfecter les matelas chaque semaine.

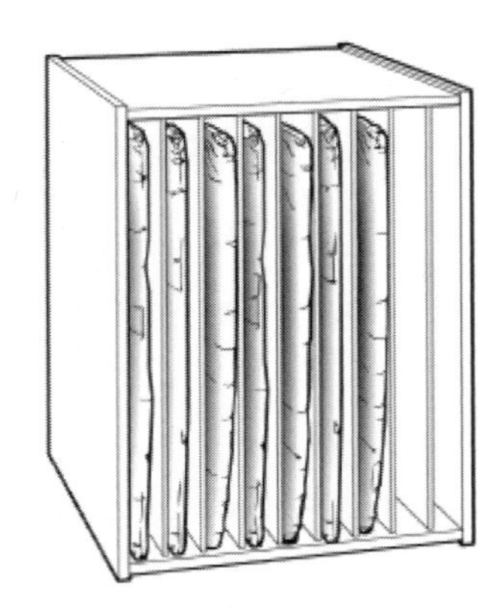

## Quelques conseils pour la sieste des enfants de 18 mois ou plus

- Assurer, si possible, une aération indirecte de la pièce et créer une atmosphère propice à la détente : pénombre, musique douce, chanson, etc. Une fois les enfants endormis, arrêter la musique car le silence est préférable pour dormir.
- Suivre un rituel de mise au lit : voir à l'hygiène, se déchausser, relaxer, etc. Comme l'adulte, l'enfant a besoin d'une transition entre le repas et la sieste.
- Coucher les enfants au même endroit d'une journée à l'autre. Créer un nid pour chacun en respectant une certaine distance entre les matelas. La distance entre les enfants au moment de la sieste permet aussi de prévenir la propagation des infections.
- Permettre aux enfants d'apporter un objet personnel lavable pour la sieste. Ranger cet objet transitionnel dans la case individuelle de l'enfant entre les siestes.
- Assurer une surveillance constante de la sieste et corriger au besoin la position de l'enfant qui dort toujours sur le ventre avec les pieds tournés vers l'intérieur ou l'extérieur, en le plaçant sur le côté.
- Rester à l'affût d'une situation qui peut empêcher l'enfant de se reposer et le stimuler à rester éveillé : un environnement physique inadéquat, la maladie, la douleur, la faim ou la soif, l'inconfort, l'excès de fatigue, un événement spécial, l'anxiété et l'insécurité. Cela peut survenir à tout âge.
- Si l'enfant présente des problèmes particuliers au moment de la sieste, en prendre note et en discuter avec le parent, pour trouver ensemble des solutions.
- Ne pas oublier que le besoin de sommeil diminue à mesure que l'enfant grandit.

36. Comité provincial des maladies infectieuses en services de garde, *op. cit.*, note 1, p. 391.

# Habiller et déshabiller l'enfant

## L'arrivée et le départ

### Quelques règles à respecter

En milieu de garde, habiller et déshabiller les enfants demande beaucoup de temps. À l'arrivée et au départ de l'enfant, la collaboration du parent pour l'habiller ou le déshabiller est nécessaire, car elle permet au personnel d'être davantage disponible pour les autres enfants. Mieux vaut s'entendre avec le parent sur la collaboration désirée. C'est aussi une période de transition pour l'enfant et une période au cours de laquelle le parent et les membres du personnel peuvent échanger des renseignements.

Comme pour toute autre activité, certaines précautions sont nécessaires pour protéger la santé des enfants.

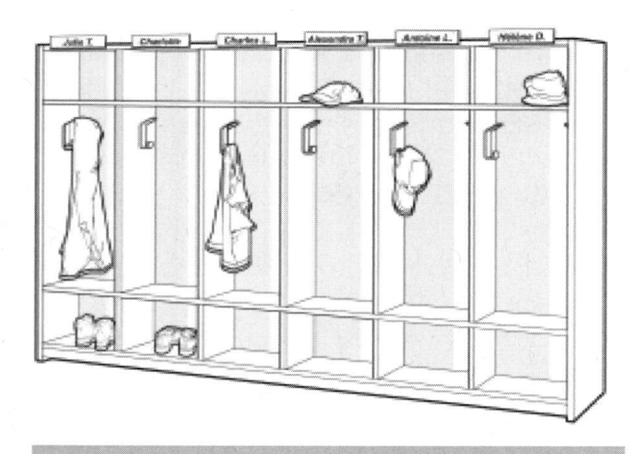

- S'assurer que le vestiaire est bien chauffé et assez grand pour accueillir un groupe d'enfants et leurs parents; il doit être séparé de l'extérieur par un vestibule. En plus des cases personnelles, prévoir des espaces de rangement assez grands pour que les vêtements puissent sécher au cours de la journée.
- Opter pour un revêtement de sol antidérapant et facile d'entretien. En hiver ou lorsqu'il pleut, essuyer le plancher fréquemment pour éviter l'accumulation d'eau, de sel ou de sable. Laver le plancher du vestiaire tous les jours.
- Prévoir une table où déposer les bébés. Prévoir aussi des chaises ou un banc où les plus grands peuvent s'asseoir pour enlever ou mettre leurs bottes. Éviter que les enfants s'assoient par terre si le plancher est frais, humide ou sale.
- Organiser le vestiaire pour que l'enfant puisse garder les pieds au sec entre le moment où il ôte ses bottes et celui où il met ses souliers.

## Les activités journalières

### Changer les vêtements des petits

En cours de journée, les jeunes enfants doivent être habillés et déshabillés fréquemment. Petits, ils sont vulnérables et se refroidissent rapidement. Là encore, certaines précautions sont nécessaires pour garder l'enfant en bonne santé.

- S'assurer que les vêtements fournis par le parent sont en nombre suffisant – l'enfant ne doit pas garder une couche ou un pyjama mouillés – et qu'ils sont appropriés à la température intérieure et extérieure. Selon les saisons, prévoir un chapeau pour protéger des rayons du soleil, un chandail ou des vêtements chauds.
- Avant de déshabiller l'enfant, réunir les vêtements de rechange et les articles de toilette.
- Si l'enfant est très jeune, éviter de le déshabiller entièrement si ce n'est pas nécessaire. Toujours bien soutenir la nuque du bébé et tirer sur les vêtements, pas sur les membres.
- S'il y a lieu, mettre les vêtements souillés dans un sac de plastique fermé et le ranger dans la case de l'enfant; on peut mettre à la sécheuse à basse température les vêtements extérieurs qui n'auraient pas le temps de sécher avant d'être réutilisés, après avoir vérifié que ces vêtements peuvent aller à la sécheuse.

### Quelques conseils dans le choix des vêtements pour le service de garde

- Faire porter à l'enfant des vêtements confortables, faciles à mettre et à enlever, amples et lavables.
- Les vêtements de bébé munis de boutons-pression sous les fesses sont les plus pratiques.
- Lorsque l'enfant apprend à ramper ou à marcher, lui mettre des vêtements assez amples à l'entrejambe et aux emmanchures pour lui donner une bonne liberté de mouvements et assurer une bonne circulation du sang.
- Pour bébé, mieux vaut choisir des vêtements qui s'enfilent et se retirent par le bas, ou encore, un deux-pièces.
- Un vêtement qui s'enfile par la tête doit avoir une entrée de cou suffisamment grande et extensible.
- Choisir des vêtements sans décoration. Ceux-ci risquent de causer de l'inconfort ou des accidents.

- Certaines bourrures ou certains appliqués cousus sur le vêtement peuvent nuire au sommeil de l'enfant.
- Bien surveiller les boutons ou les yeux de petits animaux décoratifs. Mal fixés, ils peuvent être avalés par les tout-petits.
- Bannir les cordons: ils peuvent présenter un véritable danger pour l'enfant, car ils risquent de l'étouffer s'ils restent accrochés. Interdire les clochettes, les pompons et les glands accrochés à un cordon ou à une chaîne. Pas de porte-sucette en service de garde. On doit demander au parent de laisser le porte-sucette au vestiaire.
- Encourager l'utilisation des passe-montagnes ou des cache-cou plutôt que les foulards qui peuvent rester accrochés et étouffer l'enfant.
- Quand l'enfant commence à se tenir debout, des bottines antidérapantes sont nécessaires; en chaussettes, l'enfant risque davantage de glisser.
- Ne pas laisser l'enfant en service de garde porter des bijoux comme une chaîne, un collier, un bracelet ou des boucles d'oreilles à cause des dangers d'accrochage, sans compter les pertes.
- Le dialogue et la collaboration avec le parent pour le choix des vêtements sont essentiels.

### Changer les vêtements des grands

En milieu de garde, tout comme à la maison, l'enfant s'habille et se déshabille plus d'une fois dans la journée. Si ces gestes sont mécaniques pour l'adulte, ils représentent un défi de taille pour l'enfant. Enfiler un chandail, boutonner une veste, lacer un soulier... sont pour le jeune des activités pleines d'embûches. Il importe donc, tant pour l'autonomie de l'enfant que pour alléger la tâche du personnel, que les vêtements des enfants tiennent compte de leur niveau d'habileté. C'est une réalité à laquelle les parents seront certainement sensibles, s'ils en sont informés. Choisir des vêtements faciles à manipuler (à gros boutons, à boutons-pression, à velcro) afin de favoriser l'autonomie de l'enfant.

- Plus tard, quand l'enfant est assez autonome pour s'habiller seul, certains apprentissages doivent être faits en préparation à la maternelle: manipuler la fermeture éclair, lacer les chaussures.
- Mettre à l'enfant des vêtements confortables, faciles d'entretien et adaptés aux activités. L'enfant qui fréquente un service de garde y vient courir, grimper, faire de la peinture, cuisiner, manger, jouer dehors.
- S'assurer que l'enfant dispose d'un tablier ou d'un bavoir pour les repas, d'un couvre-tout pour les activités de bricolage et de vêtements pour les activités extérieures: chapeau de soleil en été, chandail ou coupe-vent pour les journées fraîches, imperméable et bottes, mitaines et chapeau qui couvre bien les oreilles, etc. S'assurer que l'enfant dispose aussi de vêtements de rechange bien marqués à son nom.

- Allouer assez de temps à l'activité habillage et déshabillage pour permettre à l'enfant d'y participer selon son degré d'habileté.
- Éviter que les premiers enfants habillés n'aient trop chaud; ralentir au besoin les plus rapides en les invitant à aider un autre enfant.
- Voir à ce que les vêtements d'extérieur soient rangés de façon à sécher. Au besoin, utiliser la sécheuse pour les habits de neige s'ils vont à la sécheuse. Il faut éviter que l'enfant ne reparte dans des vêtements mouillés.
- Faire changer sans délai les vêtements intérieurs qui auraient été mouillés.
- Ne pas habituer l'enfant à être trop vêtu : on diminue sa résistance au froid.

photo : Jocelyn Boutin

# CHAPITRE

# 3 L'hygiène et la prévention de l'infection

## L'importance d'une hygiène impeccable dans un service de garde

Les maladies infectieuses sont causées par les microbes, comme les virus, les bactéries ou les parasites. Ces maladies, qu'on retrouve fréquemment chez les enfants, se transmettent d'une personne à l'autre.

Le nourrisson et l'enfant d'âge préscolaire attrapent facilement des maladies infectieuses. Parce que ces enfants n'ont pas encore été exposés aux microbes les plus courants, ils n'ont pas développé de résistance ou d'immunité. De plus, le jeune enfant a aussi des habitudes qui facilitent la propagation des microbes. Par exemple, il met souvent ses mains ou d'autres objets dans sa bouche. Les microbes peuvent pénétrer dans son corps par la salive ou encore par inhalation et l'infecter; ces mêmes microbes peuvent encore sortir de la bouche ou du nez de l'enfant et infecter d'autres enfants qui auront touché les mêmes objets et par la suite mis leurs mains ou l'objet dans leur bouche.

photo: Jocelyn Boutin

# La transmission de l'infection

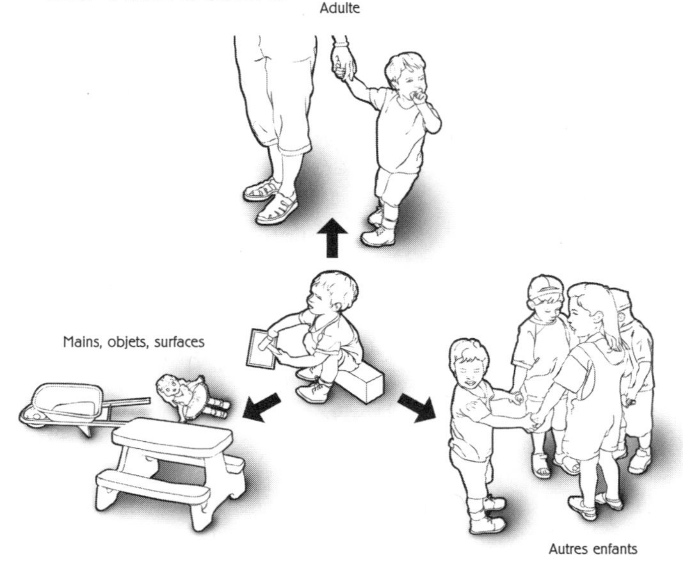


Source : Illustration de Rémy Simard dans l'article de J.C. Soto, *La transmission des infections, une chaîne à trois maillons*, Revue *Sans pépins*, vol. 1, n° 1, 1998, p. 6-7.

Pour que les microbes soient transmis d'une personne à l'autre, trois conditions sont nécessaires :

1. Les microbes doivent être présents dans l'environnement : le microbe peut être porté par un enfant ou une éducatrice ; il peut être présent dans l'air, sur une surface ou dans les liquides biologiques infectés (salive, selle, urine, sang, sécrétions de l'œil ou du nez, etc.).
2. Une personne qui n'est pas protégée entre en contact avec le microbe ou y est exposée.
3. Le contact ou l'exposition a lieu d'une façon qui entraîne l'infection : de plus, le microbe doit trouver un véhicule pour se transmettre (par exemple, gouttelettes de salive, mains) et doit trouver une porte d'entrée chez la personne qui n'est pas immunisée. Cette porte d'entrée peut être une plaie, une muqueuse, l'appareil respiratoire, l'appareil génito-urinaire ou l'appareil gastro-intestinal.

L'application de mesures pour contrôler et prévenir les infections dans les centres de la petite enfance et la mise en place de pratiques d'hygiène sont essentielles pour garder les enfants et le personnel en santé. C'est en grande partie l'objet de ce chapitre.

## La mise en place de règles pour favoriser la santé des enfants

Il est recommandé que le service de garde se donne certaines règles pour favoriser la santé des enfants et celle des personnes qui y travaillent:

- Faire approuver ces règles par le conseil d'administration ou encore obtenir l'appui du comité de parents.
- Expliquer soigneusement au parent les règles d'hygiène et de prévention adoptées par le service de garde dès l'inscription de son enfant. Lui en remettre une copie. Surtout, lui expliquer l'importance de ces règles pour garder son enfant en santé.
- Expliquer ces mêmes règles d'hygiène et de prévention des infections au personnel au moment de l'embauche et s'assurer de leur application.
- La formation du personnel et son soutien[1] constituent des outils très efficaces pour contrôler les infections en services de garde. Des études l'ont démontré: les services de garde qui introduisent un programme de formation pour contrôler les infections ont un taux d'incidence de la diarrhée beaucoup plus faible que ceux qui n'ont pas un tel programme.
- La formation du personnel de garde devrait comprendre:
  - la technique du lavage des mains;
  - les précautions universelles à prendre pour éviter tout contact avec le sang;
  - les normes de nettoyage et de désinfection des objets personnels, du matériel et de l'équipement;
  - la préparation et la conservation des aliments;
  - des renseignements sur les symptômes des maladies;
  - les méthodes de contrôle des infections;
  - les règles à appliquer pour maintenir la qualité de l'environnement intérieur et extérieur.

On peut demander le soutien du CLSC pour mettre en place ce programme de formation.

Rappeler les règles régulièrement au personnel, aux parents et aux enfants.

Les 16 principales mesures qu'un service de garde doit prendre pour prévenir les infections chez les enfants et les personnes qui travaillent auprès des enfants sont détaillées ci-dessous.

---

1. Comité provincial des maladies infectieuses en services de garde, *Prévention et contrôle des infections dans les centres de la petite enfance, Guide d'intervention*, ministère de la Santé et des Services sociaux, Direction de la santé publique, en collaboration avec le ministère de la Famille et de l'Enfance, Les Publications du Québec, 1998, p. 27-28. Ajout seulement sur les précautions universelles.

# Les mesures touchant la santé du personnel[2]

Appliquer ces mesures non seulement au personnel du service de garde mais aussi au personnel stagiaire, remplaçant et bénévole.

## Le contrôle de l'état de santé

Au Québec, l'examen médical de préemploi n'est pas obligatoire et, de façon générale, il n'y a pas lieu de l'exiger des futurs travailleurs et travailleuses en centre de la petite enfance. Compte tenu du bas âge des enfants et de leur plus grande vulnérabilité, il importe toutefois que le personnel des services de garde soit en bonne santé. En cas de doute, l'employeur est donc justifié d'exiger un tel examen. Son contenu doit alors être laissé à la discrétion du médecin. C'est la personne la mieux placée pour décider de la pertinence d'examens particuliers (culture de gorge ou de selles, radiographie pulmonaire, etc.).

Pour obtenir une reconnaissance à titre de responsable d'un service de garde en milieu familial ou à titre d'assistante de la personne responsable en milieu familial, il faut obtenir un certificat médical attestant d'une bonne santé physique et mentale[3].

## Le contrôle des immunisations

Le service de garde constitue un milieu propice à la transmission de plusieurs maladies infectieuses. Des mesures préventives sont donc essentielles, et ce, de façon continue. L'immunisation des personnes qui travaillent en services de garde est une des mesures préventives les plus efficaces. Elle protège la personne de même que celles de son entourage qui, en raison de leur jeune âge ou de contre-indications médicales, ne peuvent être vaccinées. De plus, dans l'éventualité d'une grossesse, la femme en âge de procréer qui se fait vacciner protégera son fœtus contre les risques reliés aux maladies évitables par la vaccination. Au Québec, l'immunisation de base n'est pas obligatoire. Elle est toutefois accessible et gratuite. Il est donc important d'expliquer à ceux qui peuvent en bénéficier les démarches individuelles à faire.

2. Comité provincial des maladies infectieuses en services de garde, *La prévention des infections chez les personnes travaillant en services de garde, y compris les stagiaires*, diffusé par le ministère de la Famille et de l'Enfance, 1991, révision 1998, 28 pages.

3. *Règlement sur les services de garde éducatifs à l'enfance,* art. 60, par. 4 et 12 b).

Pour sa propre protection et celle des enfants, le service de garde devrait donc, dès le recrutement, vérifier l'état immunitaire de la personne et lui demander de compléter ses immunisations s'il y a lieu.

Le CLSC de son domicile est le lieu habituel où un employé d'un service de garde peut faire évaluer son état immunitaire et compléter ses vaccinations si nécessaire.

Les stagiaires devraient compléter leurs immunisations avant le début de leurs stages. C'est la responsabilité du lieu d'enseignement des stagiaires de voir à l'immunisation de ses étudiantes.

Les personnes travaillant en services de garde devraient être immunisées contre la diphtérie, le tétanos, la poliomyélite, la rougeole, la rubéole et les oreillons. Les vaccins contre l'hépatite A, l'hépatite B et l'influenza ainsi que le dépistage de la tuberculose ne sont pas recommandés de façon systématique. Certains de ces vaccins sont disponibles pour les personnes qui désirent se faire immuniser. Des frais peuvent s'appliquer selon le cas.

En cas de doute sur l'état de santé d'une travailleuse, quant aux maladies infectieuses transmissibles en milieu de garde, le centre de la petite enfance peut à tout moment exiger un examen médical. Le contenu de l'examen, y compris la décision concernant le retour au travail, est laissé à la discrétion du médecin.

## Les dossiers sur le statut vaccinal

Dans le cadre des mesures pour contrer la propagation des infections, il est recommandé que le service de garde, y compris celui en milieu familial, constitue pour chaque employée, stagiaire, responsable ou assistante en milieu familial un dossier individuel et confidentiel contenant les renseignements pertinents à l'état vaccinal[4]. Les responsables peuvent facilement consulter ces dossiers en cas d'émergence d'une maladie infectieuse en milieu de garde.

4. Le dossier peut comprendre les renseignements suivants: les immunisations contre la diphtérie, le tétanos, la poliomyélite, la rougeole, la rubéole, les oreillons, précisant la date de l'administration des vaccins et le type de vaccins; les résultats de sérologies pertinentes, si disponibles. (Exemples: rougeole, rubéole, oreillons); s'il y a lieu, une attestation médicale certifiant un diagnostic d'oreillons ou de rougeole; les résultats d'épreuves tuberculiniques (PPD), si indiqué. *La prévention des infections chez les personnes travaillant en services de garde, y compris les stagiaires*, *op. cit.*, p. 6.

## Le signalement des infections par le personnel

Atteints d'une infection transmissible en services de garde, les travailleurs et les stagiaires doivent en faire part le plus rapidement possible à la responsable de la gestion. Celle-ci doit aviser le CLSC ou la Direction régionale de la santé publique de toute situation jugée inhabituelle dans son service de garde.

Le service de garde doit alors prendre les mesures recommandées par le CLSC ou la Direction de la santé publique pour enrayer la contagion, y compris l'exclusion si nécessaire.

## La politique d'exclusion du personnel pour maladie

À l'occasion d'une affection aiguë, la travailleuse du service de garde doit consulter un médecin. Avant d'exclure ou non une travailleuse ou de remplacer une responsable d'un service de garde en milieu familial, il faut tenir compte de la nature et de la gravité des symptômes et des activités de la personne à l'intérieur du service de garde. Une vigilance plus grande s'impose pour les personnes affectées à la préparation des repas ou qui travaillent en pouponnière. L'examen médical et l'exclusion sont généralement nécessaires dans les cas suivants:

- Affections aiguës des voies respiratoires supérieures avec fièvre (bronchite, rhume, grippe). Sans fièvre, l'exclusion n'est pas motivée. Toutefois, la situation des personnes qui préparent les repas demande une évaluation des risques plus approfondie. Dans le cas de maux de gorge, le médecin procède, au besoin, à des prélèvements pour la recherche de streptocoques.
- Gastro-entérites (vomissements, diarrhée). On doit considérer comme infectieuse une diarrhée aiguë sans explication évidente, même si la température est normale. Un examen microbiologique des selles, pour la recherche de bactéries et de parasites, peut être jugé nécessaire.
- Infections de la peau. Une recherche de bactéries pathogènes peut s'avérer nécessaire.

À la suite d'une maladie infectieuse aiguë, le service de garde devrait exiger de la travailleuse un certificat médical attestant qu'elle ne présente plus de danger pour les enfants.

## La déclaration de certaines maladies infectieuses[5]

Le médecin ou le laboratoire qui dépiste la maladie doit obligatoirement déclarer certaines maladies infectieuses à la Direction de la santé publique. Toutefois, tel que mentionné auparavant, il est fortement recommandé que la responsable de la gestion du service de garde ou la responsable d'un service de garde en milieu familial avise rapidement son CLSC ou la Direction de la santé publique de toute situation jugée inhabituelle dans son service. Ces derniers conseilleront le service de garde quant à la mise en place des mesures de contrôle qui empêcheront cette maladie infectieuse de se propager à l'intérieur du service de garde.

## Les précautions concernant la femme enceinte dans un centre de la petite enfance[6]

Les femmes enceintes exposées à contracter une maladie infectieuse sont les femmes qui travaillent dans un service de garde et les mères des enfants qui le fréquentent. Cela est démontré: l'enfant qui fréquente un service de garde peut amener chez lui certains des organismes infectieux présents dans ce type d'environnement. Sa mère peut également se contaminer quand elle vient le chercher au service de garde.

Aujourd'hui, le risque d'infection pour le fœtus de la femme enceinte en contact fréquent avec les enfants est mieux connu. Les organismes souvent en cause sont ceux de la rougeole, de la rubéole, des oreillons, de la varicelle, du cytomégalovirus et du parvovirus. Pour ce qui est des autres agents infectieux, même si la femme enceinte peut y être exposée quand elle est en contact avec les enfants, le risque demeure négligeable.

Au Québec, une loi permet le retrait préventif de la travailleuse enceinte sous réserve de certaines conditions. Il faut d'abord s'adresser au médecin qui suit la grossesse.



5. Comité provincial des maladies infectieuses en services de garde, *op. cit.*, note 2, p. 9.
6. Comité provincial des maladies infectieuses en services de garde, *op. cit.*, note 1, p. 373-375.

# Les mesures d'hygiène appliquées par les personnes qui travaillent en services de garde

## Le lavage des mains

Bien que nous ayons abordé la question du lavage des mains au chapitre précédent, il est important de rappeler que les mains sont le principal véhicule de transmission des infections et que le lavage rigoureux des mains est la mesure d'hygiène la plus efficace pour diminuer la transmission de certaines maladies infectieuses. Les techniques de lavage des mains et les moments où il faut le faire sont présentés au chapitre précédent. Poser une affiche au-dessus de chaque lavabo pour rappeler au personnel la nécessité et les techniques du lavage des mains. Rappeler cette mesure d'hygiène à l'ensemble du personnel de temps à autre au cours de l'année.

## Les mesures de précaution universelles

L'application des précautions universelles en services de garde vise à prévenir la contamination des personnes par des maladies transmissibles par le sang, soit l'hépatite B (VHB), l'hépatite C et l'infection au virus de l'immunodéficience humaine (VIH).

Ces précautions sont qualifiées d'universelles parce qu'elles doivent être appliquées en tout temps et avec tout le monde. Ce sont les précautions à prendre pour éviter tout contact avec les liquides biologiques du corps humain, plus particulièrement le sang. Les selles, l'urine, les larmes, les sécrétions nasales, les expectorations et la sueur ne présentent pas de risque de transmettre l'hépatite B, l'hépatite C ou le VIH sauf s'ils sont visiblement teintés de sang.

Les mesures universelles s'appliquent à tous puisqu'il est impossible de savoir qui est infecté et qui ne l'est pas, soit parce que des personnes ne savent pas elles-mêmes qu'elles sont infectées ou parce qu'elles ont choisi de ne pas dévoiler leur état. Cela permet d'éviter la discrimination ou le doute, puisque tout le monde est traité de la même façon, c'est-à-dire avec précaution.

Les risques de transmission des maladies infectieuses transmissibles par le sang dans le contexte d'un service de garde sont très faibles pour l'hépatite B et l'hépatite C, voire quasiment nuls pour le VIH.

Il n'est donc pas indiqué d'exclure du service de garde un membre du personnel ou un enfant porteur de l'un de ces virus.

Les précautions universelles comprennent différentes mesures présentées ici[7].

## L'application de méthodes barrières

### Le port des gants

Une peau saine est la barrière la plus efficace contre les infections. Le port des gants est recommandé pour prévenir des maladies qui peuvent être transmissibles lorsqu'il y a contact entre du sang et des blessures de la peau (exemples: écorchure, eczéma, etc.).

En services de garde, le port des gants est recommandé dans les situations suivantes:

- un contact avec du sang est prévisible et les mains présentent une atteinte cutanée (comme une plaie récente de moins de 24 heures ou une maladie de la peau);
- la quantité de sang est assez importante pour traverser ce qu'on utilise pour le contenir (essuie-tout, mouchoirs). Le saignement de nez est un bon exemple de cette situation. Si la quantité de sang est minime et ne traverse pas le papier essuie-tout ou le tissu utilisé, le port du gant n'est pas essentiel (exemple: une petite écorchure).

Les gants doivent être disponibles et accessibles en tout temps:

- à l'intérieur du service de garde:
  - dans chacune des aires de jeux des enfants;
  - dans la cuisine du service de garde (volet installation ou garderie) ou du service de garde en milieu familial;
  - dans le bureau de la responsable de la gestion;







7. La partie sur les précautions universelles et les méthodes barrières a été tirée de deux sources: Comité provincial des maladies infectieuses en services de garde, *op. cit.*, note 2, p. 11-14; et Direction de la santé publique de la Régie régionale de la santé et des services sociaux de la Montérégie, *Précautions universelles pour prévenir les maladies transmissibles par le sang, complément au chapitre «santé et sécurité» du document: Le Kaléidoscope de la qualité, outil d'évaluation des services de garde en garderie*, ministère de la Famille et de l'Enfance,1998, p. 10-14.

   On peut aussi se référer à Diane Lambert, Gilles Delage, Bernard Duval, Nancy Haley, Élise Roy et Sylvie Venne, *Avis de santé publique sur le contrôle des maladies transmissibles par le sang, dans le contexte d'un service de garde à l'enfance*, Direction de la santé publique, ministère de la Santé et des Services sociaux, en collaboration avec le Comité provincial des maladies infectieuses en services de garde, 1994, 91 pages.

   Également: la Direction générale de la santé publique de la Régie régionale de la santé et des services sociaux de la Montérégie et du Regroupement des garderies sans but lucratif de la Montérégie, *Les maladies transmissibles par le sang et les services de garde à l'enfance*, en collaboration avec l'Office des services de garde à l'enfance, 1995, 29 pages.

- à l'extérieur du service de garde:
  - dans chacune des aires de jeux des enfants;
  - dans chacune des trousses de premiers soins qui accompagnent les travailleuses lors des sorties des enfants;
  - dans les poches des travailleuses quand elles sortent à l'extérieur avec les enfants.

Les gants doivent être rangés hors d'atteinte des enfants.

**L'absence de gants ne doit jamais retarder les premiers soins à un enfant, puisque le niveau de risque relié au contact du sang ne le justifie pas.**

Il faut enlever les gants dès que la tâche à accomplir est terminée ou interrompue et se laver les mains. Éviter de toucher avec les gants d'autres objets comme un téléphone ou un crayon, qui seraient alors contaminés par du sang.

L'utilisation de gants jetables est recommandée. Ils sont jetés à la poubelle hors de la portée des enfants après chaque utilisation. Mettre les gants qui ont été en contact avec du sang dans un sac de plastique fermé avant de les jeter à la poubelle.

Les gants de caoutchouc réutilisables employés, par exemple, pour désinfecter les surfaces souillées doivent être lavés et désinfectés avant d'être réutilisés.

### Le pansement des plaies

Une plaie est une porte d'entrée et de sortie pour les virus. Recouvrir la plaie, c'est fermer la porte au virus.

Toute plaie, coupure légère ou éraflure, particulièrement sur les mains, doit être soignée rapidement, régulièrement et couverte d'un pansement adéquat qui adhère bien et recouvre entièrement la blessure. Les pansements doivent être changés tous les jours, plus souvent s'ils sont souillés.

Cette mesure s'applique tant au personnel qu'aux enfants.

### Le lavage des mains

Se référer aux méthodes et aux occasions décrites au chapitre précédent. Notons, dans le cadre des précautions universelles, la nécessité de se laver les mains, surtout quand elles sont souillées de sang ou d'un liquide biologique teinté de sang ou après avoir porté des gants.

### La manipulation sécuritaire d'objets tranchants

Éviter qu'il y ait au service de garde des objets tranchants ou pointus pouvant occasionner des blessures et des saignements (jouets brisés, couteaux, ciseaux à bout pointu). De plus, quand on trouve un objet tranchant, par exemple une aiguille dans un parc, ne pas le ramasser à mains nues, dans la mesure du possible. Utiliser plutôt un outil comme une pince ou une petite pelle. Puis, jeter l'objet brisé, tranchant ou piquant dans un contenant rigide qui résiste aux perforations. Enseigner aux enfants à prévenir un adulte plutôt que de toucher à ces objets.

### Les procédures de nettoyage et de désinfection des objets souillés de sang[8]

#### Nettoyage et désinfection du matériel

La désinfection régulière du matériel, des surfaces et des jouets est indispensable pour prévenir les risques de contamination par des maladies transmissibles par le sang. Plus spécifiquement, toutes les surfaces et tous les objets souillés de sang devront être lavés et désinfectés immédiatement en suivant les procédures expliquées plus loin (section sur les procédures de nettoyage et de désinfection).

Les vêtements et les tissus souillés de sang doivent être manipulés avec des gants. Les déposer dans un sac en plastique fermé en attendant qu'ils soient lavés ou remis au parent. Laver les vêtements et les tissus souillés à l'eau chaude savonneuse. Se laver les mains adéquatement à la fin de la manipulation.

## Le changement de vêtements

Pour sa propre protection, celle de sa famille et des enfants du milieu de garde, sans compter la préservation de ses vêtements de l'eau de Javel, le personnel doit prendre l'habitude de porter des vêtements différents au travail et à la maison ou de porter un sarrau au travail. Cette dernière mesure n'est toutefois efficace que si le sarrau ferme bien et que les vêtements sont lavés fréquemment.

Si les vêtements ou le sarrau sont contaminés par des liquides biologiques, se changer sans délai.

8. Direction de la santé publique de la Régie régionale de la santé et des services sociaux de la Montérégie, *op. cit.*, note 7, p. 10-20.

# L'interdiction de consommer du tabac, de l'alcool et de la drogue

## L'interdiction du tabac dans les services de garde éducatifs à l'enfance

La *Loi sur le tabac* en vigueur depuis le 17 décembre 1999 remplace la *Loi sur la protection des non-fumeurs dans certains lieux publics*. Cette nouvelle loi décrète à l'article 2, par. 4, qu'il est interdit de fumer dans *«les installations d'un centre de la petite enfance ou d'une garderie au sens de la Loi sur les services de garde éducatifs à l'enfance (chapitre S-4.1.1) et les résidences privées où sont fournis des services de garde en milieu familial au sens de cette loi, aux heures où les personnes qui offrent ces services y reçoivent des enfants*[9] ».

Ainsi, il est clairement interdit de fumer dans les centres de la petite enfance, garderies, jardins d'enfants et haltes-garderies qui, par définition, fournissent des services de garde en installation. Il y est interdit de fumer en tout temps. Si ces établissements sont situés dans une demeure, il n'y est interdit de fumer que pendant les heures de garde.

Une affiche stipulant l'interdiction de fumer constitue un outil de rappel aux parents et aux visiteurs des centres de la petite enfance et garderies.

La loi cherche d'abord à protéger la santé de ceux qui ne fument pas, plus particulièrement la santé des enfants. Des recherches récentes ont démontré les effets possibles de la fumée sur les enfants qui y sont exposés:

- une toux persistante ou une respiration sifflante;
- une capacité respiratoire réduite, c'est-à-dire une respiration moins facile et moins complète que d'habitude;
- l'apparition plus fréquente de maladies respiratoires comme l'asthme, la bronchite et la pneumonie et de l'otite de l'oreille moyenne[10, 11].

Ne pas oublier que la combustion de tabac produit un grand nombre de composés chimiques dont au moins une soixantaine sont des agents cancérigènes notoires ou des substances présumées cancérigènes.

---

9. *Loi sur le tabac*, art. 2, par. 4.

10. La mention de l'otite de l'oreille moyenne est faite dans *Caring for our children*, National health and safety performance standards: Guidelines for out-of-home child care programs, 1992. A joint collaborative project of the American Public Health Association, Washington, D.C. and the American Academy of Pediatrics, Elk Grove Village, Illinois, p. 98.

11. Danielle Stanton, *Une bouffée d'air pur!* La Loi sur la protection des non-fumeurs, Petit à Petit, septembre-octobre 1995, p. 14; et *The ABC's of safe and healthy child care*, establishing policies to promote health and safety, No smoking or use of alcohol or illegal drugs, p. 1, www.cdc.gov/ncidod/hip/abc/policie9.htm

De plus, la consommation de tabac présente des risques de brûlures et d'incendies, spécialement en présence de jeunes enfants.

### Le tabac dans les services de garde en milieu familial

La *Loi modifiant la loi sur le tabac* (ci-après «L.T.»), qui a été sanctionnée le 22 novembre 2001, apporte des modifications en ce qui concerne la possibilité de fumer dans les services de garde[12].

Ainsi, il est dorénavant interdit de fumer dans «les résidences privées où sont fournis des services de garde en milieu familial au sens de cette loi, aux heures où les personnes qui offrent ces services y reçoivent des enfants» (art. 2 par. 4 L.T.).

Cette interdiction vise toute personne présente au service de garde (responsable, assistante de la responsable, parent venu conduire ou chercher un enfant, conjoint et enfants de la responsable, visiteurs, etc.) pendant les heures de présence des enfants. À cet égard, la loi prévoit l'obligation d'aviser les personnes qui fréquentent le lieu de l'interdiction de fumer (art. 10 L.T.) au moyen d'affiches placées bien en vue.

Le ministère de la Santé et des Services sociaux est chargé de l'application de la *Loi sur le tabac* (art. 78 L.T.). Il peut nommer des personnes ou désigner des catégories de personnes pour remplir les fonctions d'inspecteur ou d'analyste (art. 32, al. 1 L.T.). Une municipalité locale peut également nommer ou désigner des personnes à ces fonctions, sauf pour les milieux de travail et les organismes publics (art. 32, al. 2 L.T.). Les inspecteurs peuvent vérifier si des personnes fument dans des endroits où il est interdit de le faire (art. 34 L.T.), comme dans un service de garde en milieu familial. Des amendes de 50 $ à 300 $ et, en cas de récidive, de 100 $ à 600 $, peuvent être imposées à toute personne qui le fait (art. 42 L.T.). Des amendes de 400 $ à 4000 $ et, en cas de récidive, de 1000 $ à 10 000 $ peuvent être imposées à l'exploitant du lieu où il est interdit de fumer (art. 43, al. 1 L.T.)

### L'interdiction de l'alcool et de la drogue

La consommation de boissons alcooliques est interdite dans les locaux où sont fournis les services de garde durant leur prestation[13].

La consommation d'alcool et de drogue est interdite pour éviter que les enfants soient pris en charge par des adultes aux facultés affaiblies, donc incapables d'assurer leur protection.

En milieu familial, l'alcool doit être gardé sous clé. Une petite quantité d'alcool ou de drogue peut rendre un enfant très malade[14].

12. *Loi sur le tabac*, art. 2, par. 9.

13. *Règlement sur les services de garde éducatifs à l'enfance*, art. 99.

14. Société canadienne de pédiatrie, *Le bien-être des enfants, Guide visant à promouvoir la santé physique, la sécurité, le développement et le bien-être des enfants dans les services de garde en garderie et en milieu familial*, 1993, Creative Premises Ltd, Toronto, p. 454.

# Les mesures d'hygiène mises en place par le service de garde

## Les procédures de nettoyage et de désinfection[15]

La personne responsable d'un service de garde en milieu familial doit maintenir propres les locaux, l'équipement, le mobilier et le matériel de jeu qu'elle utilise pour son service de garde en milieu familial[16]. Le titulaire d'un permis de centre de la petite enfance ou celui d'une garderie doit parallèlement s'assurer que les locaux, l'équipement, le mobilier et le matériel de jeu sont maintenus propres et désinfectés régulièrement, en dehors de la présence des enfants[17].

Une des étapes les plus importantes pour réduire la quantité de bactéries et les maladies qui en résultent est le nettoyage à fond des surfaces qui peuvent entraîner des risques pour la santé des enfants et du personnel. Bien sûr, les surfaces considérées comme les plus susceptibles d'être contaminées sont celles avec lesquelles les enfants sont davantage en contact. Cela comprend tous les jouets, plus particulièrement ce que les enfants se mettent dans la bouche, les montants des lits et les aires de changement de couches ainsi que les toilettes, les robinets dans la salle de toilettes, les fontaines, etc.

Un nettoyage de routine au savon et à l'eau est la meilleure façon d'enlever les microbes dans l'environnement de l'enfant. Un bon nettoyage, c'est-à-dire un frottage à l'eau et au savon, diminue le nombres de bactéries présentes sur les surfaces, tout comme un bon lavage des mains réduit le nombre de microbes sur les mains. Enlever les bactéries de cette façon est particulièrement important sur les surfaces souillées qui ne peuvent être traitées avec des désinfectants chimiques, comme certains tissus de fauteuils, par exemple.

Toutefois, certains objets ou certaines surfaces exigent une étape supplémentaire pour vraiment tuer les microbes après avoir nettoyé avec de l'eau et du savon. C'est la désinfection.

---

15. Inspiré de Comité provincial des maladies infectieuses en services de garde, *op. cit.*, note 1, p. 391-393, et de *Cleaning and desinfection*, in the ABC of safe and healthy child care, www.cdc.gov/ncidod/hip/abc/practic9.htm
16. *Règlement sur les services de garde éducatifs à l'enfance,* art. 88 et 92.
17. *Règlement sur les services de garde éducatifs à l'enfance,* art. 38.

Le processus de désinfection utilise des produits chimiques plus forts que l'eau et le savon. La désinfection demande habituellement de tremper ou mouiller l'objet assez longtemps pour que la solution désinfectante puisse tuer les microbes encore présents après le lavage[18].

Il n'est pas nécessaire de désinfecter les objets qui peuvent aller au lave-vaisselle parce que celui-ci utilise de l'eau assez chaude, assez longtemps pour tuer la plupart des microbes.

## L'équipement d'entretien

Le personnel ne peut bien travailler que s'il dispose d'un équipement adéquat. Voici une liste d'instruments fort utiles en milieu de garde.

- Des balais et porte-poussière. En prévoir, si possible, dans toutes les pièces où l'on sert des repas.
- Un aspirateur électrique et des filtres de bonne qualité, changés à intervalles réguliers.
- Des seaux à tordeurs pour entretenir les planchers.
- Des vadrouilles à fibres de coton. Après le lavage, rincer à fond. Suspendre pour sécher.
- Des seaux à anse pour laver les murs, les plinthes, etc.
- Des contenants opaques, munis d'un vaporisateur. Ils sont très pratiques pour désinfecter les dessus de tables, les comptoirs et les tables à langer. Il suffit d'y mettre la solution désinfectante diluée.
- Des tampons en plastique ou l'équivalent pour récurer les casseroles. Ne jamais utiliser de laine d'acier: des mailles microscopiques peuvent se retrouver dans les aliments et causer de graves problèmes de santé.
- Des éponges et des linges réutilisables et jetables.
- Des brosses à toilettes.
- Des gants de caoutchouc. Ils sont indispensables pour protéger les mains des détergents et désinfectants.

## Les désinfectants[19]

La solution désinfectante recommandée est l'eau javellisée à une concentration de 1 à 10: une partie d'eau de Javel à usage domestique (concentration de 5 à 6 %) pour neuf parties d'eau.

18. Voir la section sur les désinfectants.
19. Comité provincial des maladies infectieuses en services de garde, *op. cit.*, note 1, p. 30-31.

Cette solution désinfectante est recommandée pour toutes les désinfections suggérées dans ce guide. Son efficacité contre la plupart des micro-organismes pathogènes présents dans un service de garde est démontrée.

À la concentration recommandée, l'action par contact est très rapide (de quelques secondes à quelques minutes selon l'agent et la quantité de matière souillée). En moyenne, 2 à 3 minutes de contact avec la solution d'eau de Javel 1/10 pourraient être suffisantes. Le pouvoir désinfectant à cette concentration demeure même après un entreposage prolongé (au moins quinze jours si la solution est gardée dans un contenant à l'abri de la lumière). Les solutions plus diluées (1/50, 1/75, 1/100) doivent être en contact avec la surface souillée au moins dix minutes et elles doivent être renouvelées plus souvent.

Il est important de laver d'abord et de désinfecter par la suite, car les désinfectants n'agissent pas en présence de savon, de gras et de saleté. Rincer à fond après avoir désinfecté toute surface susceptible d'être en contact avec les aliments et tout objet que l'enfant porte à sa bouche.

Malgré le désir des services de garde de trouver autre chose que l'eau de Javel pour désinfecter, il n'en existe pas, à part certains produits spécialisés utilisés principalement dans les hôpitaux. Si l'on a recours à ce type de produits, s'assurer qu'en plus de leurs capacités de désinfection, ils ne sont pas toxiques. Ne jamais utiliser de produits toxiques pour désinfecter les jouets ou les surfaces susceptibles de toucher les aliments ou quand il y a une pouponnière au service de garde[20].







### La fréquence des désinfections

La désinfection doit être plus fréquente si la surface est souillée[21].

### Après chaque usage

Par exemple:

- Les tables à langer;
- Les baignoires et le tapis antidérapant;
- La vaisselle (peut être désinfectée au lave-vaisselle);
- Les verres (peuvent être désinfectés au lave-vaisselle);
- Les petits pots de propreté ou les chaises percées, si partagés;
- Les débarbouillettes pour les fesses;
- Les tables qui servent aux repas et aux collations.

20. Consulter l'article de Ramona Rodrigues, *Des solutions de rechange à l'eau de javel en services de garde?*, *Bye-bye les microbes*, Bulletin du Comité de prévention des infections dans les centres de la petite enfance, vol. 2, n° 2, juin 1999.

21. L'Office des services de garde, en collaboration avec les Directions de santé publique des Régies régionales de la santé et des services sociaux de Laval, de la Montérégie et de Montréal-Centre, a produit en 1995 un *Aide-mémoire - Nettoyage et désinfection dans le service de garde*, pour permettre aux services de garde de contrôler les nettoyages et les désinfections à faire tous les jours, chaque semaine et chaque mois.

**Chaque jour**

Par exemple:

- Les jouets qui sont portés à la bouche (désinfecter après chaque usage si plusieurs enfants se partagent le jouet);
- Les toilettes, les lavabos et les robinets;
- Les distributeurs à savon et à papier;
- Les poignées de portes des salles de toilettes;
- Les planchers des salles de jeux;
- Les planchers du vestiaire et des toilettes;
- Le plancher de la cuisine;
- Les poubelles, surtout si l'on y jette des couches;
- Les seaux à débarbouillettes et à couches;
- Les miroirs;
- Les sièges de bébé, les parcs, les chaises hautes;
- Les tables de jeux;
- Les comptoirs de cuisine;
- Le four à micro-ondes;
- Les pataugeoires (si utilisées).

**Chaque semaine**

Par exemple:

- Les jouets des enfants de moins de 3 ans;
- Tous les grands jeux, soit fixés ou très grands (camions, structures d'escalade, etc.);
- La literie;
- Les électroménagers et la hotte de ventilation;
- Les planchers des aires de circulation;
- Les murs (partie inférieure) et les rebords des fenêtres;
- Les poignées et les cadres de portes;
- Les comptoirs et les tablettes;
- Les tablettes des cases réservées aux effets personnels des enfants;
- Les carpettes amovibles;
- Les chaises;
- Les lits pour bébés et les matelas de sieste réservés à chaque enfant;
- Les poussettes;
- Les carrés de sable;
- Les supports à brosses à dents;
- Le filtre et le réservoir d'eau de l'humidificateur portatif.

**Chaque mois**

Par exemple :

- L'ensemble des jouets;
- Les tentures et les stores.

## L'entretien des biberons et sucettes[22]

- Après un boire, rincer immédiatement à l'eau froide le biberon, la tétine et le bouchon. Faire passer l'eau dans le trou de la tétine pour enlever le surplus de lait.
- Puis, laver tous les biberons, tétines, bouchons, capuchons et sucettes dans l'eau savonneuse avec une brosse à tétine et biberon.
- Rincer à l'eau très chaude ou bouillante.
- Laisser égoutter, faire sécher.
- Entreposer dans un contenant propre et fermé.
- On peut aussi laver et désinfecter au lave-vaisselle les biberons en plastique et les porte-sacs.
- Les tétines et les sucettes ne peuvent pas être lavées au lave-vaisselle.
- Ne pas utiliser de biberons en verre dans les services de garde. Un biberon de verre cassé peut entraîner de multiples risques de coupures pour les enfants et le personnel.
- Les sacs jetables sont déjà stérilisés et ne doivent pas être réutilisés. Éviter de les briser en y versant du lait chaud, en les faisant bouillir ou en les mettant ou four à micro-ondes. Retirer les languettes après avoir installé un sac sur le biberon, pour éviter que bébé s'étouffe.

## Comment procéder s'il faut stériliser[23] ?

En règle générale, la stérilisation est nécessaire pour les six premières semaines de vie. Elle peut parfois se prolonger jusqu'à 4 mois selon l'état de santé de l'enfant, par exemple chez un enfant prématuré, un enfant atteint du muguet, un enfant avec un problème du système immunitaire, etc.

S'il faut stériliser, faire bouillir les biberons, les bouchons (sans lait ni tétine) et tous les ustensiles nécessaires à la préparation des biberons de 15 à 20 minutes dans une casserole remplie d'eau et couverte. Égoutter. Couvrir. Ne pas laisser à l'air.

22. N. Doré et D. Le Hénaff, *Mieux vivre avec son enfant*, ministère de la Santé et des Services sociaux du Québec et Régie régionale de la santé et des services sociaux de Québec, Direction de la santé publique, édition 1998, p. 154-155.

23. Ibid., p. 155.

## L'entretien des jouets

- Les jouets doivent être lavables, sécuritaires et fabriqués avec des matériaux non toxiques[24]. Ils doivent être lavés à l'eau savonneuse, désinfectés et rincés.
- Un jouet qu'un poupon porte à sa bouche doit être mis de côté, lavé et désinfecté avant qu'un autre enfant puisse s'en servir. Si un jouet pour bébé n'est pas lavable, il ne convient pas à ce groupe d'âge.
- Mettre à la disposition des poupons un nombre raisonnable de jouets pour éviter d'avoir chaque jour une trop grande quantité de jouets à laver. Par exemple, on peut placer les jouets dans des bacs qu'on met un à la fois à la disposition des enfants pendant que les jouets d'un autre bac se font laver et désinfecter.
- Les jouets utilisés par les enfants de moins de 3 ans susceptibles de porter des couches doivent être lavés et désinfectés chaque semaine. Les jouets du groupe d'enfants portant des couches ne doivent pas être partagés avec les autres groupes d'enfants.
- Les jouets et l'équipement utilisés par les enfants de plus de 3 ans et qui ne sont pas mis dans la bouche doivent aussi être nettoyés chaque semaine ou quand ils sont manifestement sales.
- Il n'est pas nécessaire de désinfecter les gros équipements, les tricycles, les poupées, les camions et autres jouets similaires. Un lavage à l'eau savonneuse suivi d'un rinçage à l'eau claire et d'un séchage à l'air est suffisant[25]. Le faire chaque semaine, voire plus souvent quand l'équipement est manifestement sale.
- Les jouets en plastique dur ou en tissu qui peuvent être lavés sans danger dans le cycle «eau chaude» du lave-vaisselle ou de la lessiveuse n'ont pas besoin d'être désinfectés par la suite.
- L'ensemble des autres jouets du centre de la petite enfance doivent être lavés et désinfectés chaque mois.
- Voici une méthode pour laver les jouets en plastique dur:
  - Frotter le jouet dans une eau chaude savonneuse.
  - Utiliser une brosse pour atteindre les cavités et les plis.
  - Rincer le jouet dans une eau propre.
  - Immerger le jouet dans une solution désinfectante et le laisser tremper pendant une période d'au moins 10 minutes.
  - Retirer le jouet de la solution désinfectante et le rincer à fond à l'eau froide.
  - Sécher à l'air. S'assurer qu'il ne reste plus d'eau dans les jouets.

24. *Règlement sur les services de garde éducatifs à l'enfance,* art. 103.

25. *National Network for child care,*
www.nncc.org/Health/diaper.change.html
et *Following protective practices to reduce disease and injury* in the ABC of safe and healthy child care, www.cdc.gov.ncidod/hip/abc/practi10.htm

- Les jouets en tissu pour les moins de 3 ans doivent être lavables. Ils doivent en outre appartenir à un enfant donné, être clairement marqués au nom de leur propriétaire et rangés dans une case individuelle. Ces jouets en tissu peuvent être acceptés au moment de la sieste. Ils doivent être lavés chaque semaine ou chaque fois qu'ils sont salis. Si on ne peut s'assurer qu'ils sont lavés régulièrement, il faut les éliminer.

## Le lavage de la vaisselle

### Au lave-vaisselle

Dans la plupart de ces appareils, la température de l'eau chaude et le temps de rinçage (minimum de 77°C ou de 170°F) ou de séchage sont suffisants pour assurer la désinfection.

### Le lavage manuel

Si le lavage et le rinçage sont faits à la main, utiliser de l'eau chaude (43°C ou 110°F) et un savon de vaisselle germicide de qualité; frotter avec une brosse à vaisselle au moins 30 secondes; rincer à fond et laisser sécher à l'air.

### La planche à couper

Laver à l'eau chaude la planche à couper utilisée pour la nourriture non cuite en utilisant du savon à vaisselle germicide; laisser tremper 10 minutes dans une solution de Javel (1 tasse d'eau de Javel pour 9 tasses d'eau); rincer à fond et sécher.

## Les surfaces de la cuisine

Garder toutes les surfaces de la cuisine propres (comptoirs, tablettes, etc.); désinfecter les surfaces contaminées par la viande non cuite avec une solution d'une tasse d'eau javellisante dans 9 tasses d'eau; rincer à l'eau fraîche et sécher.

## L'entretien des thermomètres

Le thermomètre peut devenir un véhicule de transmission de l'infection s'il n'est pas adéquatement désinfecté et rangé.

- Distinguer les thermomètres à usage buccal ou axillaire des thermomètres à usage rectal; les destiner toujours au même usage.
- Après usage, essuyer avec soin le thermomètre pour enlever toute trace de lubrifiant et de sécrétions.

- Après avoir utilisé le thermomètre, le laver délicatement à l'eau fraîche savonneuse et bien le rincer[26].
- Le désinfecter en le trempant dans un désinfectant (solution d'eau de Javel, solution d'alcool éthylique de 70 à 90 %, etc.) pendant 10 minutes.
- Rincer le thermomètre pour enlever toute trace de solution désinfectante. Cette dernière pourrait irriter les muqueuses.
- Sécher le thermomètre, le mettre dans son contenant fermé et le ranger à l'écart des rayons de soleil et des sources de chaleur.

On peut aussi se procurer des enveloppes de plastique pour recouvrir les thermomètres. Après avoir utilisé le thermomètre, jeter l'enveloppe et utiliser la même procédure de nettoyage.

## L'entretien des carrés de sable

### Le carré de sable à l'extérieur[27]

Pour la désinfection, traiter le sable toutes les deux semaines avec la solution de désinfection à l'eau de Javel recommandée plus haut. À l'aide d'un arrosoir, verser le produit sur le sable ; arroser ensuite le sable avec de l'eau pour bien l'imbiber, le retourner et attendre 24 heures avant de permettre aux enfants de jouer dans cet espace.

Il est fortement recommandé de recouvrir le carré de sable d'une enveloppe (filet de nylon) pour permettre à l'air de circuler et empêcher la contamination par les selles d'animaux. Il faut également aérer le sable chaque jour avec un râteau.

### Le carré de sable à l'intérieur

Faire laver les mains avant de l'utiliser. Dans le cas d'un carré de sable à l'intérieur, on peut utiliser du sable traité ou encore des granules lavables.

Si le carré est utilisé chaque jour, le désinfecter chaque semaine avec de l'eau de Javel. Rincer à fond et laisser sécher complètement avant d'utiliser de nouveau.

26. Société canadienne de pédiatrie, *op. cit.*, note 14, p. 824.

27. Comité provincial des maladies infectieuses en services de garde, *op. cit.*, note 1, p. 31 et 393.

### L'entretien de la cour[28]

L'aire de jeux des enfants doit être inspectée et ratissée avant de laisser les enfants y jouer. Vérifier la présence de selles d'animaux et de débris dangereux ou sales: mégots, papiers, etc.

Si la surface de jeux est en sable, la désinfecter de la même façon et au même rythme que le carré de sable.

Si les enfants vont s'amuser dans un parc, examiner le parc fréquenté dans le but d'enlever les objets dangereux, tranchants ou qui présentent un risque de contamination (aiguilles, verre, condoms, etc.).

Éduquer les enfants à ne pas toucher ces objets et à les signaler à l'adulte responsable.

### L'entretien de la pataugeoire

Les pataugeoires utilisées par les prestataires de services de garde doivent être vidées et désinfectées après chaque utilisation[29].

La pataugeoire utilisée en services de garde contient généralement peu d'eau et ne possède pas de système de filtration. Comme l'eau s'y réchauffe rapidement au soleil et que plusieurs enfants s'y ébattent en même temps, elle peut devenir un milieu propice à la prolifération des micro-organismes.

Pour l'utilisation quotidienne, la remplir d'eau fraîche et, par la suite, la vider et la désinfecter après chaque usage.

Pour la désinfection quotidienne de la pataugeoire, utiliser la solution désinfectante avec eau de Javel recommandée (1/9).

Vaporiser la pataugeoire et la frotter avec un chiffon; la rincer à l'eau fraîche et la laisser sécher à l'air libre.

La ranger le long d'un mur ou au sol, la face interne tournée vers l'intérieur pour la protéger des poussières. Si l'intervalle entre deux utilisations est prolongé, laver et rincer avant de réutiliser.

Autrement, un simple rinçage suffit.

## La manipulation des aliments

Les personnes qui manipulent les aliments (personnel de la cuisine, personnel éducateur et responsables d'un service de garde en milieu familial) doivent agir de manière à ne pas contaminer les aliments sains. En effet, les micro-organismes pathogènes peuvent être présents naturellement dans certains aliments ou peuvent y être déposés par des manipulations. En fait, tout ce qui entre en contact avec les aliments peut constituer une source de contamination: mains, surfaces de travail, ustensiles de cuisine, etc.

28. Comité provincial des maladies infectieuses en services de garde, *op. cit.*, note 1, Entretien de la cour et de la pataugeoire, p. 31 et 393.

29. *Règlement sur les services de garde éducatifs à l'enfance,* art. 106.

## L'hygiène dans la cuisine[30,31,32]

- En services de garde, ne jamais laisser les enfants accéder à la cuisine sans surveillance. Les risques d'accident sont nombreux : cuisinières, objets coupants, contamination des aliments par des mains, etc. De type ouvert ou fermé, la cuisine ne doit jamais servir d'aire de jeux.
- Mettre des moustiquaires aux fenêtres pour empêcher les insectes d'entrer.
- Sortir les ordures régulièrement; laver et désinfecter les poubelles à ordures chaque jour et les fermer hermétiquement.
- Procéder immédiatement à une extermination si des traces d'insectes ou de rongeurs sont observées dans la cuisine ou dans tout autre local du service de garde.
- Ne laisser en permanence aucune caisse sur le plancher de la cuisine ou du garde-manger : l'entretien des planchers est plus facile et les risques de contamination moindres.
- Laver et désinfecter le plancher de la cuisine chaque jour.
- Nettoyer et désinfecter les surfaces de travail et les ustensiles de cuisine avant chaque repas et entre deux opérations comme la manipulation du poulet cru et celle du poulet cuit.
- Nettoyer et désinfecter les tables sur lesquelles les enfants mangent, avant chaque repas.
- S'assurer que l'étiquette des désinfectants utilisés indique qu'ils sont adéquats pour les usages alimentaires.
- Ne pas utiliser les éviers qui servent à la préparation des repas et au lavage de la vaisselle pour laver les mains des enfants. Bien évidemment, ne pas non plus les utiliser pour les changements de couches.
- Ne pas utiliser à d'autres fins les linges qui servent à nettoyer les ustensiles et les surfaces sur lesquelles les aliments sont préparés ou servis. Choisir plutôt des torchons d'une couleur et d'un format déterminés et clairement reconnaissables dans la lessive.
- Changer chaque jour les linges à vaisselle. Les laver et les désinfecter. Ne pas les laver avec ceux qui servent à nettoyer les fesses ou à entretenir les planchers.

30. *Caring for our children, National health and safety performance standards : guidelines for out of home child care programs*, A joint collaborative project of the American Public Health Association, Washington, D.C. and the American Academy of Pediatrics, Elk Grove Village, Illinois, 1992, p. 126.
31. Les deux derniers conseils proviennent de la Société canadienne de pédiatrie, *op. cit.*, note 14, p. 95.
32. Comité provincial des maladies infectieuses en services de garde, *op. cit.*, note 2, p. 15 et 26.

### L'hygiène des personnes qui travaillent à la cuisine

- L'usage du tabac est interdit dans la cuisine comme partout ailleurs dans la garderie, en centre de la petite enfance ainsi que dans les résidences privées où sont fournis des services de garde en milieu familial, aux heures où les personnes qui offrent ces services y reçoivent des enfants[33].
- Se laver les mains et se brosser les ongles avant de toucher les aliments et entre chaque catégorie d'aliments comme les aliments cuits et les aliments crus. Se laver les mains également après être allé aux toilettes, avoir toussé, éternué ou avoir touché une surface sale.
- Tenue : porter un tablier propre et retenir les cheveux à l'aide d'un filet ou d'un couvre-chef qui les recouvre complètement ; ne porter ni bague ni bijoux pour manipuler les aliments.
- Informer la responsable du service de garde de toute infection : grippe, diarrhée, infection de la peau.
- Mettre un pansement imperméable sur les coupures, les brûlures ou toute autre lésion sur les mains avant de toucher les aliments.
- Les cuisinières ne doivent pas changer la couche d'un enfant ni l'aider à aller à la toilette.







## La conservation des aliments[34]

- À l'achat, choisir des aliments de bonne qualité chez un fournisseur réputé. Vérifier, s'il y a lieu, la date de péremption et ne pas utiliser les aliments ou les conserves dont la date d'expiration est dépassée.

### La conservation des aliments réfrigérés

- La température du réfrigérateur doit être inférieure à 4 °C (40 °F) et celle du congélateur à moins de 18 °C (0 °F). Garder un thermomètre dans l'appareil et vérifier régulièrement la température.
- Sur réception, emballer adéquatement les aliments à réfrigérer et à congeler pour les empêcher de s'oxyder (à l'air) et de se dessécher. Dater les denrées et vérifier la durée d'entreposage des aliments.
- Réfrigérer ou congeler sans délai les aliments qui doivent l'être.
- Ne pas laisser des aliments à des températures entre 4 °C et 60 °C (40 °F et 140 °F) : à ces températures, les bactéries se développent rapidement. Pour ce faire, décongeler les aliments au réfrigérateur.

---

33. *Loi sur le tabac*, art. 2, par. 4

34. Pour plus d'information, on peut consulter le site de Santé Canada Éducation en matière de méthodes de manipulation hygiénique des aliments : www.hc-sc.gc.ca/hppb/la nutrition/pubf/pqsac/fdqa6f.htm

Conserver les aliments cuits à une température supérieure à 60 °C (140 °F) jusqu'au moment de servir et réfrigérer sans délai les aliments cuits.

Des aliments cuits ou non cuits qui nécessitent une réfrigération et ont été conservés pendant 4 heures ou plus à une température entre 4 °C et 60 °C (40 °F et 140 °F) ne sont plus sécuritaires: il faut les jeter.

- Aliments à surveiller: viande, volaille, jambon, poisson, œufs, sandwiches, légumineuses ou légumes cuits, mets à base de lait, sauces, farces et mets contenant de la mayonnaise[35].
- Utiliser les restants ou les aliments cuits conservés au réfrigérateur aussitôt que possible ou dans les jours qui suivent.

## La réfrigération des aliments chauds[36]

- Avant de réfrigérer de grandes quantités d'aliments cuits, les diviser en plus petites portions pour les refroidir plus rapidement.
- Selon l'Agence canadienne d'inspection des aliments, il faut laisser refroidir les aliments très chauds pendant environ 30 minutes à la température ambiante avant de les réfrigérer. À cette étape, un brassage fréquent accélère le refroidissement.
- Réfrigérer ou congeler les restes dans des contenants fermés et peu profonds. Les aliments refroidissent plus rapidement dans ce type de contenant. Mettre les contenants sur les clayettes métalliques à claire-voie du réfrigérateur: l'air peut circuler sous le contenant. Les aliments refroidissent ainsi deux fois plus vite que sur une étagère.
- Ne jamais mettre directement au réfrigérateur une casserole (soupe, ragoût ou sauce pour les pâtes) retirée du feu. Si la quantité de nourriture est grande, il faut plusieurs heures ou jours pour la refroidir et ralentir la croissance de bactéries nocives.
- Réfrigérer les restes dans les deux heures qui suivent leur cuisson. On doit les jeter s'ils sont restés à une température de 30 °C (86 °F) ou plus pendant au moins une heure.

## La conservation des aliments pendant une panne d'électricité

- Éviter d'ouvrir les portes du réfrigérateur et du congélateur pour conserver les aliments le plus longtemps possible.
- Ne pas enlever les aliments à moins de savoir que le courant va manquer pendant plus de quatre heures.

35. Conseils et fiches de renseignements sur la salubrité des aliments et des produits de la mer: Campylobacter
www.cfia-acia.agr.ca

36. Conseils et fiches de renseignements sur la salubrité des aliments et des produits de la mer: Les restes, www.cfia-acia.agr.ca

- Un congélateur rempli à pleine capacité conserve les aliments pendant environ 2 jours.
- Un congélateur rempli à la moitié de sa capacité conserve tous les aliments congelés pendant 24 heures.
- Le réfrigérateur conserve les aliments froids pour une période de 4 à 6 heures, selon la température de la cuisine.

### La conservation des aliments secs

- Entreposer les aliments non périssables dans des contenants hermétiques.
- Déposer les aliments non périssables à au moins 150 cm (6 po) du sol dans un espace réservé à cette fin, propre, sec et bien ventilé.
- S'assurer que cet endroit peut facilement être nettoyé et le nettoyer régulièrement.
- Ranger les aliments secs comme le riz et le sucre dans des contenants, avec des couvercles qui ferment bien. Cela aide à éloigner les insectes et les rongeurs.
- Assurer une rotation des aliments pour que les plus anciens soient consommés en premier.
- Jeter les boîtes de conserve bombées, bosselées ou rouillées, y compris les préparations lactées. Ne pas utiliser non plus les aliments dans des contenants dont le sceau a été brisé. Ils constituent un danger de contamination.

S'il existe le moindre doute sur la qualité de l'aliment à servir aux enfants: jeter!

### La préparation des aliments

- Séparer les aliments cuits des aliments crus, se laver les mains et laver les comptoirs avant de passer d'une catégorie d'aliments à l'autre; au contact des aliments crus, les aliments cuits peuvent se contaminer.
- Séparer les aliments lavés des aliments non lavés.
- N'utiliser ni planches en bois ni tables de boucher. Utiliser de préférence les planches en plastique ou en marbre; elles se nettoient beaucoup mieux et risquent moins de contaminer les aliments.
- Toujours utiliser des cuillères différentes pour cuisiner les aliments et les goûter.

- Bien faire cuire les viandes, les poissons, la dinde et les autres volailles, les œufs et leurs dérivés. La cuisson tue habituellement les bactéries qui peuvent causer des maladies.
- Toujours s'assurer que la viande hachée est cuite : l'intérieur doit être brun ou gris.
- Cuire les poulets jusqu'à ce qu'il n'y ait aucune partie rosée à l'intérieur et que le jus soit clair quand on y enfonce une fourchette.
- Cuire les poissons jusqu'à ce que la chair soit opaque et se détache facilement avec une fourchette.
- Pour s'assurer que la viande est bien cuite, utiliser un thermomètre à viande.
  - Température de cuisson :
  - 85 °C (185 °F) pour la volaille ;
  - 77 °C (170 °F) pour le porc ;
  - 70 °C (160 °F) pour tout autre aliment.
- Selon l'Agence canadienne d'inspection des aliments, pour éviter les toxi-infections alimentaires, bien cuire la viande et la volaille signifie que la température interne de la viande doit atteindre au moins 74 °C (165 °F).
- Pour vérifier la température, insérer un thermomètre dans la partie la plus épaisse de la pièce de viande ou au centre de la préparation. Éviter de toucher un os ou du gras : cela fausserait la lecture[37].
- Servir aux enfants uniquement des œufs cuits. Ne pas servir d'œufs crus ; ne pas utiliser d'œufs crus dans une recette qui ne demande pas de cuisson. Ne pas utiliser les œufs sales ou fêlés.
- Porter une attention toute spéciale aux aliments qui se contaminent facilement : sauces ou mayonnaises à base de lait, viande ou œufs, etc. Réfrigérer rapidement.
- Laver les fruits et légumes crus avant de les utiliser, pour enlever le surplus de cire ou de produits chimiques.

## Le contrôle de la qualité de l'air[38]

La qualité de l'air a une influence certaine sur la santé et le bien-être des enfants et sur la prévention de l'infection. Toujours s'assurer que le volume d'air est suffisant pour le nombre d'enfants et que l'espace disponible leur permet d'évoluer librement. Un taux d'occupation trop élevé peut altérer la

37. Marie-Patricia Gagné, *Kaléidoscope de la qualité*, Outil d'évaluation des services de garde en garderie, Les Publications du Québec, 1993, p. 201.

38. Qualité de l'air intérieur, voir Comité provincial des maladies infectieuses en services de garde, *op. cit.*, note 2, p. 31-32 et *La qualité de l'air dans les services de garde préscolaires, Guide d'intervention*, Association québécoise pour l'hygiène, la santé et la sécurité du travail, 2000 (disponible gratuitement dans les bureaux des directions régionales de la CSST).

qualité de l'air et nuire aux activités des enfants. Pour maintenir la qualité de vie des personnes présentes au service de garde, s'assurer également que la température est constante, l'humidité contrôlée et la ventilation adéquate et effectuée régulièrement.

L'enfant est plus vulnérable aux contaminants de l'air: il absorbe les polluants de l'air plus rapidement et plus souvent que l'adulte. Le volume des poumons de l'enfant est environ deux fois supérieur à celui de l'adulte, eu égard au poids et à la taille. Par ailleurs, l'activité physique de l'enfant, plus intense que celle de l'adulte, demande un échange de volume respiratoire plus important.

### Limiter la taille des groupes d'enfants

Pour prévenir l'infection, la taille des groupes doit également être prise en considération.

Déterminer la taille du groupe en fonction de l'espace vital disponible. La recherche démontre que la multiplicité des contacts augmente les risques de contamination. On sait de plus que les grands groupes favorisent une augmentation du niveau de bruit et qu'ils sont source de tension et d'insécurité chez le jeune enfant.

Conformément à la réglementation[39], il faut donc prévoir:

- Une surface minimale de 4 m$^2$ par enfant, pour les enfants de moins de 18 mois. Pour chaque groupe de 15 enfants et moins, cet espace doit être divisé en au moins deux pièces distinctes, dont une pour le jeu et une autre pour le repos. Aucune de ces pièces ne doit accueillir plus de 15 enfants à la fois.
- 2,75 m$^2$ par enfant, pour les enfants de 18 mois ou plus. Cet espace peut être divisé en plusieurs pièces. Une pièce ne peut accueillir plus de 30 enfants à la fois, sauf pour des activités spéciales.

Remarque: la capacité des locaux doit être calculée à partir de la surface nette des aires de jeu et il s'agit là de normes minimales.

### Maintenir un bon niveau d'humidité

Un taux d'humidité élevé (supérieur à 50 %) peut entraîner la formation de moisissures et favoriser aussi la survie d'autres agents microbiens.

À l'inverse, un niveau d'humidité trop bas (inférieur à 30 %) peut provoquer une irritation des voies respiratoires et des saignements de nez et favoriser la survie de certains virus (du rhume, de la grippe et de la gastroentérite à rotavirus).

39. *Règlement sur les services de garde éducatifs à l'enfance,* art. 31.

Les niveaux acceptables d'humidité se situent entre 30 et 50 % et, idéalement, à 40 %. Ils facilitent la respiration et ils aident à prévenir les rhumes et la sécheresse de la peau. Dans un sous-sol, le pourcentage d'humidité relative ne doit pas dépasser 50 %, peu importe la saison[40].

Pour augmenter le niveau d'humidité d'une pièce durant la saison de chauffage, il peut être nécessaire d'utiliser un humidificateur. L'humidificateur à vapeur sèche est le plus sécuritaire[41].

Utiliser le moins possible des humidificateurs et déshumidificateurs de table. Ils sont difficiles d'entretien et représentent une source d'eau stagnante propice à la prolifération de micro-organismes (bactéries, algues et moisissures). Il est toujours préférable de régler à la source un problème d'humidité insuffisante : on peut par exemple ajouter un humidificateur à l'appareil central de chauffage ou de ventilation-climatisation.

Pour éviter la prolifération de micro-organismes dans les humidificateurs portatifs ou de table, les entretenir rigoureusement et bien respecter les recommandations du fabricant (elles varient selon les modèles). Voici des recommandations générales :

- Toujours débrancher l'appareil avant de procéder à l'entretien.
- Vidanger l'eau tous les jours.
- Désinfecter le filtre et le réservoir d'eau à l'eau javellisée au moins une fois par semaine (plus souvent si trop souillés) en frottant bien les parois du réservoir.
- Ne jamais ajouter de produits décongestionnants ; ils irritent la muqueuse respiratoire.
- Assurer le même entretien rigoureux des déshumidificateurs : les utiliser seulement comme mesure temporaire. On doit résoudre à la source un problème d'humidité excessive.

Par ailleurs, un niveau d'humidité trop élevé en hiver peut être causé par une ventilation insuffisante. Dans ce cas, ventiler davantage ou chercher la cause du problème.

### Assurer une température constante

Le jeune enfant vit près du sol, y rampe et s'y assoit régulièrement. De plus, il doit être changé plusieurs fois par jour et il se refroidit rapidement. Les murs et les planchers du service de garde doivent être bien isolés. Ainsi, on peut maintenir une température ambiante constante d'au moins 20 °C

40. *Règlement sur les services de garde éducatifs à l'enfance*, art. 30, par. 3.

41. Pour plus d'information sur les humidificateurs de table, on peut consulter : R. Mc Kenzie, Humidificateurs de table - Silence ou performance, Revue *Protégez-vous*, novembre 1993, p. 9-13 ; M. Durand, Les humidificateurs à tambour, Revue *Protégez-vous*, septembre 1990, p. 36-43 ; F. Lemay, La poussière des humidificateurs à ultrasons, Revue *Protégez-vous*, septembre 1990, p. 16-19 ; Direction générale de la Protection de la santé, Santé Canada, Série Actualité : *Humidificateurs à ultrasoniques et troubles respiratoires*, septembre 1989.

(68 °F)[42] et la peau de l'enfant n'entre pas en contact avec une surface trop froide. Des locaux surchauffés ne sont pas davantage adéquats: l'air y est souvent trop sec. Viser une température qui n'excède pas 24 °C (75 °F).

### Ventiler régulièrement

Pour le mieux-être des enfants et du personnel, remplacer régulièrement l'air vicié par de l'air frais au cours de la journée. Dans une résidence privée, l'air se renouvelle souvent automatiquement: l'air circule par les fissures et les joints des portes et fenêtres. En garderie et en installation de centre de la petite enfance, ce processus de renouvellement d'air est nettement insuffisant compte tenu du grand nombre de personnes en cause. S'il n'y a pas de système de ventilation intégré, aérer régulièrement, en ouvrant les fenêtres même en hiver.

- Ouvrir et fermer les fenêtres fait partie des tâches régulières des éducatrices.
- Pour assurer un renouvellement d'air constant, laisser certaines fenêtres entrouvertes. Éviter cependant d'exposer les enfants à des courants d'air.
- Prévoir aussi des périodes spécifiques pour aérer les locaux de façon intensive. Lorsqu'un local est vide, ouvrir toutes grandes les fenêtres pendant quelques minutes. Toujours refermer assez longtemps avant le retour des enfants pour permettre à la chaleur emmagasinée dans les murs, le plafond et le plancher de réchauffer l'air ambiant.

### Appareils de ventilation

Certains appareils mécaniques peuvent aussi améliorer la qualité de l'air et le confort. En général, ces appareils ne remplacent toutefois pas une ventilation adéquate. En voici quelques exemples:

- **La hotte aspirante (ou ventilateur d'extraction).** Elle est obligatoire dans les édifices publics où l'on prépare des repas et dans les salles de bain sans fenêtre. Elle évacue les odeurs, les graisses, la fumée, les vapeurs et la saleté.
- **Le ventilateur à hélices.** Il s'installe au plafond et exige une pièce assez haute. Il fait circuler l'air, diminue les frais de chauffage en hiver et soulage de la chaleur en été mais il ne renouvelle pas l'air. Combiné à une aération directe (par les fenêtres), il est efficace. Cependant il remet en circulation la poussière présente dans l'air et sur les surfaces: assurer par conséquent un bon entretien du ventilateur, de ses pales et des locaux en général.

42. *Règlement sur les services de garde éducatifs à l'enfance,* art. 30, par. 2, et art. 88.

- **Le purificateur d'air.** Il peut être portatif ou installé sur un système de chauffage. Comme il aspire les poussières qui véhiculent des infections, il aide l'enfant allergique à la poussière ou qui souffre de problèmes respiratoires. Son utilisation facilite aussi l'entretien des locaux. Assurer un entretien rigoureux selon les recommandations du fabricant[43].
- **Le système ou l'appareil de climatisation.** Il peut être portatif ou intégré à la construction. Il rafraîchit l'air et peut aussi le déshumidifier. Cet appareil permet généralement de renouveler l'air, mais il pose le problème des écarts de température entre l'intérieur et l'extérieur. Assurer un entretien régulier des filtres, serpentins, etc[44].

De façon générale, les appareils mentionnés ci-dessus ne remplacent toutefois pas une bonne ventilation.

Il existe d'autres systèmes comme les turbines de ventilation, les échangeurs de chaleur, les thermopompes, etc. Avant d'acheter de tels équipements, mieux vaut consulter un spécialiste de la question, un architecte ou un ingénieur en mécanique, pour ne pas s'en tenir aux seuls renseignements des vendeurs de produits. Cela permet de prévenir les erreurs coûteuses.

Pour contrôler les odeurs de toilettes et de couches, ventiler et appliquer les règles d'hygiène. Mieux vaut ne pas utiliser de désodorisants en aérosol pour masquer les odeurs. Leur effet est ponctuel et ils peuvent entraîner des nausées ou des réactions allergiques[45]. L'efficacité des neutralisants d'odeurs à base d'huiles essentielles n'a pas été prouvée.

## Le contrôle du bruit

Le niveau de bruit influence très certainement la qualité d'un environnement. Des recherches indiquent qu'une exposition prolongée au bruit peut provoquer des problèmes physiques divers: fatigue excessive, maux de tête, troubles de la voix et difficulté d'apprentissage du langage. Elle peut aussi être source de tension, de stress et d'irritabilité et entraîner des difficultés de communication et de concentration[46].

---

43. Pour plus d'informations, consulter: P. Lajoie M.D., Purificateurs d'air: évaluation de leur efficacité et de leur impact sur la santé, *Evironnement et santé, air intérieur et eau potable*, Sainte-Foy, 1995, p. 143-150;
Avis de Santé Canada du 5 février 1999: *Santé Canada informe le public sur les purificateurs d'air conçus expressément pour produire de l'ozone (Ozoniseurs) ... à ne pas utiliser!*
C. Gagnon, Purificateurs d'air, un moyen parmi d'autres. Revue *Protégez-vous*, janvier 1998, p. 18-22.
44. Consulter R. de Cotret, Les climatiseurs, Revue *Protégez-vous*, mai 1989 et juillet 1984.
45. *Caring for our children, National health and safety performance standards: guidelines for out of home child care programs, op. cit.*, note 30, p. 126.
46. C. Truchon-Gagnon et R. Hétu, Noise in Daycare Centers for Children, Noise Control Engineering Journal, vol. 30, n° 2, 1988, p. 57-63.

Le centre de la petite enfance, la garderie et le service de garde en milieu familial qui fourmillent d'enfants sont particulièrement favorables à des niveaux de bruits plus élevés.

L'idéal est d'arriver à maintenir le bruit au niveau d'une conversation normale. C'est un niveau de bruit que l'organisme humain supporte bien.

Élever la voix pour se faire entendre augmente le niveau de bruit. Cela fatigue l'oreille et la voix.

Si des enfants crient et pleurent, le niveau du bruit correspond alors à celui d'un gymnase. Ce niveau de bruit maintenu pendant de nombreuses heures peut entraîner une diminution de l'audition et peut causer une atteinte à l'oreille moyenne.

### Pour diminuer le bruit

- Si les locaux s'y prêtent, isoler les groupes les uns des autres par la construction de cloisons. Choisir de préférence des cloisons acoustiques et complètes (du sol au plafond et d'un mur à l'autre).
- Éviter les salles trop grandes et les espaces vides, à cause de l'écho.
- Recourir à des matériaux souples et poreux qui absorbent les sons comme les tuiles acoustiques et les décorations murales.
- Insonoriser et isoler (encoffrement) si possible les équipements bruyants comme les appareils à moteur.
- Diminuer les interventions verbales fortes et les remplacer par des signaux visuels ou sonores doux comme éteindre la lumière ou jouer du tambourin.
- Parler d'une voix «normale» et valoriser les enfants qui le font.
- Faire alterner des activités bruyantes avec des activités plus calmes; enfants et adultes peuvent alors se «reposer». Éviter d'organiser des activités calmes près de sources de bruits.
- Éviter le matériel trop bruyant à l'intérieur ou en réserver l'utilisation à de courtes périodes. Exemple: flûtes.
- Inventer des jeux où l'on écoute le silence.
- Quand le bruit est trop élevé, demander aux enfants de baisser la voix.

## L'interdiction de la présence des animaux en installation et en garderie

En vertu de la réglementation[47], les animaux sont interdits dans les installations des centres de la petite enfance et dans les garderies. Leur présence risque de déclencher des allergies chez l'enfant et l'adulte et elle augmente les risques d'infection et de blessures.

Les centres de la petite enfance sont invités à se doter d'une politique restreignant la présence des animaux dans les services de garde en milieu familial.

Les animaux domestiques sont une source de plaisir et d'affection pour l'enfant et peuvent contribuer à développer son sens des responsabilités. Visiter la ferme ou aller au zoo constitue une occasion de lui faire connaître les animaux.

### Les consignes à enseigner à l'enfant pour s'approcher d'un animal domestique en toute sécurité

- Ne jamais s'approcher seul d'un animal étranger: attendre qu'un adulte connu confirme l'absence de danger.
- Ne pas toucher un animal malade, blessé, sauvage, endormi, agité ou en train de manger.
- Garder son visage loin de la gueule, du bec ou des griffes d'un animal.
- Laisser l'animal bouger le premier, même s'il est gentil.
- Si l'on rencontre un animal étranger ou hostile sur son chemin:
  - ne pas bouger et garder les bras le long du corps;
  - ne pas regarder en direction de l'animal;
  - laisser tomber les aliments s'il y a lieu;
  - s'écarter calmement.
- Si l'on doit croiser un animal étranger, lui parler sur un ton apaisant tout en le contournant lentement.
- Ne jamais tenter de séparer des animaux qui se battent[48].

47. *Règlement sur les services de garde éducatifs à l'enfance,* art. 109.

48. Société canadienne de pédiatrie, *op. cit.*, note 14, p. 450.

CHAPITRE

# L'enfant et la maladie

Il n'est pas rare qu'un service de garde ait à prendre soin temporairement d'un enfant malade. Un enfant affecté d'un handicap ou d'une maladie chronique peut également y être inscrit. Qu'il s'agisse d'un malaise passager ou d'une maladie qui se déclare ou s'aggrave en cours de journée, le personnel du service de garde doit être en mesure d'intervenir adéquatement.

Faut-il garder l'enfant, demander qu'on vienne le chercher ou le conduire à un service médical? Doit-on signaler la situation et à qui? Quoi faire en présence d'une fièvre, d'une diarrhée, de vomissements? Ce sont là des questions auxquelles un service de garde doit répondre régulièrement.

Au chapitre précédent, nous avons examiné les règles que doit se donner le service de garde pour favoriser la santé des enfants et du personnel. Nous avons abordé, entre autres, les principales mesures qui concernent la santé du personnel et les règles d'hygiène à appliquer par les personnes qui travaillent en services de garde et dans l'organisation quotidienne du service de garde.

Dans ce chapitre, nous voyons d'abord les règles de fonctionnement que le service de garde se donne pour protéger la santé des enfants: connaître l'enfant, son état de santé, ses immunisations.

Nous abordons ensuite les symptômes les plus fréquents de la maladie chez l'enfant et les principales interventions d'un milieu de garde confronté à des maladies ou à des malaises.

Enfin, nous faisons un bref survol des maladies et malaises les plus fréquents chez l'enfant et nous rappelons les principales interventions du service de garde pour contribuer au maintien et au rétablissement de la santé de l'enfant.

Comme pour les mesures qui touchent la santé du personnel et des responsables d'un service de garde en milieu familial et l'application des normes d'hygiène, il est recommandé de faire approuver par le conseil d'administration les mesures de contrôle pour protéger la santé de l'enfant. Mettre ces mesures par écrit en renforce l'application.

Les règles de fonctionnement qui protègent la santé de son enfant doivent être expliquées au parent au moment de l'inscription. Elles s'appliquent dès l'arrivée de l'enfant au service de garde.



photo: Denis Gendron

# Connaître l'enfant: une mesure centrale pour protéger et conserver sa santé

Pour prévenir certains problèmes de santé ou pouvoir y faire face au moment où ils se présentent, le service de garde doit connaître l'enfant qu'il accueille et disposer de renseignements sur lui. La première partie du chapitre s'intéresse à ce que le service de garde doit savoir sur l'enfant. Ces renseignements s'obtiennent du parent au moment de l'inscription et par l'observation des éducatrices.

## Renseignements à recueillir au moment de l'inscription de l'enfant

Le dossier de l'enfant comprend sa fiche d'inscription, son état de vaccination et des données sur sa santé, son caractère et son développement.

### La fiche d'inscription

Elle contient **les renseignements obligatoires** suivants[1] :

- les nom, date de naissance, adresse et numéro de téléphone de l'enfant ainsi que la langue comprise et parlée par ce dernier;
- les nom, adresse et numéro de téléphone du parent ainsi que ceux d'une personne autorisée à venir chercher l'enfant et ceux d'une autre personne à contacter en cas d'urgence;
- la date d'admission de l'enfant, les journées ou demi-journées de fréquentation par semaine;
- les instructions du parent concernant les dispositions à prendre en cas d'urgence pour la santé de l'enfant, de même que les conditions, s'il y a lieu, pour autoriser la participation de l'enfant à des sorties pendant la prestation des services de garde;
- les renseignements sur la santé et sur l'alimentation de l'enfant qui requiert une attention particulière et, le cas échéant, les nom, adresse et numéro de téléphone de son médecin.

Cette fiche doit être signée et conservée sur les lieux de la prestation des services de garde et remise au parent lorsque les services de garde ne sont plus requis.

D'autres renseignements importants peuvent y être ajoutés :

- Si les deux parents ne vivent pas ensemble, indiquer qui a la garde légale. Cela peut être les deux ou un seul parent.
- Si une personne autre que le parent a la garde de l'enfant, le préciser sur la fiche d'inscription.

1. *Règlement sur les services de garde éducatifs à l'enfance,* art. 122.

- À l'inscription, se renseigner auprès du parent sur les problèmes de santé ou les conditions médicales qui peuvent nécessiter une attention spéciale de la part du service de garde: allergies, asthme, diabète, épilepsie, fièvres rhumatismales, problèmes cardiaques, fibrose kystique, cancer, maladies transmissibles par le sang, troubles visuels, auditifs, moteurs ou de langage, etc. Noter aussi les médicaments que l'enfant doit prendre régulièrement ainsi que les diètes spéciales prescrites par un médecin. Prévoir la possibilité d'obtenir certains renseignements en s'adressant au médecin lui-même avec l'autorisation du parent. Prévoir que le parent n'est pas tenu de donner des renseignements non essentiels au service de garde quand, par exemple, ces conditions ne nécessitent pas de diète spéciale ou d'attention particulière de la part du personnel.
- Inclure aussi, au besoin, d'autres renseignements qui peuvent être utiles, comme le numéro de carte d'assurance maladie de l'enfant.

### L'état de la vaccination

L'immunisation est le moyen le plus efficace de prévenir des infections potentiellement graves comme la coqueluche, les oreillons, la rubéole, la rougeole, la poliomyélite, etc. Au Québec, la vaccination est fortement recommandée et encouragée, mais elle n'est pas obligatoire.

Le service de garde peut demander au parent de recopier les renseignements du carnet de vaccination sur une fiche d'information qui reprend les mêmes données ou photocopier le carnet de vaccination.

Il se peut que certains enfants qui s'inscrivent au service de garde n'aient pas été vaccinés ou que leurs immunisations soient en retard ou incomplètes. Dans ce cas, encourager le parent à compléter les immunisations de l'enfant et à en informer le service de garde au fur et à mesure.

Noter le nom des enfants qui ne sont pas immunisés ou qui ont un dossier immunitaire incomplet pour y référer rapidement en cas d'urgence.

Vérifier l'état de la vaccination des enfants régulièrement, tous les six mois, et mettre à jour le dossier des enfants qui n'avaient pas complété leurs immunisations lors du relevé précédent.

Au besoin, obtenir le soutien d'une infirmière du CLSC pour mettre en place un système de vérification de la vaccination ou quand les renseignements fournis par le parent sont difficilement compréhensibles (exemple: un carnet de vaccination en provenance d'un pays étranger)[2].

2. Comité provincial des maladies infectieuses en services de garde, *Prévention et contrôle des infections dans les centres de la petite enfance, Guide d'intervention*, ministère de la Santé et des Services sociaux, Direction générale de la santé publique, en collaboration avec le ministère de la Famille et de l'Enfance, Les Publications du Québec, 1998, p. 29.

## Dossier de vaccination des enfants[3]

Nom de famille: ______________________

Prénom: ______________________

Date de naissance: ______________________

Nom du service de garde: ______________________

### VACCINS REÇUS

### DIPHTÉRIE – COQUELUCHE – TÉTANOS – POLIO –

*Haemophilus influenzae de type b*

| *Vaccins: | Date: |
|---|---|
| | |
| | |
| | |
| | |
| | |

### ROUGEOLE – RUBÉOLE – OREILLONS (vaccin trivalent)

| *Vaccins: | Date: |
|---|---|
| | |
| | |

### HÉPATITE B

| 1re dose: | 2e dose: | 3e dose: |
|---|---|---|

### AUTRES VACCINATIONS

| *Vaccins: | Date: |
|---|---|
| | |
| | |
| | |

*Préciser le nom commercial des vaccins.

J'autorise le service de garde à transmettre cette information au CLSC.

Signature: ______________________ Date: ______________________

N.B. L'information contenue dans ce dossier est confidentielle.

3. *Op. cit.*, note 2, p. 386.

### L'exclusion des enfants non vaccinés

Si une maladie que la vaccination permet d'éviter survient en services de garde, les personnes non vaccinées ou qui refusent de l'être peuvent être exclues pour des périodes plus ou moins longues selon la maladie. Cette mesure d'exclusion est exceptionnelle et relève de la Direction générale de la santé publique. S'assurer que les parents sont avisés de cette possibilité au moment de l'inscription[4].

## Calendrier régulier d'immunisation pour les nourrissons et les enfants

| Âge recommandé | Vaccins |
|---|---|
| 2 mois: | DCaT - Polio - Hib (1) |
| 4 mois: | DCaT - Polio - Hib |
| 6 mois: | DCaT - Polio - Hib |
| 12 mois: | RRO (2) |
| 18 mois: | DCaT - Polio - Hib + RRO |
| entre 4 et 6 ans: | DCaT - Polio (3) |
| 4e année du primaire: | Hépatite B |
| entre 14 et 16 ans: | $d_2T_5$ (4) |

(1) DCaT - Polio - Hib (PENTA^MD):
vaccin contre la diphtérie, la coqueluche, le tétanos, la poliomyélite et les infections invasives à *Haemophilus influenzae* type b

(2) RRO:
vaccin contre la rougeole, la rubéole et les oreillons

(3) DCaT - Polio:
vaccin contre la diphtérie, la coqueluche, le tétanos et la poliomyélite

(4) $d_2T_5$:
vaccin contre la diphtérie et le tétanos

### L'état de santé général de l'enfant, ses habitudes et son caractère

Le personnel éducateur et le parent doivent discuter de ces sujets avant que l'enfant commence à fréquenter le service de garde. L'éducatrice qui connaît bien l'enfant, sa santé, son caractère et son niveau de développement peut ensuite élaborer un programme d'activités qui tient compte de ses besoins. Selon l'âge de l'enfant, vérifier:

- Son tempérament: est-il timide, jovial, turbulent, etc.?
- Son horaire quotidien: fait-il une ou deux siestes par jour?

4. Comité provincial des maladies infectieuses en services de garde, *op. cit.*, note 2, p. 28-29.

- Son alimentation: à quelle formule de lait est-il habitué? A-t-il commencé à manger des aliments solides? Lesquels? A-t-il des habitudes ou des goûts alimentaires particuliers, etc.?
- Ses besoins affectifs: aime-t-il être caressé? A-t-il un objet personnel (couverture, animal lavable, etc.) qu'il aime particulièrement et avec lequel il a l'habitude de dormir, etc.?
- Sa croissance et son développement: mange-t-il seul? Se lave-t-il les dents seul? Se débrouille-t-il seul pour aller aux toilettes? A-t-il besoin d'aide pour ces activités, etc.?
- Son milieu familial: vit-il avec d'autres enfants? A-t-il l'habitude de jouer avec d'autres enfants?
- Son niveau de langage: comprend-il les consignes? Comprend-il le français, s'il y a lieu?
- Autres particularités[5].

Consigner ces renseignements au dossier de l'enfant.

## Renseignements sur l'enfant à recueillir tous les jours

Bon nombre d'enfants fréquentent le service de 8 à 10 heures par jour, 5 jours par semaine. Ils y passent en fait la majeure partie de leurs périodes d'éveil. Les membres du personnel du service de garde sont bien placés pour repérer l'enfant qui a des problèmes de santé, qui est victime d'abus ou qui souffre de mauvais traitements. Leur vigilance est donc d'une extrême importance.

Pour travailler auprès de jeunes enfants, il faut apprendre à connaître les particularités de chacun d'eux et surveiller leur évolution. Il faut prendre l'habitude de noter certains renseignements pour pouvoir les communiquer au parent de l'enfant et, s'il y a lieu, au personnel de remplacement. En présence de problèmes particuliers, certains de ces renseignements peuvent aussi être utiles à d'autres ressources: médecin traitant, infirmière de CLSC, Direction de la protection de la jeunesse, etc.

Comme l'enfant est en développement, noter seulement l'essentiel, s'en tenir à des observations objectives sans interprétation et éliminer au fur et à mesure les observations qui ne sont plus utiles ou pertinentes.

Demander au parent de vous tenir au courant de l'état de santé de son enfant et observer attentivement l'enfant à son arrivée le matin. Demander des explications lorsque l'enfant est plus pâle ou plus apathique que d'habitude.

5. Les grandes catégories d'informations à recueillir auprès du parent se retrouvent pour la plupart dans Société canadienne de pédiatrie, *Le bien-être des enfants, Guide visant à promouvoir la santé physique, la sécurité, le développement et le bien-être des enfants dans les services de garde en garderie et en milieu familial*, Creative Premises Ltd, Toronto, 1993, p. 832-833.

#### Un journal de bord

Constituer un journal de bord pour chaque enfant. Chez le tout-petit, noter le moment des boires et la quantité de lait consommé chaque fois. Pendant toute la période d'introduction des aliments solides, noter régulièrement ce que l'enfant mange et boit. Par la suite, noter surtout les variations d'appétit. Jusqu'à l'âge de 3 ans environ, noter la fréquence et la durée des siestes et la fréquence des selles. Peu importe l'âge, noter les particularités observées: selles liquides, sommeil agité, ecchymoses, etc.

Pour mieux connaître et favoriser le développement de l'enfant, observer aussi d'autres aspects de son comportement: développement moteur, cognitif, affectif et social.

## L'enfant malade: les interventions du service de garde

### Savoir quand intervenir

Le plus souvent, c'est le comportement de l'enfant qui nous indique s'il est malade. Mais s'agit-il d'une maladie sérieuse?

Si l'enfant continue de jouer et de sourire, il n'est probablement pas très malade. Par contre, s'il ne se comporte pas comme d'habitude, il faut peut-être intervenir. Par exemple[6]:

- l'enfant fait de la fièvre;
- l'enfant est irritable ou pleure constamment;
- l'enfant est léthargique ou anormalement somnolent;
- l'enfant éprouve de la difficulté à respirer;
- l'enfant présente d'autres symptômes de maladie: vomissements, diarrhée, pâleur ou mauvaise coloration de la peau, ou encore chaleur excessive de la peau;
- l'enfant est incapable de prendre part aux activités habituelles du service de garde.

Ces symptômes peuvent indiquer une maladie sérieuse: retirer l'enfant du groupe et informer le parent qu'il doit venir le chercher et consulter un médecin.

6. Exemples tirés de Société canadienne de pédiatrie, *op. cit.*, note 5, p. 127-128.

Voyons les principaux symptômes auxquels le service de garde est le plus souvent confronté: fièvre, diarrhée et vomissements. Ils peuvent être des indices de maladies et demandent une intervention.

## La fièvre

En temps normal, la température du corps varie selon les enfants, la période du jour, la température extérieure et les activités en cours.

La température du corps varie entre 36,6 °C et 38,0 °C. Quand la température est plus élevée on peut parler de fièvre.

La seule façon sûre de mesurer la fièvre est de prendre la température. Prendre la température de l'enfant chaque fois que son état général (pleurs difficiles à apaiser, perte d'énergie, altération de l'état général, diminution de l'appétit, etc.) ou que des symptômes physiques (rougeurs aux joues ou chaleur excessive de la peau) permettent de soupçonner qu'il est fiévreux[7].

L'enfant fait de la fièvre si la température est supérieure aux variations normales de la température, soit une température rectale ou tympanique de plus de 38,0 °C.

La fièvre n'est pas nécessairement dangereuse. C'est un mécanisme de défense qui aide l'organisme à combattre une infection. Le degré de fièvre n'est pas toujours en relation avec la gravité d'une maladie. Toutefois, légère ou forte, la fièvre est un signal d'alarme: elle indique la présence d'un problème quelconque et elle doit toujours faire l'objet d'une attention particulière.

### Quoi faire dans le cas de fièvre lorsque l'enfant est âgé de moins de 2 mois?

Si l'enfant a moins de 2 mois et s'il s'agit de fièvre, c'est-à-dire, si la température rectale est supérieure à 38,0 °C, il faut :

- habiller l'enfant confortablement;
- le faire boire plus souvent;
- surveiller l'enfant et reprendre la température après 60 minutes ou plus tôt si son état général semble se détériorer;
- prévenir immédiatement le parent, lui demander de venir chercher l'enfant et, dans l'intervalle, appliquer les mesures indiquées précédemment;
- si le parent ne peut pas venir chercher l'enfant, appeler les personnes qu'il a désignées en cas d'urgence et, si on ne peut pas les joindre, conduire l'enfant à un service médical, au CLSC ou à l'urgence d'un centre hospitalier; ne pas administrer d'acétaminophène à moins d'une autorisation médicale écrite pour cet enfant.

---

7. *Protocole pour l'administration d'acétaminophène*, Annexe II du *Règlement sur les services de garde éducatifs à l'enfance*.

### Quoi faire dans le cas de fièvre lorsque l'enfant est âgé de 2 mois ou plus?

Si l'enfant a 2 mois ou plus et s'il s'agit de fièvre, c'est-à-dire, si la température rectale ou tympanique est supérieure à 38,0 °C, il faut :

- appliquer les mesures énumérées ci-dessus en cas d'élévation de température (habiller confortablement l'enfant; le faire boire et le surveiller);
- informer le parent de l'état de l'enfant;
- si la température rectale est supérieure à 38,5 °C, on peut, pour soulager l'enfant, administrer de l'acétaminophène selon la posologie indiquée dans le protocole présenté à l'annexe 1, ou selon la posologie inscrite sur le contenant du médicament et conformément aux règles prévues par le protocole. Si on le juge nécessaire, on peut donner de l'acétaminophène dès que la température est de 38,1 °C ou plus élevée;
- une heure après l'administration de l'acétaminophène, prendre de nouveau la température et si elle demeure élevée, demander au parent de venir chercher l'enfant. Si on ne peut pas le joindre, appeler les personnes qu'il a désignées en cas d'urgence et, si on ne peut pas les joindre, conduire l'enfant à un service médical, au CLSC ou à l'urgence d'un centre hospitalier.

### Faut-il exclure l'enfant qui fait de la fièvre?

- L'enfant fiévreux peut continuer à fréquenter le service de garde s'il se sent assez bien pour participer aux activités.
- L'enfant âgé de moins de 6 mois qui fait de la fièvre ou l'enfant dont la fièvre s'accompagne des symptômes comme la somnolence et les vomissements doit être vu par un médecin. Une fois que le médecin a posé son diagnostic, l'enfant peut retourner au service de garde si le médecin autorise le retour et si l'enfant se sent assez bien pour participer aux activités du service de garde.

### La prise de température

- La température rectale: l'éviter chez le bébé de moins de 3 mois vu le danger de fissure si le thermomètre est enfoncé de plus d'un centimètre (moins d'un demi pouce) ou si l'enfant bouge.
- La température rectale: l'utiliser chez l'enfant de plus de 3 mois. C'est la meilleure façon de prendre la température de l'enfant jusqu'à 5 ans et même après.
- La température buccale: l'utiliser quand l'enfant peut maîtriser la technique de tenir la bouche fermée, dès qu'il est âgé de plus de 5 ans.

- La température axillaire (sous le bras): l'utiliser surtout pour le bébé de moins de 3 mois. Elle est cependant moins fiable.
- La température tympanique ou auriculaire (à l'intérieur de l'oreille): exige un thermomètre auriculaire électronique très coûteux et est moins fiable chez les enfants de moins de 6 mois.

Le tableau suivant compare les divers thermomètres et donne leurs avantages et leurs inconvénients.

Distinguer le thermomètre rectal du thermomètre buccal ou axillaire et toujours conserver le même usage pour un thermomètre donné.

- Toujours utiliser des embouts de plastique jetables car ils sont plus hygiéniques; sinon, bien désinfecter le thermomètre entre chaque usage, selon les principes énoncés au chapitre précédent[8].
- Attendre une quinzaine de minutes pour prendre la température de l'enfant qui vient de faire une activité physique énergique: sa température pourrait être plus élevée que la normale.
- Toujours respecter le temps de prise de température indiqué pour le thermomètre utilisé; ce temps peut varier selon le type de thermomètre. Il est recommandé d'utiliser le thermomètre numérique, qui demande moins de temps pour la prise de température.
- Les thermomètres en verre et au mercure ne sont pas recommandés à cause des risques d'exposition accidentelle à cette substance toxique s'ils se cassent. Les bandelettes thermosensibles ne sont pas recommandées non plus car elles ne sont pas précises.



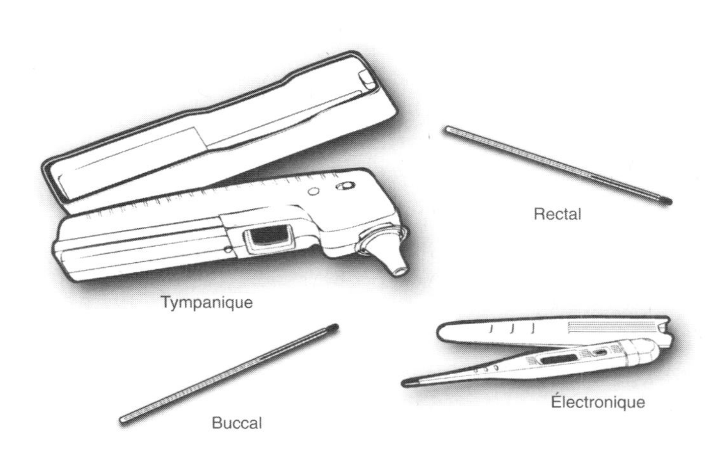


8. Annexe II du *Règlement sur les services de garde éducatifs à l'enfance.*

## Avantages et limites des divers thermomètres

| Type de prise de température | Température rectale | Température buccale | Température axillaire (sous l'aisselle) | Température tympanique ou auriculaire |
|---|---|---|---|---|
| Méthode d'utilisation | Tremper dans l'eau froide la partie avec mercure, mettre l'enfant sur le ventre ou sur le dos, lui tenir les jambes et l'empêcher de bouger, insérer dans l'anus pas plus de 2,5 cm (1 po). Durée: 2 minutes. | Mettre le thermomètre sous la langue, demander à l'enfant de serrer les lèvres, mais sans mordre, de tenir la bouche fermée et de respirer par le nez. Durée: minimum de 2 minutes ou selon le thermomètre utilisé. | Placer la partie avec mercure dans le creux de l'aisselle et la recouvrir complètement avec le bras plié de l'enfant. Durée: de 5 à 7 minutes. | Tirer le pavillon de l'oreille de l'enfant vers le bas et l'arrière et placer le thermomètre dans l'orifice. Lecture instantanée. Durée: 2 secondes. |
| Température normale | Entre 36,6 °C et 38,0 °C | Entre 35,5 °C et 37,5 °C | Entre 34,7 °C et 37,3 °C | Entre 35,8 °C et 38,0 °C |
| Fièvre | + de 38,0 °C | + de 37,5 °C | + de 37,3 °C | + de 38,0 °C |
| Avantages et et limites | Méthode déconseillée pour les bébés de moins de 3 mois. Danger de fissure si le thermomètre s'enfonce plus profond ou si l'enfant bouge. Méthode recommandée pour les enfants de plus de 3 mois. Résultat fiable. | Méthode déconseillée pour les enfants de moins de 5 ans. Danger de bris. Coordination difficile pour certains enfants. Résultat fiable. | Méthode sécuritaire pour le bébé de moins de 3 mois. Prise de température longue, mais bien acceptée par l'enfant. Résultat moins fiable. | Méthode très rapide, thermomètre coûteux. Moins fiable pour l'enfant de moins de 6 mois. Demande une technique exacte et méticuleuse de l'utilisatrice. |

## La diarrhée

La diarrhée n'est pas rare chez le jeune enfant. Elle peut indiquer une irritation, une infection virale ou bactérienne, une infestation parasitaire ou une intolérance alimentaire. On définit comme diarrhée des selles deux fois plus fréquentes que d'habitude ou des selles de consistance différente, moins formées et plus liquides que d'habitude. Si la diarrhée est importante, en plus d'irriter les fesses, elle peut causer une déshydratation, surtout chez le jeune enfant.

Une grande vigilance s'impose donc. De façon générale, l'enfant atteint de diarrhée importante n'est pas en service de garde puisque son état demande beaucoup d'attention. Les conseils qui suivent portent sur les soins à donner au début d'un épisode.

- Aviser le parent.
- En principe, continuer la diète normale afin d'assurer un apport nutritionnel adéquat.
- Faire boire l'enfant souvent pour éviter la déshydratation. Si l'enfant vomit, lui donner de petites quantités à la fois.
- Si la diarrhée est importante, donner, à condition que le parent ait signé le formulaire d'autorisation pour les solutions orales d'hydratation[9], une solution orale d'hydratation commerciale. Ces solutions sont vendues en pharmacie. Elles sont nettement préférables au jus dilué, aux boissons gazeuses, aux eaux minérales, le Jello ainsi qu'aux recettes maison imprécises. Commencer par donner une petite quantité d'environ 15 à 30 ml (1/2 à 1 oz) de solution orale d'hydratation: donner cette solution à la température de la pièce et augmenter lentement la quantité si l'enfant la tolère bien.
- Limiter dans la mesure du possible les contacts avec les autres enfants.
- Laver souvent et avec soin les mains de l'enfant et des adultes qui s'en occupent.
- Désinfecter tables à langer, comptoirs, chaises-pots et sièges de toilettes utilisés par l'enfant.
- Noter tout ce que l'enfant boit et la fréquence des selles.

9. *Règlement sur les services de garde éducatifs à l'enfance,* art. 116, alinéa 3.

### Si la diarrhée persiste ou si l'enfant manifeste des signes de déshydratation

- Si l'enfant a une baisse d'énergie, les yeux cernés ou creux, les lèvres et la bouche sèches, la peau plus sèche, si ses urines diminuent, s'il n'a pas de larmes ou s'il est somnolent, il faut demander au parent de consulter un médecin ou un CLSC avec un service médical.
- Si plus de 2 enfants ou membres du personnel manifestent les mêmes symptômes, aviser le CLSC qui vous conseillera sur les mesures à prendre.

**Méthode pour surveiller les signes de déshydratation**

| Période | Absorption | Élimination |
|---|---|---|
| Entre 10 h et 12 h | environ 1/2 tasse de solution d'hydratation | selles liquides et jaunâtres (10 h) |
| 11 h 30 | 1/4 de tasse de riz | selles liquides et jaunâtres (12 h) |

Par exemple, sur une feuille à 3 colonnes, noter tout ce que l'enfant consomme en précisant le moment, la nature (couleur et texture) et, si possible, la quantité. Comme il est difficile d'évaluer la quantité des selles et des urines, en noter la fréquence, la consistance et la couleur. Noter aussi la présence de sang.

Afin d'éliminer la contamination, appliquer rigoureusement les techniques d'hygiène recommandées au chapitre 3, «L'hygiène et la prévention de l'infection».

### Faut-il exclure l'enfant qui a la diarrhée[10] ?

Oui, si:

- l'enfant est trop malade pour suivre les activités du service de garde;
- la fréquence des selles est anormalement élevée;
- l'enfant a vomi deux fois ou plus au cours des 24 heures précédentes;
- l'enfant est fébrile;
- il y a du mucus ou du sang dans les selles;
- les selles sont trop abondantes et débordent de la couche.

Garder l'enfant à la maison jusqu'à ce que ses selles redeviennent normales.

10. Comité provincial des maladies infectieuses en services de garde, *op. cit.*, note 2, p. 105.

## Les vomissements

Les vomissements sont le rejet d'aliments de façon projectile. Ils sont fréquents chez le jeune enfant et leurs causes sont multiples: troubles du système digestif, intoxication alimentaire, infection, abus alimentaire et réaction psychologique. Les interventions varient selon la gravité du cas. Chez le bébé, il peut s'agir de simples régurgitations. Si l'état général de l'enfant est bon, c'est toujours moins inquiétant.

Agir immédiatement si l'état général de l'enfant est mauvais.

### Les vomissements et la maladie

- Si l'enfant vomit seulement une ou deux fois, ne donner ni lait ni aliments solides pour une période de 15 à 30 minutes et commencer à lui faire boire la solution d'hydratation, si le parent a signé une autorisation écrite.
  - Informer le parent.
  - Surveiller les signes de déshydratation: perte de trop de liquide, somnolence, yeux cernés ou creusés, peu ou pas de salive, peu d'urine et peau sèche.
- Demander au parent de venir chercher l'enfant et de consulter un médecin si l'enfant:
  - présente un état général qui ne lui permet pas de participer aux activités régulières du service de garde;
  - vomit fréquemment;
  - vomit et a d'autres symptômes: diarrhée, fièvre, nausée, douleur à l'estomac et maux de tête.
  - Si les vomissements persistent plus de 4 à 6 heures, l'enfant doit voir un médecin.

### Les vomissements et le coup possible à la tête

- Aviser le parent et conduire à l'urgence sans délai tout enfant qui, dans les 24 heures qui suivent un accident, vomit plus de 2 fois ou vomit une fois et manifeste d'autres symptômes comme la somnolence, l'incoordination, des troubles visuels ou des convulsions.
- Aviser le parent et consulter sans délai si, après une accalmie, les vomissements se reproduisent dans les 48 heures qui suivent le coup à la tête.
- Le parent est également invité à transmettre au service de garde des renseignements importants. Exemple: l'enfant a reçu un coup à la tête à la maison avant de venir au service de garde.

### Les vomissements et l'empoisonnement

- Si l'enfant a avalé un produit dangereux, téléphoner immédiatement au Centre antipoison du Québec pour vérifier les consignes à suivre: règles de premiers soins, urgence de la consultation médicale, etc.
- Le numéro du Centre antipoison du Québec: 1 800 463-5060.
  - Aviser le parent. Suivre les indications du Centre antipoison du Québec: demander au parent de venir chercher l'enfant ou le conduire directement à l'urgence.
  - S'assurer que le numéro du Centre antipoison du Québec est affiché sur la liste des numéros d'urgence et qu'il est à jour.

### Les autres symptômes de maladie

- Le niveau d'activité de l'enfant est aussi un indicateur du degré de sévérité d'une maladie. Si l'enfant titube, cherche à dormir, pleurniche fréquemment ou refuse de manger, en prendre note et le surveiller attentivement. Ce sont là des indices d'un problème certain.
- La peau est également révélatrice de maladies ou de malaises; elle témoigne de problèmes internes. Faire particulièrement attention aux symptômes suivants: écoulements (nez, oreille ou vagin), lésions, boutons, rougeurs ou ecchymoses, pâleur ou sécheresse de la peau.
- Être vigilant si l'enfant se plaint de douleurs, manifeste par ses gestes et ses pleurs qu'il a mal ou semble éprouver des difficultés à respirer normalement.

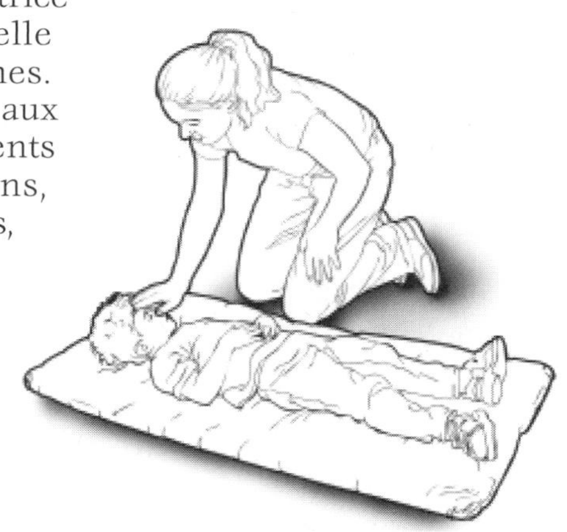

## Quelles sont les interventions du service de garde dans les situations de maladie?

### Isoler l'enfant et en prendre soin

Tenir à l'écart du groupe l'enfant qui se déclare malade en cours de journée et l'installer confortablement, de préférence près d'une fenêtre, dans un lieu bien ventilé. Dans le calme, on peut mieux observer l'enfant et le soulager de ses maux, sans toutefois recourir aux médicaments, à moins qu'ils ne soient prescrits par un médecin et autorisés par le parent. Les renseignements sur les malaises et maladies de la petite enfance, présentés en fin de chapitre, peuvent aider le personnel du service de garde à mieux prendre soin de l'enfant malade.

### Évaluer la situation et choisir la solution appropriée

Les premières observations faites, il faut évaluer la situation et choisir la solution appropriée. À court terme, 3 solutions peuvent être envisagées: garder l'enfant, demander qu'on vienne le chercher ou le conduire à l'urgence. La solution retenue dépend de la gravité des symptômes et de la possibilité pour le service de garde de répondre aux besoins de l'enfant.

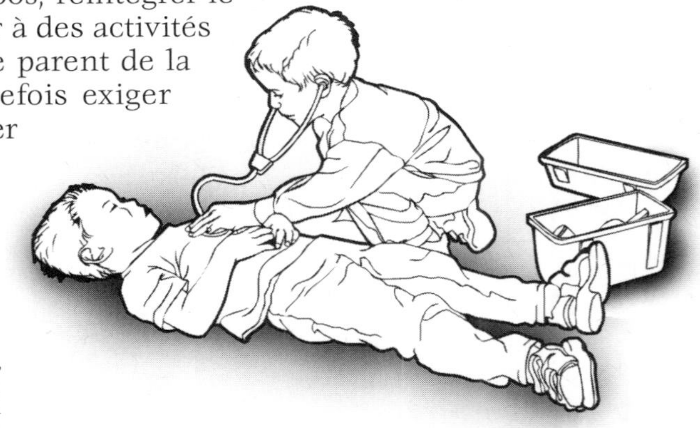

- L'enfant semble peu affecté et il peut, après un peu de repos, réintégrer le groupe et participer à des activités calmes: informer le parent de la situation sans toutefois exiger qu'il vienne chercher l'enfant. S'assurer cependant qu'on peut le joindre si l'état de l'enfant se détériore.
- L'enfant est incapable de participer aux activités, il est suffisamment malade pour rester couché et il nécessite une attention quasi constante: sa place n'est pas en service de garde. Informer le parent de la situation et lui demander de venir le chercher aussitôt que possible. Le personnel du service de garde peut difficilement s'occuper à la fois d'un groupe d'enfants et d'un petit malade qui nécessite beaucoup d'attention. Ces cas doivent être prévus avant que le problème ne se pose. Tant que le parent ne peut pas prendre la relève, le service de garde doit évidemment donner à l'enfant toute l'attention que son état exige. Le service de garde peut aussi avoir à appeler les personnes désignées par le parent pour les cas d'urgence.
- L'état de l'enfant est sérieux: le conduire immédiatement à l'urgence ou chez le médecin le plus proche ou faire venir de toute urgence un médecin ou une ambulance (s'il faut éviter de déplacer l'enfant, par exemple). Ce genre d'intervention s'impose dans les cas suivants: fièvre élevée qui refuse de baisser malgré l'administration d'acétaminophène, convulsions fébriles, vomissements en jets continus, difficultés respiratoires majeures, perte de connaissance, intoxication,

blessure grave et réaction allergique de type anaphylactique. Pour les principaux renseignements sur la façon d'intervenir dans ce type de situation, voir, à la fin du présent chapitre, la liste des principaux malaises et maladies chez l'enfant.

- Bien établir au préalable les procédures à suivre en pareil cas de façon à pouvoir intervenir rapidement au besoin. Selon le type d'urgence et les services de santé disponibles dans le secteur, déterminer au départ les mesures à prendre: conduire l'enfant vers un hôpital, un CLSC ou une clinique qui offre un service d'urgence médicale ou faire venir un médecin ou une ambulance. Les services d'Info-Santé CLSC peuvent fournir une information de pointe et orienter le service de garde vers la meilleure ressource.
- Afficher près du téléphone les numéros de téléphone prévus à la réglementation sur les services de garde éducatifs à l'enfance[11]. Celles-ci précisent d'ailleurs des exigences d'affichage pour les trois premiers numéros de cette liste:
  - le Centre antipoison du Québec: 1 800 463-5060;
  - la personne désignée en cas d'urgence (remplacement);
  - le CSSS;
  - un service de taxi;
  - le service d'incendie;
  - la police;
  - un médecin;
  - le service d'ambulance;
  - l'hôpital le plus proche;
  - une pharmacie.
- Conserver près du téléphone les numéros des personnes suivantes: le personnel régulier, le personnel de remplacement et le parent.
- Respecter les mesures suivantes en cas d'urgence et si l'enfant doit être conduit chez un médecin, au CLSC ou à l'urgence d'un hôpital:
  - faire accompagner l'enfant par une personne responsable et calme;
  - informer au plus tôt le parent de la situation et lui dire où rejoindre l'enfant;
  - s'assurer qu'une remplaçante puisse être sur place rapidement;
  - apporter avec soi le numéro d'assurance maladie de l'enfant inscrit à son dossier et, s'il y a lieu, les notes prises précédemment.

11. *Règlement sur les services de garde éducatifs à l'enfance,* art. 101, alinéa 1.

### Signaler les maladies infectieuses

Lorsqu'une maladie infectieuse fait son apparition au service de garde, prendre les mesures qui s'imposent pour limiter la transmission de l'infection et assurer la protection des enfants et du personnel.

- Aviser le CLSC sauf s'il s'agit d'un simple rhume ou d'un problème que le service de garde connaît déjà bien et qu'il est en mesure de contrôler sans aide extérieure comme un cas de pédiculose. Même si les maladies à déclaration obligatoire (coqueluche, giardiase, hépatite A, rougeole, rubéole, scarlatine, etc.) font déjà l'objet d'une déclaration par le personnel médical, leur présence au service de garde doit être signalée au CLSC. Parce que les risques de propagation sont particulièrement élevés en milieu de garde, des mesures spéciales peuvent être nécessaires.
- La Direction de la santé publique et le CLSC sont les mieux placés pour décider des gestes à faire en pareil cas. Suivre les conseils du CLSC (lui-même consultera la Direction de la santé publique au besoin). Si nécessaire, exclure l'enfant malade jusqu'à ce que les symptômes disparaissent ou jusqu'à 24 ou 48 heures après le début du traitement antibiotique, vérifier l'état immunitaire des autres enfants et des membres du personnel et attendre les résultats des prélèvements et directives du réseau de la santé, dans les situations exceptionnelles.
- Appliquer rigoureusement les mesures d'hygiène habituelles: lavage des mains, désinfection des tables à langer, des chaises percées, des jouets, etc.
- En cas de maladie infectieuse, ne jamais décider unilatéralement de fermer le service de garde: cette décision concerne la Direction de la santé publique. En pratique, il est très rare qu'une maladie infectieuse, même en période épidémique, nécessite la fermeture d'un service de garde. Dans une perspective de santé publique, il peut être plus facile de contrôler l'épidémie de l'intérieur plutôt que de risquer, en fermant le service de garde, qu'elle se propage chez une gardienne de dépannage ou pis, dans un autre service de garde.

## Quand faut-il exclure l'enfant du service de garde?

L'enfant ne doit pas se retrouver en service de garde avec d'autres enfants quand son état de santé l'empêche de participer aux activités de jeux habituelles du service de garde, s'il nécessite des soins spéciaux de la part de son éducatrice ou de la responsable du service de garde en milieu familial ou s'il y a lieu de limiter la transmission de certaines maladies infectieuses.

C'est le cas, si[12]:

- l'enfant a une fièvre de plus de 39°C (102,2°F) accompagnée d'autres symptômes comme une éruption cutanée;
- il a de la difficulté à respirer;
- il a vomi deux fois à l'intérieur de 24 heures;
- il a eu une diarrhée qui déborde de sa couche ou une diarrhée avec du mucus ou du sang;
- il a les yeux rouges avec écoulement purulent.

Le parent qui a un doute sur la santé de l'enfant ou sur sa capacité à fréquenter le service de garde doit consulter un médecin ou le CLSC.

## Quand l'enfant peut-il réintégrer le service de garde?

L'enfant peut réintégrer le service de garde à trois conditions: les symptômes ont disparu, il se sent assez bien pour participer aux activités régulières du service de garde et il est considéré comme non contagieux. La plupart des médecins recommandent un retour 24 heures après le début d'un traitement d'antibiotiques, par exemple.

Ici encore, en cas de doute sur la santé de l'enfant, mieux vaut consulter le médecin de l'enfant ou le CLSC.

Préciser les critères d'exclusion des enfants dans les règles adoptées par le service de garde pour la santé des enfants et les faire approuver par le conseil d'administration. Expliquer ces critères au parent et les lui remettre par écrit au moment de l'inscription de l'enfant.

## Familiariser l'enfant avec les soins de santé, préventifs et curatifs

Un nombre important d'enfants seront hospitalisés un jour ou l'autre. Cette expérience peut traumatiser le jeune enfant qui, placé dans un environnement étranger, vit la douleur et la séparation affective. Certains hôpitaux tiennent compte des besoins émotifs de l'enfant et utilisent divers moyens pour éviter que l'hospitalisation ne soit trop négative pour lui: unités de soins qui favorisent la cohabitation parent-enfant, participation des parents aux soins de base, visites des autres membres de la famille et préparation psychologique de l'enfant.

12. Barbara Jantausch, m.d et William Rodriguez, m.d., *Day care doesn't have to mean more illness, Tips for parents to make sure your day care center is healthy*, Children's national medical center's website, www.cnmc.org/daycare.htm

Le service de garde peut également jouer un rôle d'initiation. Cela diminue le stress des visites chez le médecin et le dentiste ou du séjour à l'hôpital, le cas échéant. Diverses approches peuvent être pertinentes:

- faire manipuler du matériel qui aide l'enfant à mieux apprivoiser le vécu médical: uniformes et trousse médicale;
- faire voir des livres pour enfants et raconter des histoires: on peut trouver facilement plusieurs livres illustrés sur la vaccination, l'examen dentaire;
- organiser des activités d'expression spontanée: elles permettent à l'enfant d'exprimer ses peurs et ses perceptions de l'hôpital et des visites chez le médecin ou le dentiste. Toujours donner à l'enfant des explications et des réponses justes, mais appropriées à son âge.

## Obtenir la collaboration de ressources spécialisées

Pour répondre adéquatement aux besoins de santé des enfants, le service de garde doit à l'occasion faire appel à des ressources spécialisées. La collaboration d'une nutritionniste est souvent nécessaire pour élaborer ou revoir des menus. En cas de maladies infectieuses, l'aide du CLSC ou de la Direction de la santé publique peut permettre d'éviter ou d'enrayer une épidémie. Parfois, les conseils d'une infirmière en enfance-famille du CLSC ou d'Info-Santé CLSC permettent au personnel du service de garde de régler certains problèmes. La collaboration d'une hygiéniste dentaire peut aussi s'avérer utile pour apprendre aux enfants une bonne technique de brossage des dents. Dans certains cas, l'aide de ressources spécialisées est essentielle pour intégrer en service de garde un enfant handicapé ou qui a des besoins spéciaux.

Il est utile de bien connaître les ressources en santé disponible dans la région et les services offerts par chacune d'elles : centre local de services communautaires (CLSC), Direction de la santé publique (DSP), centres hospitaliers; cliniques médicales (vérifier si elles offrent un service d'urgence), Direction de la protection de la jeunesse, centre de stimulation précoce et associations de parents d'enfants handicapés.

En avril 2002, une entente-cadre a été signée entre les ministrères et organismes concernés[13]. Cette entente vise à faciliter la collaboration entre les CLSC et les CPE, de façon à rendre accessibles les services de santé et sociaux de base aux enfants qui fréquentent les CPE et à permettre que les enfants dont le dossier relève du CLSC fréquentent un CPE.

13. Ministère de la Famille et de l'Enfance, ministère de la Santé et des Services sociaux, Association des CLSC et des CHSLD du Québec, Concertaction et Fédération des centres de la petite enfance du Québec, *Protocole CLSC-CPE, Guide d'implantation, Entente-cadre et protocole-type,* diffusé par le ministère de la Famille et de l'Enfance, mars 2002, 34 p.

# Les maladies de la petite enfance

## Généralités sur les maladies et les malaises courants

### Acné du nouveau-né

Réaction normale de la peau du nouveau-né.
Se présente sous forme de boutons et de points noirs.

| Ce qu'il faut savoir | Ce qu'il faut faire |
| --- | --- |
| • Problème fréquent.<br>• Se guérit tout seul.<br>• Apparaît aux endroits où la peau est grasse. | • Laver la peau souvent et sécher avec soin. |

### Boutons de chaleur (sudamina)

Petites rougeurs arrondies, parfois surélevées, appelées communément «boutons de chaleur».

| Ce qu'il faut savoir | Ce qu'il faut faire |
| --- | --- |
| • Apparaissent sur le front, autour du cou et dans les plis.<br>• Problème cutané très répandu.<br>• Se produit quand il fait chaud et humide ou quand le bébé a de la fièvre.<br>• Phénomène normal. | • S'il fait chaud ou si l'enfant transpire, éviter de trop le vêtir.<br>• Vérifier si la peau du bébé est bien hydratée (n'est pas sèche).<br>• Laver avec un savon doux, rincer à l'eau claire et essuyer avec soin.<br>• Ne pas mettre d'huile.<br>• S'assurer que des vêtements ne sont pas source d'irritation.<br>• S'il y a fièvre ou si les boutons persistent, faire voir par un médecin. |

### Candidose[14]

Infection causée par un champignon. Se retrouve dans la bouche ou sur la peau.
L'infection buccale ressemble à un dépôt de lait.

| Ce qu'il faut savoir | Ce qu'il faut faire |
| --- | --- |
| • L'infection buccale est connue sous le nom de «muguet».<br>• Symptômes du muguet: lésions blanches sur les parois intérieures de la bouche et sur la langue. | • Muguet:<br>– Ne pas laisser le biberon à l'enfant en dehors des boires.<br>– Stériliser les sucettes et les tétines.<br>– Si des lésions apparaissent, mieux vaut consulter un médecin. Certains médicaments prescrits peuvent demander de badigeonner les lésions après les boires à l'aide d'un coton-tige, à la fréquence prescrite, souvent de 2 à 4 fois par jour. |

14. Comité de prévention des infections dans les centres de la petite enfance, Affiche: *Les infections en milieu de garde*, ministère de la Famille et de l'Enfance, édition révisée, 1999.

## Candidose (suite)

| Ce qu'il faut savoir | Ce qu'il faut faire |
|---|---|
| • Infection cutanée aux fesses<br>• Symptômes: plaques très rouges, bien délimitées, bordées de petits boutons rouges et situées dans les plis des fesses ou de l'aine. | • Infection cutanée aux fesses<br>– Bien laver les mains de l'adulte et de l'enfant à chaque changement de couches.<br>– Garder les fesses propres et sèches et les exposer à l'air, pendant la sieste par exemple.<br>– Si l'infection persiste plus d'une journée, demander au parent de consulter un médecin. Appliquer s'il y a lieu le médicament prescrit par le médecin et autorisé par le parent. |

## Coliques

Périodes prolongées de pleurs, jusqu'à 3 heures de suite, généralement en fin de journée ou en soirée.

| Ce qu'il faut savoir | Ce qu'il faut faire |
|---|---|
| • Malaise commun chez les bébés âgés de 3 semaines à 3 mois environ.<br>• L'enfant semble avoir des douleurs abdominales.<br>• Les considérer comme un phénomène normal.<br>• Causes incertaines, possiblement liées à l'immaturité gastro-intestinale ou à des gaz. Ne sont pas considérées comme une maladie. | • Faire faire des rots au bébé.<br>• Bercer l'enfant et le prendre sur son ventre: les mouvements et les bruits rythmiques peuvent aider l'enfant.<br>• Être patient; cela passera tout seul. Développer une certaine tolérance aux pleurs et ne pas se sentir coupable.<br>• Éviter toute médication.<br>• Mieux vaut consulter un médecin si les coliques ont une durée prolongée et inhabituelle ou si elles s'accompagnent de vomissements, de constipation ou de diarrhée. |

## Constipation

Selles dures, sèches, peu fréquentes, évacuées avec difficulté ou absence de selles pendant plusieurs jours.

| Ce qu'il faut savoir | Ce qu'il faut faire |
|---|---|
| • Les habitudes d'élimination varient d'un enfant à l'autre. Une selle dure à l'occasion ou une selle aux 3 jours peuvent être normales chez certains enfants. | • Discuter avec le parent afin d'évaluer l'ampleur du problème: la même situation se retrouve-t-elle à la maison?<br>• Au besoin, ajuster l'alimentation de l'enfant selon son niveau de développement.<br>• S'il y a du sang dans les selles, avertir le parent pour qu'il consulte le médecin.<br>• N'administrer ni suppositoires de glycérine ni aucun autre médicament sans ordonnance médicale. |

## Convulsions fébriles

Convulsions associées à la fièvre. Surviennent fréquemment lors d'une montée rapide de fièvre, d'où l'importance d'intervenir tôt.

| Ce qu'il faut savoir | Ce qu'il faut faire |
|---|---|
| • Se produisent habituellement chez l'enfant de moins de 20 mois mais peuvent survenir jusqu'à l'âge de 5 ans.<br>• Pertes de connaissance avec un ou plusieurs des symptômes suivants: raidissement du corps, révulsion des yeux, écume à la bouche, crispation nerveuse du visage et des membres ou encore mouvements rythmiques des membres.<br>• Généralement très brèves, 1 ou 2 minutes. Peuvent, mais cela est très rare, durer jusqu'à 15 minutes. Ne mettent toutefois pas la vie de l'enfant en danger.<br>• L'enfant porté à faire des convulsions peut en faire chaque fois qu'il a de la fièvre, surtout quand sa température monte rapidement.<br>• Les crises de nature épileptique ne sont pas habituellement liées à la fièvre[15]. | • Demander l'aide d'un autre adulte.<br>• Éloigner les autres enfants et les rassurer.<br>• S'assurer que l'enfant est étendu dans un endroit sécuritaire.<br>• Détacher les vêtements autour du cou.<br>• Tourner l'enfant sur le côté, la tête plus basse que le corps, si possible, pour éviter qu'il n'aspire ses sécrétions.<br>• Ne jamais mettre d'objet entre les dents de l'enfant.<br>• Prévenir le parent le plus tôt possible.<br>• Quand la convulsion s'atténue, prendre les mesures pour faire baisser la fièvre.<br>• Transporter l'enfant à l'urgence si la convulsion dure plus de 5 minutes. |

## Diarrhée[16]

Définition: selles deux fois plus fréquentes que d'habitude ou changement de la consistance des selles, moins formées et plus liquides que d'habitude. Manifestation d'une intolérance alimentaire ou d'une irritation de l'intestin attribuable à une infestation parasitaire. Il ne s'agit pas de diarrhée lorsque les selles sont molles et un peu plus fréquentes que la normale (voir aussi pages 128-129).

| Ce qu'il faut savoir | Ce qu'il faut faire |
|---|---|
| • De façon générale, l'enfant atteint de diarrhée ne devrait pas être en service de garde: son état demande beaucoup d'attention. | • Faire boire souvent pour éviter la déshydratation.<br>• Administrer, à condition que le parent y ait consenti par écrit, une solution orale d'hydratation commerciale[17]. |

15. Société canadienne de pédiatrie, *Le bien-être des enfants, guide visant à promouvoir la santé physique, la sécurité, le développement et le bien-être des enfants dans les services de garde, en garderie et en milieu familial*, Creative Premises Ltd, Toronto, 1993, p. 232.
16. Comité de prévention des infections dans les centres de la petite enfance, *op. cit.*, note 14.
17. *Règlement sur les services de garde éducatifs à l'enfance,* art. 116, alinéa 3.

## Diarrhée (suite)

| Ce qu'il faut savoir | Ce qu'il faut faire |
|---|---|
| • L'état général de l'enfant importe plus que le nombre de diarrhées.<br>• Irritation des fesses possible.<br>**Surveiller:**<br>• Signes de déshydratation (perte exagérée d'eau): yeux cernés ou creux; diminution des urines et de la salive.<br>• Détérioration de l'état général.<br>• Vomissements.<br>• Sang dans les selles. | • Éviter les boissons gazeuses, le jus, le «jello» et les eaux minérales.<br>• Continuer une alimentation régulière afin d'assurer un apport nutritionnel adéquat.<br>• Noter tout ce que l'enfant boit et la fréquence des selles.<br>• Limiter, dans la mesure du possible, les contacts avec les autres enfants.<br>• Laver souvent et avec soin les mains de l'enfant et des adultes qui s'occupent de lui.<br>• Si la diarrhée persiste ou si l'enfant manifeste des signes de déshydratation: demander au parent de consulter un médecin ou le CLSC.<br>• Plus de 2 enfants manifestent les mêmes symptômes: aviser le CLSC.<br>• Exclure l'enfant jusqu'à ce que les selles redeviennent normales. |

## Douleurs abdominales

Crampes plus ou moins aiguës (au ventre).

| Ce qu'il faut savoir | Ce qu'il faut faire |
|---|---|
| • Difficile de déterminer les causes. Peuvent être liées à tout malaise gastro-intestinal ou être d'origine émotive.<br>• Les prendre au sérieux si l'état général se détériore, la douleur augmente et persiste ou d'autres symptômes apparaissent comme la fièvre ou des vomissements. | **Chez le bébé:**<br>• Surveiller l'état général et lui donner de l'attention. Voir la rubrique «Coliques».<br>**Chez le jeune enfant:**<br>• Il ne peut pas marcher ou les symptômes persistent: communiquer avec le parent immédiatement et faire voir l'enfant par un médecin rapidement.<br>• La douleur est faible et occasionnelle: surveiller l'enfant et informer le parent.<br>• On soupçonne une cause émotive: rassurer l'enfant et en discuter avec le parent. |

## Éruption des dents[18]

Malaises ressentis pendant l'éruption des dents primaires, entre l'âge de 4 mois et 2 ans et demi.

| Ce qu'il faut savoir | Ce qu'il faut faire |
|---|---|
| • Peut passer inaperçue ou rendre l'enfant irritable si les gencives sont sensibles. | • Frotter la gencive avec le dos d'une petite cuillère froide ou une débarbouillette propre et trempée dans l'eau froide. |

18. www.ada.org, www.cda-adc.ca

B. Bousfiha, S. El Arabi, S. Msefer, Tramatismedes dents primaires, *Journal dentaire du Québec*, 1996, 23, p. 265-271;
R. Charland, L. Abelardo, L.Cudzinowski et P. Salvail;
À propos des luxations des dents primaires, *Journal dentaire du Québec*, 1996, 23, p. 251-255;
Régie régionale de la santé et des services sociaux de Montréal-Centre, *Guide de premiers secours*, 1998, 9e édition;
Santé Canada, *Avis de santé à l'intention des parents ainsi que des gardiens et gardiennes de très jeunes enfants concernant les produits en vinyle souple conçus pour être mis dans la bouche (sucés ou mâchouillés)*, novembre 1998; et
A. Wandera, Anticipatory Guidance in Infant Oral Health, *Journal of the Michigan Dental Association*, novembre-décembre 1998, p. 54-59.

## Éruption des dents (suite)

| Ce qu'il faut savoir | Ce qu'il faut faire |
|---|---|
| • L'enfant est maussade mais non malade.<br>• Ne cause pas de fièvre.<br>• L'enfant fait de la fièvre: voir les consignes à la rubrique «Fièvre».<br>• Âge d'éruption des dents:<br>– Incisives centrales: 6 à 8 mois<br>– Incisives latérales: 7 à 9 mois<br>– Canines: 16 à 20 mois<br>– 1res molaires: 12 à 16 mois<br>– 2es molaires: 20 à 30 mois. | • Donner à l'enfant une sucette ou un anneau de dentition propre et froid: cela peut aider à calmer la douleur. Pour la sécurité de l'enfant, s'assurer d'utiliser des produits reconnus. Voir l'avis de Santé Canada sur les produits en vinyle souple conçus pour être mis dans la bouche, novembre 1998.<br>• Éviter d'appliquer un produit analgésique sur l'endroit à soulager: cela peut affecter la déglutition.<br>• Éviter les biscuits de dentition: ils contiennent du sucre. |

## Érythème fessier

Irritation des fesses provoquée par l'urine et les selles.
Ne pas confondre avec le Candidose.

| Ce qu'il faut savoir | Ce qu'il faut faire |
|---|---|
| • Fesses rouges, brillantes et sensibles.<br>• Causes possibles: urines et selles particulièrement irritantes sur une peau sensible, changements de couches insuffisants ou soins inadéquats des fesses. | • Changer la couche dès qu'elle est souillée.<br>• Chaque fois qu'on change la couche, nettoyer avec un savon doux, rincer à l'eau claire et bien sécher.<br>• Appliquer une crème à base d'oxyde de zinc chaque fois qu'on change la couche si le parent a signé le formulaire d'autorisation pour cette crème.<br>• Laisser les fesses à l'air, au moment de la sieste par exemple. |

## Fièvre

Élévation anormale de la température du corps (voir aussi pages 124-127).

| Ce qu'il faut savoir | Ce qu'il faut faire |
|---|---|
| • Température rectale supérieure à 38 °C, température buccale supérieure à 37,5 °C, température axillaire supérieure à 37,3 °C.<br>• Mécanisme de défense de l'organisme.<br>• Signal d'alarme indiquant un problème quelconque.<br>• Complications: convulsions fébriles (voir Convulsions fébriles). | Si l'enfant a moins de 2 mois et s'il s'agit de fièvre, c'est-à-dire, si la température rectale est supérieure à 38,0 °C, il faut :<br>• habiller l'enfant confortablement;<br>• le faire boire plus souvent;<br>• surveiller l'enfant et reprendre la température après 60 minutes ou plus tôt si son état général semble se détériorer;<br>• prévenir immédiatement le parent, lui demander de venir chercher l'enfant et, dans l'intervalle, appliquer les mesures indiquées précédemment;<br>• si le parent ne peut pas venir chercher l'enfant, appeler les personnes qu'il a désignées en cas d'urgence et, si on ne peut |

## Fièvre (suite)

| Ce qu'il faut savoir | Ce qu'il faut faire |
|---|---|
| | pas les joindre, conduire l'enfant à un service médical, au CLSC ou à l'urgence d'un centre hospitalier; ne pas administrer d'acétaminophène à moins d'une autorisation médicale écrite pour cet enfant.<br>Si l'enfant a 2 mois ou plus et s'il s'agit de fièvre, c'est-à-dire, si la température rectale ou tympanique est supérieure à 38,0 °C, il faut :<br>• appliquer les mesures énumérées ci-dessus en cas d'élévation de température (habiller confortablement l'enfant; le faire boire et le surveiller);<br>• informer le parent de l'état de l'enfant;<br>• si la température rectale est supérieure à 38,5 °C, on peut, pour soulager l'enfant, administrer de l'acétaminophène selon la posologie indiquée dans le protocole présenté à l'annexe 1, ou selon la posologie inscrite sur le contenant du médicament et conformément aux règles prévues par le protocole. Si on le juge nécessaire, on peut donner de l'acétaminophène dès que la température est de 38,1 °C ou plus élevée;<br>• une heure après l'administration de l'acétaminophène, prendre de nouveau la température et si elle demeure élevée, demander au parent de venir chercher l'enfant. Si on ne peut pas le joindre, appeler les personnes qu'il a désignées en cas d'urgence et, si on ne peut pas les joindre, conduire l'enfant à un service médical, au CLSC ou à l'urgence d'un centre hospitalier[19]. |

## Mal de dents[20]

Douleur aux dents attribuable à la carie dentaire.

| Ce qu'il faut savoir | Ce qu'il faut faire |
|---|---|
| Les causes de la carie de la petite enfance et de la douleur qui peut en résulter sont nombreuses: | • Éviter tous les aliments sucrés: ils peuvent provoquer la douleur.<br>• Faire rincer doucement la bouche avec de l'eau tiède. |

19. Protocole pour l'administration d'acétaminophène, Annexe II du *Règlement sur les services de garde éducatifs à l'enfance.*

20. B. Bousfiha, S. El Arabi et S. Msefer, *op. cit.*, note 18, p. 265-271;
R. Charland, L. Abelardo, L. Cudzinowski et P. Salvail; *op. cit.*, note 18, p. 251-255;
Régie régionale de la santé et des services sociaux de Montréal-Centre, *op. cit.*, note 18;
Santé Canada. *op. cit.*, note 18; et
A.Wandera, *op. cit.*, note 18, p. 54-59.

## Mal de dents (suite)

| Ce qu'il faut savoir | Ce qu'il faut faire |
|---|---|
| • Laisser l'enfant dormir ou se promener avec son biberon de lait, de lait maternisé ou de jus: ses dents baignent dans un liquide sucré pendant une longue période de temps. Ces différents liquides contiennent tous du sucre. «Ceci peut causer la carie du biberon».<br>• Consommer souvent des aliments ou des boissons sucrées comme collation pendant la journée ou au coucher.<br>• Ne pas se brosser les dents tous les jours avec un dentifrice fluoré.<br>• Donner à l'enfant des sucettes trempées dans le miel, le sucre ou toute autre substance sucrée. | • Enlever, avec de la soie dentaire, toute particule de nourriture logée entre les dents.<br>• Demander au parent de consulter rapidement un dentiste.<br>• En attendant, appliquer une compresse d'eau froide sur le côté sensible du visage de l'enfant. |

## Otite

Infection de l'oreille attribuable à un microbe ou à des sécrétions. Accompagne souvent le rhume.

| Ce qu'il faut savoir | Ce qu'il faut faire |
|---|---|
| • Symptômes: douleurs et pleurs; l'enfant porte la main à l'oreille; fièvre fréquente.<br>• L'otite n'est pas contagieuse, mais le rhume qui l'accompagne souvent l'est. | • Informer le parent dès qu'on soupçonne une otite chez l'enfant. Lui demander de le faire examiner par un médecin qui déterminera s'il y a otite et prescrira des antibiotiques au besoin.<br>• Écoulement: nettoyer la partie externe de l'oreille avec un papier mouchoir. Ne jamais utiliser de coton-tige (Q-Tip).<br>• Apprendre à l'enfant à se moucher correctement.<br>• Ne jamais coucher un enfant avec un biberon: cela prédispose à l'otite. |

## Régurgitation

Rejet d'aliments non digérés par la bouche, sans effort, peu de temps après le boire. Diffère du vomissement qui se fait de façon projectile. Accompagne souvent le rot.

| Ce qu'il faut savoir | Ce qu'il faut faire |
| --- | --- |
| • Se produit chez presque tous les nourrissons.<br>• Cesse en général d'elle-même avant la première année. Pas inquiétante si l'enfant est de bonne humeur et prend du poids.<br>• Se produit plus souvent si: l'enfant boit trop de lait ou boit trop vite, avale trop d'air en buvant (biberon mal incliné) ou bouge beaucoup après le repas. | • Faire une ou deux pauses durant le boire et le repas.<br>• Ne donner aucun médicament et ne pas changer le lait: ces mesures sont inefficaces.<br>• Avertir le parent si:<br>– vomissement en jet;<br>– diminution d'appétit;<br>– perte de poids;<br>– mauvais état général. |

## Saignements de nez (épistaxis)

| Ce qu'il faut savoir | Ce qu'il faut faire |
| --- | --- |
| • Fréquents si: les voies respiratoires supérieures sont infectées, l'air est sec ou l'enfant se met les doigts dans le nez.<br>• Peuvent survenir à répétition sans qu'il y ait de maladies particulières. | • Appliquer les mesures de précaution universelles décrites au chapitre 3.<br>• Faire asseoir l'enfant et comprimer l'aile du nez pendant 10 minutes environ. Ne pas faire pencher la tête vers l'arrière mais plutôt vers l'avant.<br>• Cette mesure est insuffisante et les saignements se reproduisent souvent: demander au parent de consulter un médecin.<br>• Règle générale: contrôler le niveau d'humidité. |

## Traumatisme buccodentaire[21]

Mal de dents à la suite d'une chute, d'un coup ou d'une blessure.

| Ce qu'il faut savoir | Ce qu'il faut faire |
| --- | --- |
| • Les blessures aux dents primaires sont plus fréquentes entre l'âge de 18 et 30 mois.<br>• Elles touchent 30 à 50 % des enfants d'âge préscolaire. | • Traumatisme sévère: aller immédiatement dans un service d'urgence médical ou dentaire.<br>• Blessures des tissus de soutien de la dent, de la langue et de la lèvre: nettoyer doucement avec un linge propre et sec. Pour arrêter le saignement, appliquer une pression directe sur la plaie. Pour prévenir l'enflure, appliquer des compresses d'eau glacée. |

21. B. Bousfiha, S. El Arabi et S. Msefer, *op. cit.*, note 18, p. 265-271;
R. Charland, L. Abelardo, L. Cudzinowski et P. Salvail, *op. cit.*, note 18, p. 251-255;
Régie régionale de la santé et des services sociaux de Montréal-Centre, *op. cit.*, note 18;
Santé Canada. *op. cit.*, note 18; et
A.Wandera, *op. cit.*, note 18, p. 54-59.

## Traumatisme buccodentaire (suite)

| Ce qu'il faut savoir | Ce qu'il faut faire |
|---|---|
| | • Dent primaire cassée, déplacée ou enfoncée: s'il y a lieu, récupérer les morceaux et aller immédiatement chez le dentiste.<br>• Dent délogée: la récupérer en la tenant par la partie habituellement visible dans la bouche (jamais par la racine).<br>• Ne pas la remettre en place mais la conserver dans un liquide comme un verre de lait froid ou d'eau. Se rendre immédiatement chez le dentiste. |

## Toux

Mécanisme de défense de l'organisme.

| Ce qu'il faut savoir | Ce qu'il faut faire |
|---|---|
| • Causes multiples et variées.<br>• Survient si: l'enfant s'étouffe, la gorge est irritée ou il y a irritation ou sécrétions au niveau des voies respiratoires.<br>• Permet à l'enfant d'éliminer les sécrétions et prévient la diffusion de l'infection des voies respiratoires (pneumonie). Mécanisme à respecter: éviter donc de l'éliminer complètement en utilisant un antitussif par exemple. Dérangeante pour les proches mais ne présente aucun risque pour l'enfant en temps normal. | • Humidifier la pièce (humidité froide).<br>• Vérifier s'il y a fièvre. Prendre la température au besoin. Appliquer le protocole pour l'administration d'acétaminophène si le parent l'a signé.<br>• Faire boire souvent pour empêcher les muqueuses de se dessécher et de s'irriter.<br>• S'inquiéter si: la toux s'accompagne de difficultés respiratoires (crise d'asthme, laryngite, etc.) ou présente une tonalité particulière comme une toux aboyante ou retentissante. Dans ce cas, prévenir le parent au plus tôt pour qu'il consulte un médecin. |

## Vomissements

Rejet d'aliments de façon projectile. Dans la régurgitation, le rejet est sans effort (voir aussi pages 130-131).

| Ce qu'il faut savoir | Ce qu'il faut faire |
|---|---|
| • Causes multiples: troubles du système digestif, intoxication alimentaire, infection, abus alimentaire et réaction psychologique.<br>• Toujours moins inquiétant si l'état général de l'enfant est bon. | **Vomissements et maladie :**<br>• L'enfant ne vomit qu'une ou deux fois: cesser le lait et les aliments solides pour 15 à 30 minutes et commencer à faire boire la solution d'hydratation, si le parent y a consenti par écrit[22].<br>• Informer le parent. |

22. *Règlement sur les services de garde éducatifs à l'enfance,* art. 116, alinéa 3.

## Vomissements (suite)

| Ce qu'il faut savoir | Ce qu'il faut faire |
|---|---|
| • Signes alarmants:<br>– Mauvais état général.<br>– Signes de déshydratation: somnolence, yeux cernés ou creusés, peu ou pas de salive et peu d'urine.<br>– Vomissement en jet chez un jeune bébé.<br>– Vomissement après un traumatisme crânien.<br>• Présence de sang et de mucus. | • Demander au parent de venir chercher l'enfant et de consulter un médecin si:<br>– l'enfant vomit fréquemment;<br>– il vomit et a d'autres symptômes:<br>– diarrhée, fièvre, nausées, douleur à l'estomac et maux de tête;<br>– les vomissements persistent plus de 6 heures.<br>**Vomissements et traumatisme crânien:**<br>• Aviser le parent et conduire à l'urgence sans délai tout enfant qui dans les 24 heures qui suivent un accident vomit plus de 2 fois ou vomit une fois et manifeste d'autres symptômes: somnolence, incoordination, troubles visuels ou convulsions.<br>• Aviser le parent et consulter sans délai si, après une accalmie, les vomissements se reproduisent dans les 48 heures qui suivent le coup à la tête.<br>**Vomissements et empoisonnement:**<br>• L'enfant a avalé un produit dangereux: téléphoner immédiatement au Centre antipoison du Québec (1 800 463-5060) pour vérifier les consignes à suivre: règles de premiers soins, urgence de la consultation médicale.<br>• Aviser le parent et, selon les indications du Centre antipoison du Québec, lui demander de venir chercher l'enfant ou le conduire immédiatement à l'urgence. S'assurer que le numéro du Centre antipoison du Québec figure sur la liste des numéros d'urgence et qu'il est à jour. |

## Allergies – de type courant

Une réaction allergique est une réponse inflammatoire à certaines substances de l'environnement. La réaction peut être cutanée ou respiratoire ou encore affecter tout l'organisme.

| Ce qu'il faut savoir | Ce qu'il faut faire |
| --- | --- |
| • Allergènes (substances qui causent l'allergie): herbes, arbres, piqûres d'insectes, médicaments, plantes, animaux, aliments, poussière, etc.<br>• L'enfant qui souffre d'allergies peut être plus vulnérable aux infections.<br>• Symptômes: yeux larmoyants, nez qui coule, gorge qui pique, respiration par la bouche, saignements de nez et réactions cutanées: rougeurs et démangeaisons varient selon l'âge de l'enfant et les saisons. | **Lors d'une crise:**<br>• Vérifier si l'enfant a été en contact avec une nouvelle substance.<br>• Éliminer dans la mesure du possible le contact avec la substance allergène.<br>• Contrôler l'environnement: passer l'aspirateur, garder un bon niveau d'humidité, laver la literie souvent, etc.<br>• Soulager, s'il y a lieu, la démangeaison ou la piqûre d'insecte avec les médicaments prescrits.<br>• Informer le parent et lui demander de consulter un médecin si la réaction se prolonge ou est intense. |

## Allergies – de type anaphylactique

Occasionnées par une piqûre d'abeille ou par la consommation d'un aliment qui entraîne une réaction du système immunitaire. La réaction peut être soudaine et avoir des conséquences graves; elle peut mettre la vie en danger. Cette violente réaction s'appelle le choc anaphylactique.

| Ce qu'il faut savoir | Ce qu'il faut faire |
| --- | --- |
| Certains aliments et les piqûres d'abeille ou de guêpe peuvent entraîner un choc anaphylactique dans les cas extrêmes. Aliments qui peuvent entraîner le plus souvent un choc anaphylactique: noix, arachides et beurre d'arachide, œufs, poisson ou crustacés, protéine bovine contenue dans le lait de vache, bœuf et veau.<br><br>Signaux d'alarme d'un choc anaphylactique: démangeaison ou enflure des lèvres, de la langue, de la figure ou de la bouche, constriction de la gorge, nausées et plaques rouges sur le corps. | **Prévention des allergies:**<br>• S'informer des allergies de l'enfant, lors de son inscription en milieu de garde.<br>• Éliminer les allergènes si possible.<br>• Conserver sous la main une liste des enfants allergiques et des produits auxquels ils sont sensibles. En remettre une copie à la cuisinière, s'il s'agit d'allergies alimentaires.<br>• Toujours avoir à la disposition du service de garde le médicament prescrit pour l'enfant allergique comme l'Épipen ou tout autre médicament.<br>• S'assurer que tous les adultes du service de garde sont capables de l'utiliser.<br>• Afficher, avec l'autorisation du parent, le nom des enfants allergiques et des substances allergènes. |

## Allergies – de type anaphylactique (suite)

| Ce qu'il faut savoir | Ce qu'il faut faire |
|---|---|
| Premiers signes de détresse respiratoire : dyspnée (difficulté à respirer), dysphagie (difficulté à avaler), voix rauque ou disparition de la voix, sifflement, état de choc et perte de connaissance.<br><br>Symptômes : ne se présentent pas toujours dans le même ordre, ne sont pas nécessairement tous présents et peuvent s'associer en plusieurs combinaisons. Réaction non traitée : la mort peut survenir quelques minutes après l'apparition des premiers symptômes. Retour des symptômes : les symptômes disparus après un premier traitement peuvent réapparaître jusqu'à huit heures après l'exposition à la substance allergène.<br><br>Voir section sur choc anaphylactique au premier chapitre. | **En cas de réaction anaphylactique :**<br>• Coucher l'enfant et élever ses membres inférieurs.<br>• Obtenir l'aide d'un autre adulte.<br>• Appeler le service ambulancier d'urgence.<br>• Administrer dans les plus brefs délais l'adrénaline ou autre médicament prescrit.<br>• Surveiller la respiration et le pouls.<br>• Commencer la réanimation au besoin.<br>• Faire transporter l'enfant en ambulance au centre hospitalier le plus près.<br>• Aviser le parent. |

## Asthme

Maladie chronique des voies respiratoires, surtout des bronches.

| Ce qu'il faut savoir | Ce qu'il faut faire |
|---|---|
| • Crises récurrentes de respiration sifflante, de toux et d'essoufflement.<br>• Facteurs de déclenchement : infection respiratoire (rhume), activité physique, allergie ou stress.<br>• Condition chronique : peut exiger de prendre des médicaments tous les jours.<br>• Condition aiguë : peut aussi exiger de prendre un médicament, habituellement sous forme d'inhalation (pompe). | • Donner immédiatement le médicament prescrit pour une crise.<br>• Assurer une surveillance constante.<br>• Calmer l'enfant, le réconforter et l'aider à trouver une position confortable.<br>• La crise est aiguë ou l'état de l'enfant se détériore : consulter le parent et lui demander de venir chercher l'enfant.<br>• La crise semble sous contrôle : permettre à l'enfant de participer à des activités calmes, s'il le désire. La présence des autres enfants peut l'aider émotivement. |

## Diabète[23]

Affection qui survient quand le pancréas ne produit pas assez d'insuline.

| Ce qu'il faut savoir | Ce qu'il faut faire |
|---|---|
| • Symptômes: urine, soif, faim et perte de poids excessive.<br>• Le taux de glucose dans le sang doit être surveillé.<br>• Médicament ou injection d'insuline tous les jours.<br>• Demande un régime alimentaire suivi.<br>• Connaître les symptômes de l'hypoglycémie (faible taux de sucre dans le sang) et de l'hyperglycémie (taux élevé de sucre dans le sang).<br>• Voir le CLSC ou la clinique spécialisée qui suit l'enfant pour obtenir renseignements et formation sur cette maladie. | • Appliquer la diète prescrite.<br>• Donner les collations à des heures fixes. En prévoir davantage les jours où l'enfant dépense beaucoup d'énergie et quand il y a sortie dans un lieu éloigné.<br>• Partager quotidiennement l'information avec le parent.<br>• Toujours garder du sucre ou du jus sucré au cas où l'enfant ferait une crise d'hypoglycémie. |

## Eczéma

Maladie de la peau parfois associée à des allergies et à l'asthme.
Affection de longue durée.

| Ce qu'il faut savoir | Ce qu'il faut faire |
|---|---|
| **Fortes démangeaisons**<br>L'éruption peut apparaître sur tout le corps, surtout sur les joues et les mains, derrière les genoux et aux coudes. S'accentue avec des grattements répétés.<br>Certaines conditions peuvent augmenter les symptômes: aliment, savon et peau sèche. | Donner les médicaments prescrits et suivre les précautions alimentaires, s'il y a lieu.<br>Aider le parent à découvrir les allergènes qui peuvent y être associés.<br>Demander au parent un savon hypoallergique si le médecin l'a prescrit. |

## Épilepsie (crise d')

Crise tonico-clonique généralisée, autrefois appelée grand mal. Pertes de connaissance répétées accompagnées de spasmes musculaires involontaires. Durée: quelques minutes.

| Ce qu'il faut savoir | Ce qu'il faut faire |
|---|---|
| • Symptômes: chute, écume à la bouche, raidissement du corps, secousses par | **Crise de grand mal:**<br>• Demander l'aide d'un autre adulte.<br>• Rester calme, ne jamais laisser l'enfant seul. |

23. Société canadienne de pédiatrie, *op. cit.*, note 5, p. 264-269.

Plusieurs renseignements sur le diabète ont aussi été tirés des protocoles d'intervention d'Info-Santé CLSC de juin 1999.

## Épilepsie (crise d') (suite)

| Ce qu'il faut savoir | Ce qu'il faut faire |
|---|---|
| saccades, mouvements incontrôlés, évanouissement, perte d'urine et morsure de la langue.<br>• Après la crise, l'enfant sommeille pendant un certain temps.<br>• Une personne ne peut pas avaler sa langue. | • Ne rien donner à boire pendant la convulsion.<br>• Écarter de l'enfant tout objet dur ou tranchant susceptible de le blesser.<br>• Ne pas chercher à retenir l'enfant. Ne rien mettre dans sa bouche.<br>• Éloigner les autres enfants et les rassurer.<br>• La convulsion s'atténue: retourner l'enfant sur le côté en position de recouvrement et surveiller sa respiration.<br>• Avertir le parent immédiatement. S'il s'agit d'une première crise, lui demander d'amener l'enfant à l'urgence.<br>• Si la crise dure plus de 5 minutes: appeler les services ambulanciers d'urgence.<br>• Donner les médicaments prescrits de façon très régulière. |

## Épileptique (absence)

Forme de l'épilepsie sans perte de connaissance, autrefois appelée petit mal; l'absence ne dure que quelques secondes. Il peut y avoir plusieurs crises dans une même journée.

| Ce qu'il faut savoir | Ce qu'il faut faire |
|---|---|
| Symptômes: l'enfant paraît sans expression et dépourvu d'intérêt comme s'il rêvassait, mais on ne peut le sortir de sa rêverie[24]. | **Si l'enfant présente ces symptômes:**<br>• Avertir le parent.<br>• Observer l'enfant et noter les épisodes: date, heure, durée, fréquence et description.<br>• Demander au parent de consulter un médecin pour évaluation. |

## Fibrose kystique du pancréas

Maladie héréditaire des glandes muqueuses.

| Ce qu'il faut savoir | Ce qu'il faut faire |
|---|---|
| • Entraîne des problèmes de digestion, de respiration et de transpiration.<br>• Symptômes: toux chronique, difficulté à respirer, fatigue, selles nauséabondes et flottantes et difficulté à prendre du poids.<br>• Infections respiratoires fréquentes.<br>• Mauvaise absorption des aliments à cause d'une déficience des enzymes. | • Donner les médicaments prescrits et respecter la diète: elle peut être riche en gras et en sel.<br>• Collaborer étroitement avec le parent.<br>• Consulter, avec l'accord du parent, le CLSC ou la clinique spécialisée fréquentée par l'enfant: cela permet d'assurer un bon régime de vie à l'enfant et d'obtenir une formation sur la manière d'intervenir. |

24. Société canadienne de pédiatrie, *op. cit.*, note 5, p. 279-283.

## Généralités sur les maladies infectieuses[25]

### Amygdalite (voir Pharyngite)

### Conjonctivite

Infection de l'œil, souvent causée par un virus ou une bactérie.

| Ce qu'il faut savoir | Ce qu'il faut faire |
|---|---|
| • Symptômes: rougeur, gonflement des paupières et écoulement jaunâtre.<br>• Accompagne souvent un rhume ou toute autre infection des voies respiratoires supérieures.<br>• Période d'incubation: 12 heures à 3 jours.<br>• Période de contagiosité: les premiers jours, surtout au moment de l'écoulement.<br>• Traitement: onguent ou gouttes ophtalmiques, et parfois antibiotiques pris par la bouche.<br>• Très contagieuse: exige des précautions d'hygiène strictes; surtout bien laver les mains. | • Nettoyer les sécrétions avec un papier mouchoir ou un tampon d'ouate trempé dans de l'eau bouillie refroidie. Nettoyer de l'intérieur vers l'extérieur afin de ne pas répandre l'infection.<br>• Utiliser un papier mouchoir par œil et par enfant.<br>• Répéter l'opération aussi souvent que nécessaire.<br>• Se laver les mains avant le traitement et après.<br>• Prévenir le parent.<br>• Si le problème persiste ou si quelques enfants en sont atteints, demander aux parents de consulter un médecin.<br>• Éviter d'exclure l'enfant, sauf dans un contexte épidémique et dans le cas de conjonctivite purulente. Peut réintégrer le service de garde 24 heures après le début du traitement.<br>• 3 cas ou plus: aviser les parents et le CLSC. |

### Coqueluche

Maladie contagieuse caractérisée par des quintes de toux.
**Maladie évitable par la vaccination. Maladie à déclaration obligatoire.**

| Ce qu'il faut savoir | Ce qu'il faut faire |
|---|---|
| • Symptômes: quintes de toux incontrôlables; à l'inspiration, sifflements qui rappellent le chant du coq; toux qui se termine par des vomissements; écoulement nasal et yeux rouges.<br>• Période d'incubation: 7 à 21 jours.<br>• Contagiosité si traitée: jusqu'à 5 jours après le début du traitement. Si non traitée: jusqu'à 3 semaines après le début des quintes de toux. | • Même s'il n'y a qu'un seul cas, aviser le CLSC le plus tôt possible. Des mesures supplémentaires peuvent être prescrites par le CLSC.<br>• **Exclure** l'enfant dès que le diagnostic est posé et jusqu'à la fin de la période de contagiosité.<br>• Vérifier l'état immunitaire des enfants (maladie naturelle ou vaccination) et diriger les personnes non vaccinées au CLSC pour vaccination.<br>• Aviser tous les parents. |

25. Tous les renseignements sur les maladies infectieuses proviennent de deux outils: Comité provincial des maladies infectieuses en services de garde, *op. cit.*, note 2; et Comité de prévention des infections dans les centres de la petite enfance, *op. cit.*, note 14.

## Coqueluche (suite)

| Ce qu'il faut savoir | Ce qu'il faut faire |
|---|---|
| • Durée de la maladie : 1 à 3 mois.<br>• Mode de transmission : par contact avec des gouttelettes présentes dans l'air et provenant du nez et de la gorge des personnes infectées.<br>• Complications : otite, pneumonie, convulsions, coloration bleuâtre des lèvres et du visage et arrêt respiratoire. | |

## Cytomégalovirus (infection à)

Infection virale fréquente chez l'humain.
Peut être particulièrement sévère pour le fœtus.

| Ce qu'il faut savoir | Ce qu'il faut faire |
|---|---|
| • Symptômes : le plus souvent asymptomatique. Si contractée pendant la grossesse, peut entraîner des conséquences chez le fœtus : surdité et retard mental.<br>• Mode de transmission : de la mère à l'enfant pendant la grossesse, à l'accouchement ou par le lait maternel contaminé ; de personne à personne, par l'urine ou la salive.<br>• Période d'incubation : inconnue.<br>• Période de contagiosité : de plusieurs mois à plusieurs années si l'infection est congénitale. | • Aucun traitement, sauf pour les personnes immunosuppressives.<br>• Évaluer la nécessité du retrait préventif de l'éducatrice enceinte.<br>• S'assurer de bien appliquer les mesures d'hygiène recommandées.<br>• Renforcer le nettoyage des surfaces et des jouets en contact avec l'urine ou la salive. |

## Érythème infectieux ou cinquième maladie

Maladie virale bénigne avec éruption cutanée.
Touche surtout les enfants de plus de 5 ans.

**Ce qu'il faut savoir**

- Évolution: du visage (joues rougies) vers le tronc et les membres. Éruption intensifiée par le soleil et la chaleur. Parfois de la fièvre. Asymptomatique dans 25 % des cas.
- Complications: peu fréquentes. L'infection pendant la grossesse peut avoir des conséquences néfastes pour le fœtus.
- Mode de transmission: par inhalation de gouttelettes ou par contact avec les sécrétions respiratoires; par contact avec des objets ou des mains contaminés; de la mère à l'enfant durant la grossesse.
- Période d'incubation: en général, de 4 à 14 jours, mais peut se prolonger jusqu'à 28 jours.
- Période de contagiosité: en général, 1 à 3 jours avant l'apparition de l'éruption. Se termine en général au moment de l'éruption.
- Durée de la maladie: jusqu'à 3 semaines ou plus.

**Ce qu'il faut faire**

- Aucun traitement spécifique.
- Repos.
- Faire voir l'enfant par un médecin pour confirmer le diagnostic.
- Une femme enceinte qui a été en contact avec cette maladie doit consulter son médecin.

## Gale

Infection cutanée causée par un parasite qui dépose ses œufs sous la peau et y laisse ses déjections.

| Ce qu'il faut savoir | Ce qu'il faut faire |
|---|---|
| • Symptômes: démangeaisons intenses surtout la nuit; petites bosses, sillons rougeâtres et lésions de grattage.<br>• Période d'incubation: de quelques jours jusqu'à 43 jours avant le début de la démangeaison.<br>• Mode de transmission: par contact cutané prolongé (peau à peau) avec la personne infectée; rarement, par contact avec des vêtements ou de la literie contaminés.<br>• Contagiosité: jusqu'à destruction des parasites et de leurs œufs par un traitement efficace.<br>• Durée de la maladie: tant qu'il n'y a pas de traitement efficace.<br>• Traitement: traiter en même temps tous les membres d'une même famille. Une seule application (crème) suffit habituellement. Les démangeaisons peuvent persister pendant plusieurs semaines après un traitement efficace.<br>• Complications: aucune. | • Demander une évaluation de la situation au service des maladies infectieuses de la DSP ou au CLSC et suivre leurs recommandations.<br>• Exclure l'enfant tant qu'il n'est pas traité. Une fois traité, l'enfant peut réintégrer.<br>• Appliquer rigoureusement les mesures d'hygiène de base.<br>• Surveiller l'apparition de nouveaux cas jusqu'à 8 semaines après le dernier cas.<br>• Laver les effets personnels (literie et vêtements) à l'eau très chaude ou isoler pendant 4 jours les objets non lavables dans un sac de plastique. |

## Gastro-entérite

Diarrhée pouvant être causée par divers agents infectieux (voir aussi pages 128-131).

**Ce qu'il faut savoir**

- Symptômes: selles liquides et habituellement plus fréquentes, nausées et vomissements, pas de fièvre ou fièvre modérée et douleurs abdominales.
- Période d'incubation: variable.
- Contagiosité: oui, pendant la phase aiguë de la maladie. Si la diarrhée survient chez un enfant qui ne contrôle pas encore ses sphincters, les risques de contagion sont plus grands pour les autres enfants.
- Durée de la maladie: très variable selon le germe en cause; habituellement moins d'une semaine.
- Mode de transmission: eau, selles et aliments.
- Complications: déshydratation chez les jeunes enfants et irritation des fesses et des organes génitaux.

**Ce qu'il faut faire**

- Si plusieurs enfants présentent les mêmes symptômes, aviser le CLSC et suivre ses recommandations.
- Faire boire souvent et peu à la fois (voir Diarrhée).
- Si la maladie dure plus de 48 heures ou si l'enfant manifeste des signes de déshydratation, demander au parent de consulter un médecin.
- Exclure l'enfant jusqu'à la disparition de la diarrhée.
- Renforcer les mesures d'hygiène et de désinfection.
- Informer les parents.

## Giardiase

Maladie gastro-intestinale causée par un parasite. Fréquente en services de garde surtout chez les enfants aux couches, en particulier les trottineurs de 13 à 30 mois. **Maladie à déclaration obligatoire.**

| Ce qu'il faut savoir | Ce qu'il faut faire |
|---|---|
| • Symptômes: diarrhée, douleurs abdominales, nausées, gaz intestinaux et selles fréquentes, pâles, graisseuses ou malodorantes. Difficulté à prendre du poids. Souvent aucun symptôme.<br>• Période d'incubation: 7 à 28 jours.<br>• Contagiosité: aussi longtemps que la personne infestée élimine le parasite dans ses selles.<br>• Durée de la maladie: l'expulsion du parasite peut persister plusieurs mois.<br>• Complications: déshydratation chez les jeunes enfants.<br>• Traitement: ordonnance médicale d'anti-parasitaire.<br>• La maladie peut durer longtemps si non traitée. | • Aviser le CLSC et suivre ses recommandations.<br>• Appliquer les mêmes mesures que dans les cas de diarrhée ou de gastro-entérite.<br>• Informer le parent et lui dire qu'il doit consulter un médecin si son enfant présente des symptômes.<br>• **Exclure** l'enfant symptomatique non traité. Ne pas exclure l'enfant si traitement en cours.<br>• Renforcer les mesures d'hygiène et de désinfection. |





## Grippe (influenza)

Infection des voies respiratoires supérieures causée par le virus de l'influenza. Rhume: voir rubrique «maladies et malaises courants».

| Ce qu'il faut savoir | Ce qu'il faut faire |
|---|---|
| • Symptômes: forte fièvre, frissons, maux de tête, maux de gorge, douleurs musculaires, fatigue, épuisement, écoulement nasal, toux et perte d'appétit. Rhume banal: habituellement les mêmes symptômes mais moins sévères.<br>• Période d'incubation: 1 à 3 jours.<br>• Contagiosité: 2 à 7 jours.<br>• Mode de transmission: par contact avec des gouttelettes provenant du nez et de la gorge des personnes infectées et par contact avec des objets contaminés.<br>• Complications: otite, bronchite et pneumonie. | • Bien aérer et humidifier les pièces.<br>• Surveiller la fièvre et appliquer le protocole sur l'administration de l'acétaminophène si le parent l'a signé.<br>• Ne pas administrer d'aspirine (ou acide acétylsalicylique) aux enfants grippés.<br>• Habituer l'enfant à se couvrir le nez et la bouche lorsqu'il éternue ou tousse et lui apprendre à se moucher.<br>• Utiliser des mouchoirs de papier et les jeter immédiatement après usage.<br>• Renforcer les mesures d'hygiène et de désinfection, entre autres, le lavage fréquent des mains.<br>• Donner les médicaments prescrits et autorisés par le parent, s'il y a lieu.<br>• **Ne pas exclure** l'enfant sauf s'il fait une forte fièvre et ne peut suivre les activités régulières du service de garde. |

## Hépatite A

Infection causée par un virus qui s'attaque au foie. Maladie connue sous le nom de jaunisse. Rarement symptomatique chez l'enfant. La plupart des enfants d'âge préscolaire ont peu de symptômes et la maladie est bénigne, mais elle est plus sérieuse chez les adultes. **Maladie à déclaration obligatoire.**

**Ce qu'il faut savoir**

- Symptômes : passe souvent inaperçue chez l'enfant. Fièvre, fatigue, nausées, vomissements, perte d'appétit, douleurs abdominales, selles décolorées, urines brunâtres, peau et blanc de l'œil jaunes.
- Période d'incubation : 14 à 42 jours.
- Contagiosité : environ 2 semaines avant l'apparition de la jaunisse et jusqu'à 1 semaine après. L'enfant peut transmettre la maladie même s'il n'a pas de symptômes.
- Durée de la maladie : 4 à 6 semaines ; rarement, quelques mois.
- Mode de transmission : fécal-oral (des selles aux mains... à la bouche).
- Complications : dommages hépatiques chroniques.

**Ce qu'il faut faire**

- Aviser le CLSC. Dans certains cas, un produit immunisant peut être indiqué pour les autres enfants et le personnel.
- **Exclure** l'enfant jusqu'à une semaine après le début de la maladie.
- Considérer que la convalescence dure quelques semaines. La fatigue peut persister quelques mois.
- Renforcer les mesures d'hygiène et de désinfection, en particulier le lavage des mains.

## Hépatite B

Infection du foie causée par le virus de l'hépatite B.
**Maladie à déclaration obligatoire.**

| Ce qu'il faut savoir | Ce qu'il faut faire |
| --- | --- |
| • Symptômes: aucun chez la moitié des personnes atteintes. Si symptômes: jaunisse souvent accompagnée de fièvre, nausées, malaises abdominaux et parfois vomissements et diarrhée.<br>• Période d'incubation: de 6 semaines à 6 mois. Virus peut survivre jusqu'à une semaine sur les surfaces.<br>• Contagiosité: tant que le virus est présent dans le sang et les sécrétions, de 3 à 6 mois habituellement. Toutefois, une personne sur 10 demeure porteuse du virus pour une période de plus de 6 mois et parfois pour la vie.<br>• Le porteur chronique est généralement en bonne santé, mais risque davantage de développer une maladie chronique du foie (cirrhose et cancer) et il peut transmettre le virus aux autres personnes.<br>• Mode de transmission: le virus se retrouve principalement dans le sang, les sécrétions vaginales et le sperme. Les autres liquides biologiques (vomissements, urines et selles) sont considérés comme infectieux seulement s'ils sont visiblement teintés de sang. Ce virus est principalement une maladie d'adulte transmise sexuellement ou par partage d'aiguilles infectées chez les utilisateurs de drogues par injection. | • Appliquer les mesures de précaution universelles s'il y a exposition à du sang. Voir mesures expliquées au chapitre précédent.<br>• Renforcer les mesures d'hygiène, y compris le nettoyage des jouets.<br>• S'assurer de prendre les mesures nécessaires pour éviter le partage des brosses à dents.<br>• Informer le CLSC qui évaluera la nécessité de vacciner les enfants et le personnel contre l'hépatite B si un enfant infecté présente des lésions suintantes ou un comportement agressif (morsure).<br>• **Ne pas exclure** l'enfant. |

## Hépatite B (suite)

### Ce qu'il faut savoir

- Un enfant infecté par le virus de l'hépatite B ne représente pas un risque de transmission du virus aux autres enfants par les contacts de la vie courante (boire dans le même verre, donner une accolade, partager les jeux, utiliser le même siège de toilette.) Le virus ne se transmet pas par contact avec les aliments, la toux, les éternuements, les larmes, l'urine et les selles. La salive est considérée comme infectieuse dans les cas de morsure avec bris de peau, si l'enfant infecté au virus de l'hépatite B a du sang dans la bouche.
- En services de garde, le seul liquide biologique avec lequel il faut prendre des précautions est le sang. Le risque de transmission par le partage des brosses à dents est très faible. Il se trouve augmenté si le partage est répété, mais il peut être éliminé en évitant le partage et le contact entre les brosses à dents.
- Vaccination existante.

## Herpès

Infection de la bouche («feu sauvage») causée par un virus. On la reconnaît aux ulcères sur les lèvres et parfois dans la bouche et au fond de la gorge ou sur les gencives.

| Ce qu'il faut savoir | Ce qu'il faut faire |
|---|---|
| • Symptômes: pas de symptôme la plupart du temps, sauf les ulcères; peut être accompagné de fièvre et d'irritabilité et de difficulté à s'alimenter.<br>• Période d'incubation: 2 à 12 jours.<br>• Contagiosité: surtout pendant les symptômes, soit environ 7 jours.<br>• Mode de transmission: par contact direct avec les lésions ou la salive d'une personne infectée. | • Donner une diète froide et molle si l'enfant a des ulcères douloureux dans la bouche.<br>• Éviter de toucher les lésions.<br>• Éviter les contacts entre une personne qui a des lésions et les nouveau-nés.<br>• **Exclure**: seulement si présence de lésions étendues.<br>• Intensifier les lavages de mains après chaque contact avec les lésions; éviter d'embrasser les enfants, plus particulièrement les poupons.<br>• Renforcer les mesures d'hygiène et de désinfection.<br>• Maintenir une bonne hygiène dentaire.<br>• Rincer la bouche ou appliquer localement de l'eau bicarbonatée pour soulager et nettoyer: 2,5 ml (1/2 c. à thé) de bicarbonate de soude ajouté à 250 ml (1/2 tasse) d'eau bouillie pendant 5 minutes et refroidie. |

## Impétigo

Maladie de la peau causée par une bactérie, reconnaissable par des lésions sur la peau; fréquente chez le jeune enfant.

| Ce qu'il faut savoir | Ce qu'il faut faire |
|---|---|
| • Symptômes: lésions cutanées purulentes et croûteuses surtout au visage (nez, bouche, arrière des oreilles); rarement accompagnées de fièvre et de malaises généraux.<br>• Période d'incubation: de 1 à 10 jours.<br>• Période de contagiosité: de 24 à 48 heures après le début des antibiotiques ou jusqu'à ce que les lésions soient croûteuses, s'il y a traitement local (onguent).<br>• Durée de la maladie: rarement plus de 10 jours.<br>• Mode de transmission: contact direct avec les lésions cutanées ou des gouttelettes issues du nez et de la gorge de personnes infectées ou par des jouets contaminés.<br>• Traitement: antibiotiques par la bouche ou onguent antibiotique. | • Aviser le CLSC si plusieurs cas.<br>• Informer tous les parents.<br>• Demander une consultation médicale pour tout cas suspect.<br>• Demander qu'on coupe les ongles de l'enfant pour éviter qu'il se gratte.<br>• Nettoyer la peau avec une eau savonneuse. Sécher, puis appliquer, s'il y a lieu, les antibiotiques prescrits et autorisés par le parent.<br>• Panser les lésions si possible.<br>• Intensifier les lavages des mains et s'assurer que les débarbouillettes utilisées sont désinfectées après chaque usage.<br>• **Exclure**: oui, au moins 24 heures si l'enfant reçoit un traitement antibiotique par la bouche, si les lésions sont étendues et suintantes ou s'il y a plusieurs personnes présentant de l'impétigo dans le même groupe.<br>• Exclure jusqu'à la guérison des lésions, si l'on refuse le traitement. |

## Laryngite (faux croup)

Inflammation du larynx qui rend la respiration difficile.

| Ce qu'il faut savoir | Ce qu'il faut faire |
|---|---|
| • Symptômes: toux aboyante, respiration difficile et bruyante, surtout à l'inspiration; fièvre possible; voix rauque.<br>• Période d'incubation: de 1 à 10 jours.<br>• Contagiosité: variable; peut durer jusqu'à 2 ou 3 semaines.<br>• Mode de transmission: contact avec les sécrétions du nez et de la gorge de la personne infectée, respiration, éternuement, toux ou contact direct (baiser). | • Communiquer avec le parent immédiatement.<br>• Placer l'enfant devant un vaporisateur à air froid; le résultat est souvent immédiat.<br>• Sinon, conduire l'enfant dans une salle de bain et faire couler l'eau chaude de la douche. Placer l'enfant le plus près possible de la buée; attention aux brûlures.<br>• Ouvrir une fenêtre ou sortir l'enfant dehors; l'air frais peut aider.<br>• S'il n'y a pas de résultat, conduire l'enfant à l'urgence ou le faire examiner par un médecin.<br>• **Ne pas exclure:** l'enfant s'il peut participer aux activités régulières du service de garde. |

## Méningite virale

Inflammation des enveloppes du cerveau, causée par divers types de virus.
Fréquente l'été et l'automne.
**Maladie à déclaration obligatoire.**

| Ce qu'il faut savoir | Ce qu'il faut faire |
|---|---|
| Début soudain avec fièvre, maux de tête et raideur de la nuque. Présence possible de symptômes respiratoires ou gastro-intestinaux et d'éruptions cutanées.<br>• Mode de transmission: ingestion involontaire du virus issu d'une personne infectée, lors du contact avec les mains ou des jouets contaminés.<br>• Période d'incubation: de 3 à 6 jours.<br>• Période de contagiosité: même si le virus est excrété dans les selles pendant plusieurs semaines, la méningite se présente très rarement chez les personnes avec qui l'enfant a eu des contacts.<br>• Durée: rarement plus de 10 jours. | • Aucun traitement.<br>• Réintégrer dès que l'enfant peut suivre les activités du groupe.<br>• Informer les parents. |

## Oreillons

Maladie contagieuse qui affecte les glandes salivaires.
**Maladie évitable par la vaccination.**
**Maladie à déclaration obligatoire.**

| Ce qu'il faut savoir | Ce qu'il faut faire |
|---|---|
| • Symptômes : enflure des glandes salivaires situées devant et sous les oreilles, accompagnée de fièvre modérée, de maux de tête et d'oreilles.<br>• Période d'incubation : de 16 à 25 jours.<br>• Contagiosité : de 7 jours avant à 9 jours après le gonflement des glandes salivaires.<br>• Durée de la maladie : de 3 à 10 jours.<br>• Mode de transmission : contact direct avec la salive ou avec des gouttelettes dans l'air, provenant de la salive de personnes infectées. | • Aviser le CLSC.<br>• **Exclure :** jusqu'à la disparition du gonflement (environ 9 jours).<br>• Vérifier l'état immunitaire des enfants et du personnel qui a eu la maladie ou qui a été immunisé contre elle. Recommander l'immunisation des enfants non vaccinés.<br>• Informer les parents des cas connus.<br>• Suivre les recommandations du CLSC.<br>• Augmenter les mesures d'hygiène et de désinfection. |

## Oxyurose

Infestation de l'intestin causée par un parasite (ver).

| Ce qu'il faut savoir | Ce qu'il faut faire |
|---|---|
| • Symptômes : démangeaisons au niveau de l'anus ; irritabilité ; sommeil agité.<br>• Période d'incubation : de 2 à 6 semaines.<br>• Contagiosité : aussi longtemps que le ver femelle dépose ses œufs dans la région de l'anus.<br>• Durée de la maladie : tant qu'il n'y a pas de traitement efficace.<br>• Mode de transmission : contact direct (anus – mains – bouche) ou indirect (anus – vêtements – mains – bouche ; anus – mains – aliments – bouche).<br>• Traitement : médicament prescrit à prendre par la bouche. | • Aviser le CLSC, en présence de quelques cas.<br>• Demander que l'enfant soit vu par un médecin.<br>• **Ne pas exclure.**<br>• Administrer les médicaments prescrits.<br>• Faire couper les ongles des enfants.<br>• Augmenter les mesures d'hygiène et de désinfection. |

## Pédiculose (poux)

Infestation par de petits parasites (poux) vivant sur le cuir chevelu ou près de celui-ci et causant des démangeaisons. Les poux ne transmettent pas de maladie.

**Ce qu'il faut savoir**

- Symptômes: démangeaisons intenses; présence de lentes (petits points blanchâtres semblables à des pellicules) qui restent collées aux cheveux près de la racine; surtout situées aux endroits les plus chauds près du cuir chevelu (derrière les oreilles et à la nuque).
- Période d'incubation: environ 10 jours.
- Contagiosité: jusqu'à destruction des poux vivants et de leurs œufs dans les cheveux et les vêtements par un traitement efficace.
- Durée de la maladie: tant qu'il n'y a pas de traitement efficace; le pou adulte ne survit pas plus de 24 heures en dehors du corps humain.
- Mode de transmission: principalement par contact direct (tête à tête) avec une personne infectée; moins souvent par ses vêtements (chapeaux, tuques).
- Complication: surinfection due au grattage.

**Ce qu'il faut faire**

- Informer tous les parents.
- Traiter tous les cas le même jour en utilisant adéquatement un shampooing efficace contre les poux. Ne pas faire plus de 2 traitements. Conseiller aux parents de consulter le pharmacien.
- Obtenir la collaboration des parents; au besoin, le CLSC peut fournir de la documentation sur le sujet ou fournir d'autres recommandations, si le problème persiste.
- **Exclure:** jusqu'à la première application du traitement.
- Traitement: 2 applications de shampooing avec un intervalle de 7 jours entre les 2 applications. Le traitement préventif des personnes non infectées n'est pas recommandé.

## Pharyngite et amygdalite virales

Infections de la gorge causées par un virus (90 % des amygdalites et des pharyngites sont causées par un virus).

**Ce qu'il faut savoir**

- Symptômes: fièvre souvent élevée; maux de gorge, ganglions (bosses dans le cou); maux de tête; parfois nausées et vomissements.
- Période d'incubation: de 1 à 5 jours.
- Contagiosité: tant que durent les symptômes.
- Durée de la maladie: rarement plus de 15 jours.

**Ce qu'il faut faire**

- Demander au parent de consulter un médecin pour vérifier le microbe en cause. Dans certains cas, une culture de gorge sera nécessaire pour confirmer une infection virale ou bactérienne (dans les cas d'infections bactériennes, un antibiotique est prescrit).
- **Ne pas exclure:** sauf en cas de forte fièvre ou si l'enfant ne peut participer aux activités normales du service de garde.
- Faire boire beaucoup et offrir à l'enfant une diète molle et froide.

## Pharyngite et amygdalite virales (suite)

| Ce qu'il faut savoir | Ce qu'il faut faire |
|---|---|
| • Mode de transmission: contact direct avec des gouttelettes issues du nez et de la gorge des personnes infectées ou porteuses du germe.<br>• Traitement: les antibiotiques ne sont d'aucune utilité si l'infection est causée par un virus. | • Appliquer les mesures d'hygiène et de désinfection. |

## Pharyngite et amygdalite à streptocoque et scarlatine

Infection de la gorge causée par des bactéries appelées streptocoques.
**Si une éruption cutanée s'ajoute à la pharyngite, il s'agit d'une scarlatine.**
**Maladie à déclaration obligatoire, pour la scarlatine seulement.**

| Ce qu'il faut savoir | Ce qu'il faut faire |
|---|---|
| • Symptômes: fièvre souvent élevée; maux de tête; parfois nausées et vomissements; ganglions (bosses dans le cou) dans les cas de pharyngite et d'amygdalite; dans les cas de scarlatine: langue framboisée; éruptions apparaissant rapidement dans le cou et sur la poitrine, l'abdomen et la face interne des cuisses; n'atteignent pas le visage.<br>• Période d'incubation: de 1 à 5 jours.<br>• Contagiosité: jusqu'à 24 heures après le début du traitement antibiotique. Si non traitée, de 10 à 21 jours.<br>• Durée de la maladie: rarement plus de 7 jours.<br>• Mode de transmission: contact direct avec des gouttelettes issues du nez et de la gorge des personnes infectées ou porteuses du germe. | • Aviser le CLSC et suivre ses recommandations.<br>• Informer les parents de tous les enfants.<br>• **Exclure**: jusqu'à 24 heures après le début du traitement antibiotique et jusqu'à ce que l'enfant soit capable de suivre les activités du service de garde.<br>• Aviser sans délai le CLSC s'il y a refus de traitement.<br>• Faire boire beaucoup et donner à l'enfant une diète molle et froide.<br>• Informer tous les parents.<br>• Si les personnes en contact avec la maladie présentent des symptômes, diriger vers le CLSC pour culture de la gorge.<br>• Appliquer rigoureusement les mesures d'hygiène et de désinfection.<br>• Traitement: antibiotique par la bouche. |

## Rhume

Infection des voies respiratoires supérieures causée par un virus.

| Ce qu'il faut savoir | Ce qu'il faut faire |
|---|---|
| • Symptômes: écoulement nasal, larmoiement, irritation de la gorge, frissons, fièvre (rarement).<br>• Contagiosité: jusqu'à 5 jours après le début des symptômes.<br>• Mode de transmission: contact direct avec des gouttelettes issues du nez et de la gorge des personnes infectées.<br>• Complications: otite, bronchite, pneumonie. | • Bien aérer et humidifier les pièces.<br>• Vérifier s'il y a de la fièvre. Prendre la température et, au besoin, appliquer le protocole sur l'acétaminophène si le parent l'a signé.<br>• Apprendre à l'enfant à se moucher et à couvrir le nez et la bouche quand il tousse ou éternue.<br>• Laver les mains de l'enfant qui a toussé, éternué ou qui s'est mouché.<br>• Utiliser des mouchoirs de papier et les jeter immédiatement.<br>• Donner les médicaments prescrits s'il y a lieu.<br>• **Ne pas exclure:** sauf si l'enfant fait de la fièvre et ne peut participer aux activités. |

## Roséole

Éruption cutanée qui apparaît en petites taches parsemant tout le corps, mais si fugaces qu'elles peuvent passer inaperçues. Maladie bénigne, peu contagieuse.

| Ce qu'il faut savoir | Ce qu'il faut faire |
|---|---|
| • Symptômes: fièvre élevée inexplicable qui dure de 3 à 5 jours environ; bon état général malgré la fièvre; l'éruption cutanée (rougeurs) au visage et sur le corps apparaît à la chute de la fièvre. Une fois l'éruption apparue, l'enfant est à peu près guéri.<br>• Période d'incubation: de 5 à 15 jours.<br>• Contagiosité: peu connue.<br>• Durée des symptômes: environ 7 jours.<br>• Mode de transmission: inconnu; atteint les enfants âgés de moins de 4 ans, surtout au printemps. | • Aucune action spécifique.<br>• Informer les autres parents de l'existence d'un ou de plusieurs cas.<br>• **Ne pas exclure.** |

## Rougeole

Maladie virale très contagieuse avec fièvre, écoulement nasal et éruption de taches rouges sur la peau.
**Maladie évitable par la vaccination.**
**Maladie à déclaration obligatoire.**

| Ce qu'il faut savoir | Ce qu'il faut faire |
| --- | --- |
| • Symptômes: fièvre élevée; écoulement nasal; rougeur et sensibilité des yeux à la lumière; éruption (rougeurs) apparaissant au visage et progressant vers le tronc et les membres; toux.<br>• Période d'incubation: de 8 à 12 jours.<br>• Contagiosité: de 3 à 5 jours avant et jusqu'à 4 jours après le début de l'éruption.<br>• Durée de la maladie: de 7 à 10 jours environ.<br>• Mode de transmission: contact direct avec des sécrétions du nez et de la gorge des personnes infectées.<br>• Complications: otite, diarrhée, pneumonie et encéphalite. Plus sévères chez les jeunes enfants. | • Aviser le CLSC.<br>• **Exclure:** jusqu'à 4 jours après le début des éruptions.<br>• Vérifier immédiatement l'état immunitaire des enfants et du personnel (personnes qui ont eu la maladie ou qui ont été immunisées contre elle) et de toutes les mères susceptibles d'être enceintes.<br>• Informer les parents de la présence de cas, car certains enfants qui prennent des médicaments ou sont atteints de certaines maladies peuvent avoir besoin de prendre un agent immunisant pour prévenir la maladie. |

## Rubéole

Maladie causée par un virus; maladie s'accompagnant d'une éruption cutanée diffuse avec peu ou pas de symptômes. Bénigne pour les enfants.
**Maladie évitable par la vaccination.**
**Maladie à déclaration obligatoire.**

| Ce qu'il faut savoir | Ce qu'il faut faire |
| --- | --- |
| • Symptômes: parfois aucun; fièvre légère, éruption (rougeurs) généralisée; ganglions. Douleurs articulaires, conjonctivite, léger écoulement nasal.<br>• Période d'incubation: de 14 à 21 jours.<br>• Contagiosité: de 7 jours avant à 7 jours après le début de l'éruption.<br>• Durée de la maladie: environ 7 jours. | • Aviser le CLSC.<br>• Aucun traitement spécifique.<br>• **Exclure:** pendant la période de contagiosité.<br>• Informer tous les parents.<br>• Faire vérifier immédiatement l'état immunitaire du personnel féminin et des mères susceptibles d'être enceintes et les diriger vers leur médecin traitant. |

## Rubéole (suite)

| Ce qu'il faut savoir | Ce qu'il faut faire |
| --- | --- |
| • Mode de transmission: principalement par contact direct avec les sécrétions du nez et de la gorge des personnes infectées. Par contact avec l'urine ou avec des articles fraîchement contaminés par les sécrétions. De la mère au fœtus au cours de la grossesse.<br>• Complications: rares chez l'enfant. La complication grave est la rubéole congénitale si la mère contracte la maladie pendant les 20 premières semaines de la grossesse. | |

## Scarlatine (voir pharyngite et amygdalite à streptocoque)

## Varicelle

Maladie virale bénigne connue sous le nom de «picote» ou «picote volante». **Maladie évitable par la vaccination.**

| Ce qu'il faut savoir | Ce qu'il faut faire |
| --- | --- |
| • Symptômes: fièvre légère suivie d'une éruption généralisée (boutons) apparaissant graduellement du tronc vers les membres et la tête, accompagnée de démangeaisons.<br>• L'éruption évolue dans le temps. Au début, des taches rouges apparaissent; elles se transforment en lésions qui contiennent du liquide (ampoules). En séchant, ces lésions forment des croûtes.<br>• Période d'incubation: de 10 à 21 jours, généralement de 13 à 17 jours.<br>• Contagiosité: 1 ou 2 jours avant le début de l'éruption et jusqu'à 5 jours après le début de l'éruption ou jusqu'à ce que toutes les lésions soient recouvertes de croûtes.<br>• Durée de la maladie: de 7 à 10 jours environ. | • Aviser le CLSC et suivre ses recommandations.<br>• Aucune action spécifique.<br>• Informer tous les parents.<br>• Certains enfants qui prennent des médicaments ou qui ont certaines maladies peuvent avoir besoin de prendre un agent immunisant pour prévenir la maladie et peuvent être exclus du service de garde selon les recommandations médicales.<br>• Ne pas administrer d'aspirine (ou acide acétylsalicylique) aux enfants atteints de varicelle.<br>• **Ne pas exclure:** si l'enfant peut participer aux activités normales du service de garde. |

## Varicelle (suite)

| Ce qu'il faut savoir | Ce qu'il faut faire |
|---|---|
| • Mode de transmission: contact direct avec des gouttelettes ou inhalation de sécrétions du nez et de la gorge ou du liquide contenu dans les lésions de la peau des personnes infectées. Contact direct avec des lésions de zona et avec les articles fraîchement souillés par les sécrétions. | |

## VIH: Infection au virus de l'immunodéficience humaine

La plupart des infections infantiles au VIH sont transmises de la mère infectée à l'enfant.

| Ce qu'il faut savoir | Ce qu'il faut faire |
|---|---|
| • Symptômes: les manifestations cliniques les plus fréquentes du sida sont: retard de croissance, diarrhée récurrente, pneumonie et infections opportunistes.<br>• Complications: liées aux infections opportunistes; décès.<br>• Durée de la maladie: variable; le pronostic est sombre pour les enfants infectés dans la période périnatale et qui deviennent symptomatiques durant la première année de vie.<br>• Période de contagiosité: permanente par les liquides biologiques dont le principal est le sang.<br>Un enfant infecté par le VIH ne risque pas de transmettre le virus aux autres enfants par les contacts de la vie courante: boire dans le même verre, donner une accolade, partager les jeux, utiliser le même siège de toilette. Aucun cas de transmission du VIH en services de garde n'a été rapporté dans la littérature mondiale. | • Aucune enquête.<br>• La décision de divulguer ou non l'état de l'enfant à l'une ou à quelques personnes du service de garde appartient au parent, qui considérera les avantages (protection de l'enfant) et les inconvénients (discrimination, rejet) qui peuvent en découler. Personne n'est tenu de divulguer cette information.<br>• Suivi: fournir aux travailleuses toute l'information et le soutien nécessaires. Tenir des séances auprès des parents au besoin. |

## VIH : Infection au virus de l'immunodéficience humaine (suite)

| Ce qu'il faut savoir | Ce qu'il faut faire |
| --- | --- |
| • En services de garde, le seul liquide biologique avec lequel il faut prendre des précautions est le sang. Les larmes, la salive, l'urine, les sécrétions nasales, la sueur et les selles ne représentent aucun risque de transmission du VIH s'ils ne sont pas visiblement teintés de sang. Une morsure sans bris de peau n'est pas une porte d'entrée du VIH. Seule une morsure avec bris de la peau alors que l'enfant infecté au VIH a du sang dans la bouche peut l'être, situation très exceptionnelle en services de garde. | |

CHAPITRE

5

# Les médicaments

En règle générale, les malaises et les maladies bénignes de la petite enfance n'exigent aucun médicament. La plupart du temps, elles guérissent d'elles-mêmes avec un peu de temps et de repos. La consommation de médicaments est alors inutile et peut être évitée, car tout abus de médicaments comporte des risques pour la santé.

Dans certains cas, toutefois, les médicaments sont nécessaires. On en prescrit parfois à l'enfant atteint d'une affection aiguë, soit pour combattre l'infection, soit pour soulager les symptômes. D'autres enfants doivent en prendre de façon régulière si la maladie dont ils sont atteints l'exige. Il n'est donc pas rare qu'un service de garde reçoive un enfant sous médication. Dans ce cas, il faut conserver et administrer adéquatement les médicaments. À cause de l'importance du geste et des risques qui l'accompagnent, il faut prendre quelques précautions. Certaines figurent dans la réglementation des services de garde. D'autres recommandations viennent assurer le meilleur soin et la sécurité des enfants.

La première partie de ce chapitre s'intéresse à la conservation et à l'administration des médicaments en milieu de garde. Elle traite également de l'ensemble des procédures à respecter pour conserver et administrer un médicament en toute sécurité et en assurer l'efficacité maximale. Les techniques d'administration de médicaments les plus susceptibles d'être utilisées en milieu de garde y sont également décrites. La deuxième partie du chapitre fournit des renseignements sur les principales catégories de médicaments que peuvent exiger les maladies de la petite enfance.



photo: Jocelyn Boutin

# Conserver et gérer des médicaments

## Les conditions d'efficacité d'un médicament

Pour favoriser l'efficacité d'un médicament, il faut suivre la règle des 5 B[1].

1. **Le bon médicament**

   Le bon médicament est celui que le médecin prescrit ou que le pharmacien recommande. Il faut le connaître par son nom et pouvoir le reconnaître par sa couleur, sa forme et son effet. Son choix tient compte de divers facteurs, dont les autres médicaments consommés avec ou sans ordonnances.

2. **Le bon enfant**

   Les médicaments ont été choisis pour des personnes en particulier et le dosage établi selon l'état de santé. On a aussi tenu compte de la taille, du sexe et des allergies de l'enfant et des autres maladies qui peuvent l'affecter.

3. **Le bon moment**

   Le médicament doit être pris au bon moment. Manger, boire ou prendre d'autres médicaments peut affecter certains médicaments. Pris au mauvais moment, le médicament risque d'être inefficace. De plus, certains médicaments agissent davantage à certains moments de la journée.

4. **Le bon dosage**

   Respecter le bon dosage, c'est avoir les outils adéquats pour le mesurer. Les ustensiles de cuisine ne sont pas assez précis pour mesurer les liquides. Opter pour des cuillères graduées ou des seringues orales vendues en pharmacie.

   L'effet du médicament est limité dans le temps; la dose et l'intervalle entre les doses sont calculés de façon que le médicament conserve un niveau idéal d'activité dans l'organisme. La posologie n'est pas déterminée au hasard. L'efficacité et l'absence de danger sont reliées à la dose. Modifier la dose de quelque manière que ce soit peut entraîner des conséquences graves.

1. Société canadienne de pédiatrie, *Le bien-être des enfants, Guide visant à promouvoir la santé physique, la sécurité, le développement et le bien-être des enfants dans les services de garde en garderie et en milieu familial*, 1993, Creative Premises Ltd, Toronto, p. 816.

5. **La bonne façon**

Un médicament mal pris fait souvent plus de tort que de bien. En plus des effets bénéfiques, le médicament peut aussi avoir des effets indésirables. Toutefois, avant de prendre la décision d'arrêter un médicament, demander l'avis d'un pharmacien ou d'un médecin.

Prendre un médicament de la bonne façon, c'est respecter dans certains cas une manière bien précise de le prendre (croquer ou ne pas croquer avant d'avaler, bien agiter la bouteille, etc.). Lire attentivement les instructions que le pharmacien remet avec le médicament.

Pour bien conserver les médicaments, les garder dans un endroit sécuritaire, sec, sombre et frais. Éviter de garder les médicaments dans une salle de bain ou au-dessus d'une source de chaleur, de lumière ou d'humidité.

## La demande d'administrer des médicaments prescrits

### Deux conditions à respecter

Pour qu'un service de garde soit autorisé à administrer un médicament, deux conditions précises doivent être respectées:

### Médicament prescrit par le médecin

Rappelons que, conformément à la réglementation applicable aux services de garde[2], ces derniers sont autorisés à n'administrer que des médicaments prescrits par un médecin, qu'ils soient en vente libre ou qu'ils nécessitent une prescription. Par exemple, un service de garde n'est pas autorisé à donner à l'enfant un sirop décongestionnant à moins d'une autorisation écrite du médecin traitant.

Les seuls médicaments qui peuvent être donnés à l'enfant sans autorisation médicale sont l'acétaminophène, l'insectifuge, la lotion calamine, les solutions orales d'hydratation, les gouttes nasales salines, la crème pour le siège à base d'oxyde de zinc et la crème solaire.

2. *Règlement sur les services de garde éducatifs à l'enfance*, art. 116.

- L'acétaminophène peut être administré et l'insectifuge peut être appliqué à l'enfant selon la procédure prescrite dans les protocoles si le parent les a signés (voir en annexe). Administrer de l'acétaminophène sous forme de suppositoire nécessite toutefois une ordonnance médicale. Des formulaires d'autorisation parentale sont inclus aux protocoles d'administration de médicaments disponibles dans les services de garde.
- Une autorisation parentale écrite suffit pour les gouttes nasales salines, les solutions orales d'hydratation, la crème pour le siège à base d'oxyde de zinc et la crème solaire.

Si le parent veut donner à son enfant un médicament en vente libre sans la permission écrite du médecin, lui demander de le donner à la maison ou de venir le donner lui-même au service de garde. Il en va de même pour les médicaments homéopathiques. Ceux-ci de même que les autres substances dites naturelles non prescrites comportent également des risques d'intoxication et peuvent retarder le recours à une médication appropriée. L'abus ou un usage non approprié de ces médicaments et substances peut aussi entraîner des conséquences néfastes.

Hormis un certain contrôle des conditions de production des produits homéopathiques portant un numéro d'identification des médicaments (DIN), il n'existe pas encore de normes précises au Canada quant à la fabrication de l'ensemble de ces médicaments, ni d'études concluantes chez l'humain qui en déterminent l'efficacité et les effets secondaires.

Aussi, chaque année, toute une variété de produits naturels viennent s'ajouter à la liste des facteurs d'intoxication. L'automédication à court ou à long terme, l'interaction des médicaments ainsi que l'ignorance de la composition et de la chimie naturelle des plantes utilisées sont généralement en cause[3].

En ce qui concerne l'application d'un insectifuge sur un enfant, elle est permise pourvu qu'elle soit faite en conformité avec le protocole et que le parent y consente par écrit[4]. Il faut être prudent car il y a de nombreuses contre-indications à l'utilisation de ce produit (exemples : toxicité, allergies, habitude qu'ont les jeunes enfants de porter souvent leurs mains à la bouche). Pour ces raisons, privilégier les vêtements à manches et à jambes longues.

3. Office des services de garde à l'enfance, en collaboration avec l'Association des pédiatres du Québec et l'Ordre des pharmaciens du Québec, dépliant: *Les médicaments en garderie*, 1994.
4. Annexe II 2, Protocole pour l'application d'insectifuge, *Règlement sur les services de garde éducatifs à l'enfance*.

### Autorisation écrite du parent

Pour autoriser l'administration du médicament, le parent doit remplir et signer une demande d'administration de médicaments.

Les médicaments nommés plus haut, que le service de garde peut donner à l'enfant sans prescription médicale, nécessitent aussi l'autorisation écrite du parent sur le formulaire prévu à cette fin.

De plus, sauf pour l'acétaminophène, les solutions orales d'hydratation, l'insectifuge, la lotion calamine, la crème pour le siège à base d'oxyde de zinc et la crème solaire, seul un médicament fourni par le parent peut être administré à un enfant[5].

## Le contenu de la demande d'administration de médicaments prescrits

Le contenu de la demande doit être assez précis pour permettre au personnel des services de garde de conserver et d'administrer adéquatement le médicament et d'en surveiller les effets secondaires.

C'est le parent qui remplit la demande.

Les renseignements suivants doivent apparaître sur la demande :

- le nom du médecin traitant (peut apparaître seulement sur l'étiquette) ;
- le nom du médicament ;
- la posologie : quantité prescrite, intervalle entre les doses, moment de l'administration (à jeun, au repas, etc.) ;
- la voie d'administration ;
- le mode de conservation si précisé par les indications du pharmacien ;
- la date du début et de la fin du traitement au service de garde ;
- les effets désagréables prévisibles, si notés par le pharmacien ;
- la date de la demande ;
- la signature du parent, confirmant sa demande.

5. *Règlement sur les services de garde éducatifs à l'enfance*, art. 118, alinéa 1.

## Formulaire d'autorisation pour l'administration de médicaments

Semaine du: ________________________________________________

Je demande au service de garde d'administrer le médicament suivant à mon enfant selon la posologie indiquée.

Nom de l'enfant: ________________________________________________

Période du ____________________ au ____________________

Nom du médicament: ________________________________________________

Dose: ________________________________________________

Fréquence et heure: ________________________________________________

Signature du parent ou du titulaire de l'autorité parentale: ____________________

Le service de garde doit absolument conserver cette demande au dossier de l'enfant. C'est la seule preuve qu'une demande a été faite, une fois que le médicament a été remis.

Pour faciliter le travail du parent, lui fournir à l'avance des formulaires de demande d'administration de médicaments. Il pourra remplir le formulaire à la maison à partir des renseignements qui apparaissent sur l'étiquette du médicament et communiquer l'information en arrivant au service de garde.

Suggérer au parent de demander à son pharmacien de diviser le médicament en deux flacons étiquetés si cela n'entraîne pas de frais supplémentaires. L'un reste à la maison et l'autre demeure au service de garde. Ainsi, on risque moins que l'enfant soit privé d'une dose parce que le parent aurait oublié d'apporter le médicament au service de garde ou de le rapporter à la maison le soir.

## Étiqueter et entreposer les médicaments et les produits toxiques

Les médicaments, tout comme les produits d'entretien et les produits toxiques, doivent être[6]:

- étiquetés clairement;

6. *Règlement sur les services de garde éducatifs à l'enfance*, art. 120 et 121.

- entreposés à l'écart des denrées alimentaires, dans un espace prévu à cette fin;
- gardés hors de la portée des enfants.

## L'étiquetage des médicaments

L'étiquette du médicament que le parent a remis au service de garde doit comprendre les renseignements inscrits sur l'étiquette qui identifie le médicament préparé ou vendu par un pharmacien[7]:

- les nom et prénom de l'enfant;
- le nom du médicament;
- la date d'expiration;
- la posologie: instructions pour administrer le médicament et conditions de conservation du médicament (au froid, à la température de la pièce, etc.);
- la durée du traitement.

Il est particulièrement important de vérifier les dates d'expiration pour les médicaments pris de façon régulière comme l'insuline, le ventolin, etc.

## L'entreposage des médicaments

Dans les centres de la petite enfance en installation, les médicaments devant être gardés au froid doivent être entreposés dans un coffret à serrure au réfrigérateur.

Pour les autres médicaments, une armoire fermant à clé convient.

Cependant, il n'est pas nécessaire de garder sous clé les solutions orales d'hydratation, les gouttes nasales salines, les crèmes pour le siège, les crèmes solaires et l'auto-injecteur d'épinéphrine ni de conserver à l'écart des denrées alimentaires les solutions orales d'hydratation[8].

La responsable d'un service de garde en milieu familial doit entreposer les médicaments à l'usage des enfants qui fréquentent le service séparément des autres médicaments utilisés dans la résidence privée où elle fournit le service. Elle doit toutefois se conformer aux mêmes conditions d'entreposage. Cependant, elle peut avoir son propre contenant d'acétaminophène.

7. *Règlement sur les services de garde éducatifs à l'enfance*, art. 118, alinéa 2.
8. *Règlement sur les services de garde éducatifs à l'enfance*, art. 120, alinéa 2.

## Précautions à prendre avec les médicaments

- Ne pas conserver les médicaments une fois le traitement terminé. Les remettre au parent pour qu'il en dispose.
- Si, par inadvertance, on administre à un enfant le médicament d'un autre enfant, appeler le Centre antipoison du Québec ou un pharmacien et suivre leurs recommandations. Ensuite, téléphoner au parent de l'enfant qui a reçu le médicament par erreur.
- En cas d'erreur, par exemple, administration d'une trop grande quantité d'un médicament ou de doses trop rapprochées, téléphoner à un pharmacien ou au Centre antipoison du Québec. Inscrire ce renseignement dans le registre des médicaments.
- Si une dose de médicament a été oubliée, donner la dose oubliée dès que possible; s'il faut rajuster l'heure d'administration des prochaines doses, aviser le parent; inscrire ce renseignement dans le registre des médicaments.

Toutefois, s'il reste moins de la moitié du temps habituel entre deux prises de médicaments, consulter Info-Santé CLSC ou un pharmacien pour discuter de l'horaire des prochaines doses.

- Ne jamais doubler la dose sous prétexte d'en avoir oublié une.
- Pour toute erreur ou incertitude dans l'administration d'un médicament, se renseigner auprès de Info-Santé CLSC ou d'un pharmacien.
- Si une dose a été renversée, l'inscrire au registre des médicaments et aviser le parent pour qu'il puisse voir au remplacement si nécessaire.
- Ne pas utiliser un médicament après la date d'expiration.
- Ne pas ajouter et ne pas permettre que le parent ajoute des médicaments aux bouteilles de lait ou aux bouteilles d'autres liquides. Cela peut entraîner une surdose accidentelle de médicament ou du moins ne pas permettre de connaître la quantité de médicament prise par un enfant qui ne boirait pas tout le contenu de son biberon.
- Par précaution supplémentaire, tous les médicaments en comprimés ou en liquide destinés à un usage oral et conservés en services de garde doivent être munis d'un bouchon protège-enfants[9].

9. Medication administration, The ABC of safe and healthy child care, www.cdc.gov/ncidod/hip/abc/policie7.htm

## Qui a le droit d'administrer un médicament en services de garde?

Seule la personne désignée à cette fin, par écrit, par le prestataire de services de garde, la personne qui la remplace en cas d'urgence ou la remplaçante occasionnelle est autorisée à donner un médicament[10].

## Inscrire les médicaments dans un registre

Pour se conformer à la réglementation[11] et pour éviter tout risque d'erreur, les services de garde doivent consigner dans un registre l'administration d'un médicament, y compris l'administration de l'acétaminophène, de l'insectifuge, des solutions orales d'hydratation et des gouttes nasales salines. La personne qui a administré le médicament doit remplir et signer le registre.

Consigner les données suivantes:

- le nom de l'enfant;
- le nom du médicament;
- la date et l'heure auxquelles le médicament a été administré;
- la quantité administrée;
- la signature de la personne qui l'a administré.

Le recours à un registre distinct pour chacune des éducatrices permet de préserver la confidentialité des renseignements.

10. *Règlement sur les services de garde éducatifs à l'enfance,* art. 117.

11. *Règlement sur les services de garde éducatifs à l'enfance,* art. 119.

**Registre des médicaments**

| Date | Heure | Nom de l'enfant | Nom du médicament | Quantité administrée | Signature de la personne qui a donné le médicament |
|---|---|---|---|---|---|
| | | | | | |
| | | | | | |
| | | | | | |
| | | | | | |
| | | | | | |

À défaut d'un formulaire distinct, prévoir une section sur le formulaire de demande d'administration de médicaments pour y inscrire cette information.

Le parent doit être avisé en tout temps de l'administration d'un médicament, surtout s'il s'agit d'un médicament autorisé en vertu des protocoles.

# Comment administrer les médicaments

Cette marche à suivre est recommandée pour assurer que les médicaments sont administrés de façon sécuritaire.

## La préparation, l'administration et le suivi

### Avant

Préparer chaque jour une liste des enfants qui doivent prendre des médicaments et les heures auxquelles ils doivent le faire. Pour éviter les oublis et pour les médicaments à prendre aux 3 ou 4 heures, s'entendre avec le parent pour les donner à heures fixes, si cela est possible. Il faut un aide-mémoire, bien à la vue de la responsable de l'administration du médicament, pour empêcher les oublis tout en respectant la confidentialité des informations.

- Prendre connaissance de la demande d'administration de médicament signée par le parent et s'assurer que l'information est conforme à celle qui apparaît sur le contenant du médicament afin de pouvoir donner le bon médicament au bon enfant.
- Toujours remettre le médicament dans son emballage original et sécuritaire.
- S'assurer que le médicament est de date récente et en vérifier la date d'expiration. Ne pas administrer le médicament s'il est périmé.
- Se laver les mains.
- Réunir le matériel nécessaire. Selon le cas, on peut avoir besoin des éléments suivants:
  - un verre ou un gobelet gradué à médicament;
  - une cuillère graduée, proposée en pharmacie; ne pas utiliser d'ustensiles de cuisine (ils n'ont pas tous la même capacité).
  - une seringue orale graduée (une seringue orale graduée avec bec adaptateur peut être utilisée pour les médicaments liquides administrés par la bouche aux jeunes enfants);
  - un compte-gouttes;
  - des cotons-tiges;
  - des papiers mouchoirs.

### Pendant

- Préparer le médicament s'il y a lieu. C'est la personne qui donne le médicament qui doit le préparer.
- Administrer le médicament en suivant les principes des 5 B déjà exposés, soit[12]:
  - le bon médicament;
  - le bon enfant;
  - le bon moment;
  - le bon dosage;
  - la bonne façon.
- Informer l'enfant qu'on va lui donner son médicament.
- Éloigner l'enfant de son groupe pour favoriser un climat de calme et administrer le médicament en respectant les techniques requises recommandées plus loin.
- Aviser l'enfant de ce que l'on va faire, pour obtenir sa collaboration.

12. Société canadienne de pédiatrie, *op. cit.*, note 1, p. 817.

- À partir du moment où l'enfant est en mesure de comprendre, faire le lien entre la maladie et le médicament et expliquer à l'enfant les raisons pour lesquelles le médicament lui est donné et les résultats attendus. Être franc avec lui à propos du goût du médicament et de la sensation qu'il aura. Ne pas lui parler de friandise pour désigner un médicament: il pourrait en redemander!
- Quand c'est possible, laisser à l'enfant l'occasion de maîtriser quelque peu la situation. Par exemple, le laisser tenir le gobelet à médicament et le laisser boire lui-même. L'encourager et le féliciter[13].

**Après**

- Remettre le médicament sous clé, si requis[14].
- Laver et stériliser les instruments qui ont servi à la prise de médicament: compte-gouttes, cuillère à mesurer, etc. Laisser sécher à l'air puis ranger.
- Se laver à nouveau les mains.
- Observer les réactions de l'enfant. S'il présente des signes physiques inquiétants ou des effets secondaires, communiquer avec le parent, le médecin traitant, Info-Santé CLSC ou le pharmacien.
- Inscrire la prise de médicament dans le registre prévu à cette fin.



Peu importe la façon d'administrer le médicament, toujours se laver les mains avant et après pour éviter la contamination.

# Les techniques d'administration de médicaments

## Administrer un médicament par voie orale

Les techniques varient selon l'âge de l'enfant et la forme selon laquelle le médicament est présenté.

13. Société canadienne de pédiatrie, *op. cit.*, note 1, p. 815.
14. Voir la section L'entreposage des médicaments, à la p. 175.

### Les médicaments en liquide

- Agiter le flacon s'il y a lieu.

#### Chez les bébés de moins de 3 mois

- Aspirer la quantité de médicament requise dans une seringue orale graduée. Ne jamais diluer le médicament dans un biberon; si l'enfant ne termine pas le biberon, le médicament est perdu et il est difficile d'évaluer la quantité absorbée. Il peut aussi y avoir interaction avec le lait dans certains cas.
- Installer le bébé sur ses genoux de façon à avoir les mains libres.
- Toucher les lèvres du bébé de moins de 3 mois avec sa suce; à cet âge une stimulation des lèvres provoque le réflexe de succion. Pour le bébé de plus de 3 mois, cette étape peut être omise. Déposer, avec la seringue, le médicament à l'intérieur de la joue, par petites quantités.
- S'assurer que tout le médicament est avalé.
- Un truc: souffler délicatement sur le visage de l'enfant peut provoquer le réflexe de déglutition et faciliter l'administration du médicament.

#### Chez les plus grands

- Verser la quantité de médicament prescrit dans une cuillère graduée, une seringue orale ou dans un contenant gradué. Tenir l'outil utilisé à la hauteur des yeux pour vérifier la quantité.
- Jusqu'à 2 ans environ, asseoir l'enfant sur ses genoux pour lui donner son médicament. Attention: l'enfant peut recracher un médicament qu'il n'aime pas ou vouloir repousser la cuillère. Faire asseoir les plus grands sur une chaise et leur laisser boire eux-mêmes le médicament.
- S'assurer que l'enfant a avalé tout le médicament.
- Puis, offrir un peu d'eau ou de jus au choix, si ce n'est pas contre-indiqué, pour rincer la bouche et faire disparaître le goût du médicament.

### Les comprimés et les capsules

- Toucher le moins possible aux comprimés ou aux capsules. Ne pas les sortir du contenant avec les doigts.
- Verser le nombre de comprimés ou de capsules requis dans le couvercle du contenant.
- Par mesure d'hygiène, transvider les comprimés ou les capsules dans une cuillère ou dans un autre contenant avant de les donner à l'enfant.
- Faire croquer les comprimés croquables.

- Donner le comprimé ou la capsule à l'enfant avec un verre d'eau pour l'aider à l'avaler. Montrer aux plus grands comment placer le comprimé ou la capsule bien au fond de la bouche.
- Si l'enfant est incapable d'avaler un comprimé ou une capsule, l'incorporer à une cuillerée de purée d'un aliment familier (écraser le comprimé ou ouvrir la capsule). Ne jamais écraser un comprimé ou ouvrir une capsule sans d'abord vérifier si c'est contre-indiqué.

## Mettre des gouttes nasales

Administrer des gouttes nasales salines sans ordonnance est permis avec l'autorisation écrite du parent. Cela peut aider à soulager la congestion nasale.

Selon l'âge de l'enfant, il peut être plus facile d'administrer les médicaments pour les oreilles, les yeux et le nez si l'on s'y prend à deux.

- Choisir un moment où l'enfant est calme, le moucher ou, s'il en est incapable, utiliser une petite pompe nasale en procédant délicatement; cette pompe doit être réservée à un enfant et elle doit être fournie par le parent.
- Coucher l'enfant et lui renverser la tête légèrement vers l'arrière; tenir la tête d'une main pour l'empêcher de bouger.
- Pour des raisons d'hygiène et de sécurité, il faut éviter d'introduire l'extrémité du contenant dans le nez de l'enfant.
- Laisser tomber une ou deux gouttes sur le bord d'une narine lors de l'inspiration. Un truc: respirer à la même vitesse que l'enfant peut aider à déterminer l'inspiration, surtout chez le bébé qui respire rapidement. Procéder de la même façon pour l'autre narine.
- Bien nettoyer l'extrémité du contenant, surtout s'il a été en contact avec le nez de l'enfant.

## Mettre des gouttes dans les oreilles

Les gouttes otiques (mises dans les oreilles) visent à décongestionner, détruire les bactéries, réduire l'inflammation et soulager la douleur dans les oreilles. Elles doivent être prescrites par un médecin.

- Coucher l'enfant sur le côté, sur la table à langer pour les plus jeunes ou sur un matelas pour les plus vieux.
- Avant d'appliquer une nouvelle dose, retirer tout résidu de médicament visible de l'oreille externe à l'aide d'un papier mouchoir.
- Agiter le contenant s'il y a lieu et aspirer le liquide avec le compte-gouttes.

- Tirer le lobe de l'oreille vers le bas et vers l'arrière. Cela facilite l'insertion du liquide dans le conduit de l'oreille.
- Déposer la quantité de gouttes prescrite.
- Maintenir le lobe de l'oreille tiré pendant quelques secondes.
- Le compte-gouttes ne doit pas toucher l'oreille ni un autre objet. Si cela se produit, essuyer l'extrémité avec un papier mouchoir propre avant de remettre le compte-gouttes dans son contenant[15].

## Administrer des gouttes ou un onguent pour les yeux

Dans le cas d'une infection de l'œil, des gouttes ou un onguent ophtalmiques peuvent être prescrits pour réduire l'inflammation ou l'infection de l'œil ou des paupières.

- Coucher l'enfant plus jeune sur la table à langer ou, s'il est assez vieux pour comprendre et coopérer, sur un matelas. On peut aussi asseoir l'enfant plus grand, la tête vers l'arrière.

### Les gouttes

- Agiter le contenant au besoin.
- S'assurer qu'il n'y a pas de cristaux sur le bord du contenant ou du compte-gouttes. Mis en contact avec l'œil, ces cristaux peuvent endommager les tissus. Si des cristaux sont présents sur le compte-gouttes, essuyer avec un papier mouchoir.
- Tenir le compte-gouttes de sorte que l'extrémité pointe vers le bas.

### Les gouttes et les onguents dans les yeux

- Éviter que le compte-gouttes ou le tube d'onguent touche l'œil, la paupière ou tout autre objet. Si cela se produit, essuyer l'extrémité avec un papier mouchoir propre avant de remettre le compte-gouttes dans son contenant ou le capuchon sur le tube[16].
- Appuyer la paume de la main sur le menton de l'enfant et tirer la paupière inférieure vers le bas avec l'index, pour créer une poche.
- Déposer les gouttes dans cette poche favorise également une meilleure distribution du médicament sur l'ensemble de l'œil. Inversement, quand on dépose les gouttes dans le coin de l'œil, le médicament s'élimine plus rapidement par les canaux nasolacrymaux, ce qui peut diminuer l'efficacité du médicament.

15. Société canadienne de pédiatrie, *op. cit.*, note 1, p. 819.
16. *Ibid.*

- Approcher l'extrémité du compte-gouttes ou du tube, attendre le clignement réflexe, puis déposer le médicament dans la poche ou dans les cils sans toutefois y toucher. L'application d'onguent ou l'administration de gouttes est importante. Mieux vaut déposer les gouttes ou l'onguent sur les cils pour permettre au médicament de se diffuser jusqu'à l'œil que de ne pas l'administrer du tout. Si la quantité prescrite est supérieure à une goutte, attendre de 3 à 5 minutes avant d'administrer les gouttes subséquentes. L'œil ne peut retenir qu'une goutte à la fois. Administrer deux gouttes d'un coup équivaut à mettre la deuxième dans le papier mouchoir!
- Fermer l'œil et éponger le surplus.
- Un truc: on peut demander aux enfants plus vieux de regarder vers le haut; ainsi ils ne verront pas la goutte et n'auront pas tendance à cligner de l'œil avant l'administration du médicament.

## Appliquer un onguent ou une crème

Appliquer un onguent ou une crème est parfois nécessaire pour soigner une peau malade. Ces substances ont pour fonction de traiter les affections cutanées ou de soulager les démangeaisons. Aussi, il est permis d'appliquer des crèmes à base d'oxyde de zinc pour le siège sans ordonnance mais avec l'autorisation écrite du parent.

- Au besoin, nettoyer les plaies à l'eau savonneuse pour enlever toute trace d'onguent précédent ou les sécrétions.
- Chercher à garder le contenant de crème ou d'onguent le plus propre possible pour éviter la contamination de la partie non utilisée. Toujours utiliser un papier mouchoir pour enlever la crème ou l'onguent sur les contenants.
- Prendre une quantité de crème ou d'onguent au moyen d'un bâtonnet ou d'un papier mouchoir en prenant soin de ne pas toucher au bout du tube, s'il y a lieu.
- Appliquer une mince couche de crème ou d'onguent sur les parties irritées, selon l'ordonnance. Ne jamais répéter l'ordonnance des crèmes de cortisone sans autorisation expresse du médecin.
- Éviter de contaminer le pot en introduisant le même bâtonnet ou papier mouchoir deux fois. En utiliser un autre si la quantité est insuffisante.

## Mettre un suppositoire

Certains médicaments sont administrés par voie anale. On ne peut les administrer en services de garde sans ordonnance médicale. Ils s'absorbent rapidement et sont particulièrement pratiques si l'enfant vomit. La plupart des suppositoires peuvent être conservés à la température ambiante. Si le suppositoire a été conservé au réfrigérateur, le sortir à l'avance pour qu'il prenne la température de la pièce.

**Dans tous les cas**

- Préparer le matériel: suppositoire, petite gaze, papier mouchoir, etc.
- Attention aux ongles longs qui pourraient blesser l'enfant.
- Enfiler un gant jetable.
- Humecter le suppositoire avec de l'eau.

**Pour un bébé**

- Coucher bébé sur le dos.
- D'une main, lui soulever les jambes pour lui dégager les fesses.
- Introduire le suppositoire dans le rectum (2,5 cm environ, 1 pouce).
- Maintenir le suppositoire en place quelques secondes en serrant les fesses et remettre une couche.
- Se laver les mains avec soin, surtout si l'enfant a une maladie infectieuse.

**Pour un enfant**

- Coucher l'enfant sur le côté gauche en relevant le genou droit vers le menton.
- Dire à l'enfant qu'on va introduire le suppositoire. Compter avec lui, un, deux, trois, et introduire doucement le suppositoire dans le rectum à environ 2,5 cm (1 pouce).
- Maintenir le suppositoire en place quelques secondes.
- Rhabiller l'enfant.
- Demander à l'enfant de serrer les fesses et de retenir le suppositoire.
- Demander à l'enfant de retenir ses selles: le suppositoire met environ 20 minutes à fondre.
- Se laver les mains.

## Généralités sur quelques catégories de médicaments

| Identification | Ce qu'il faut savoir | Ce qu'il faut faire |
|---|---|---|
| **Acétaminophène Aspirine, Antipyrétique, Ibuprofène** Médicament utilisé pour faire diminuer la fièvre et soulager la douleur. | • Formats: comprimés, sirop, suppositoires, gouttes, etc.<br>• Effets secondaires: peu d'effets secondaires si utilisés selon la prescription, les protocoles et pour une courte période. Irritation possible de l'estomac avec l'ibuprofène.<br>• L'aspirine (ou acide acétylsalicylique) est contre-indiquée chez les enfants, sauf dans des conditions particulières (comme le traitement de l'arthrite). Une ordonnance médicale est alors nécessaire. | • Conserver les suppositoires au réfrigérateur, si indiqué, mais c'est rarement nécessaire.<br>• Respecter rigoureusement la posologie, selon le protocole.<br>• Recourir à des mesures «douces» pour faire diminuer la fièvre et donner beaucoup de liquides. |
| **Antibiotique** Médicament prescrit pour traiter un certain nombre d'infections bactériennes; inefficace pour guérir les infections virales, les rhumes et les grippes, par exemple. | • Formats: liquide, comprimés, capsules, crème, onguent, gouttes, etc.<br>• Réactions allergiques possibles avec difficultés respiratoires ou réactions cutanées. Ne jamais administrer les premières doses en services de garde.<br>• Effets secondaires: réactions cutanées, nausées, diarrhée. | • Vérifier si le médicament doit être administré ou non avec de la nourriture.<br>• Respecter rigoureusement la posologie: administrer selon les intervalles indiqués toute la quantité prescrite, même si l'enfant semble mieux ou si l'infection a disparu; sinon, la maladie peut réapparaître.<br>• Surveiller les réactions allergiques et communiquer au besoin avec le parent, un médecin ou Info-Santé CLSC. |
| **Antihistaminique** Médicament permettant de combattre les réactions allergiques (fièvre des foins, allergie, etc.). Souvent associé à un décongestionnant, à un antitussif et à un expectorant. | • Format: gouttes, vaporisateur, comprimés, sirop.<br>• Effets secondaires: sécheresse des muqueuses, somnolence, irritabilité, nervosité, vision embrouillée, nausées, vomissements.<br>• Signes d'intoxication: pupilles dilatées, confusion, hallucinations, excitation. | • Éviter de mettre l'enfant en contact avec des allergènes.<br>• Respecter rigoureusement la posologie. **Ne jamais dépasser la dose prescrite.**<br>• S'il n'y a pas de résultats, téléphoner au parent et conduire l'enfant chez le médecin dans le cas d'allergie sévère avec difficulté respiratoire. |

## Généralités sur quelques catégories de médicaments (suite)

| Identification | Ce qu'il faut savoir | Ce qu'il faut faire |
| --- | --- | --- |
| **Antitussif**<br>Médicament prescrit pour contrôler la toux. | • Format: sirop, comprimés, gélules, etc.<br>• Effets secondaires: légère somnolence, nausées, étourdissements.<br>• Médicament très rarement indiqué car tousser est un réflexe nécessaire. | • Respecter rigoureusement la posologie.<br>• Donner avec un peu d'eau.<br>• Faire boire beaucoup d'eau et de jus entre les doses.<br>• Si les effets secondaires sont marqués, en informer le parent et, au besoin, consulter un médecin. |
| **Bronchodilatateur**<br>Médicament qui a pour effet de dilater les bronches et de faciliter la respiration. | • Format: aérosol, comprimés, liquide, capsules.<br>• Effets secondaires: agitation, palpitations, tremblements, perte de l'appétit, troubles du sommeil, troubles gastriques, nausées, vomissements. | • Respecter très rigoureusement la posologie. La quantité prescrite est calculée selon le poids de l'enfant; une dose excessive est dangereuse; une dose insuffisante est inefficace; le médicament doit être donné à intervalles réguliers.<br>• Si les effets secondaires sont marqués, en informer le parent et, au besoin, consulter un médecin. |
| **Corticostéroïdes (ex.: cortisone)**<br>Médicament prescrit notamment pour l'asthme et les affections cutanées comme l'eczéma. | • Format: inhalateur, crème, onguent, comprimés, sirop.<br>• Effets secondaires: rares avec l'utilisation en inhalateur. Une utilisation orale prolongée peut affecter les mécanismes de défense, la croissance et l'ossature; peut entraîner des variations dans l'appétit et le poids. | • Respecter rigoureusement la posologie.<br>• Rincer la bouche après l'usage d'un corticostéroïde en inhalateur pour éviter le développement de champignons. |
| **Décongestionnant**<br>Médicament administré pour permettre de respirer plus librement. | • Format: sirop, comprimés, gouttes nasales.<br>• Effets secondaires: sécheresse des muqueuses, insomnie, nausées, sudation, congestion provoquée par un décongestionnant topique s'il est utilisé plus de 3 ou 4 jours (ex.: Otrivin).<br>• Rarement indiqué chez le nourrisson. | • Respecter rigoureusement la posologie. |

# CHAPITRE

# Le bien-être psychologique de l'enfant

Dans les chapitres précédents, nous avons surtout examiné comment les services de garde peuvent contribuer au maintien et au développement de la santé physique de l'enfant. Dans ce chapitre, nous voulons montrer comment ils peuvent contribuer à la santé émotionnelle de l'enfant, c'est-à-dire favoriser son développement socio-affectif et le préparer à son intégration sociale.

Qu'est-ce qui peut aider un enfant à se développer normalement, sans trop de difficultés?

Le bien-être psychologique et le développement affectif du nourrisson et de l'enfant nécessitent, dès la plus tendre enfance, une relation chaleureuse, interactive et continue. L'enfant privé de cette relation a du mal à construire sa personnalité sur des bases solides. Il a du mal à se faire confiance, à faire confiance à l'autre et à développer son autonomie et son sens de l'initiative.

Certains enfants paraissent sûrs d'eux. D'autres ont une faible estime d'eux-mêmes. La confiance en soi n'est pas innée. Elle s'acquiert au rythme des expériences vécues en bas âge et durant toute la vie. L'image de soi que l'entourage renvoie à l'enfant, de même que ses échecs et réussites quand il tente de se rapprocher des autres, jouent un rôle primordial dans le développement de sa confiance en lui-même. L'enfant se sent moins compétent s'il ne se sent pas entouré d'amis ou d'adultes à qui il peut se confier ou s'il connaît de nombreux échecs dès le début de ses premières expériences de groupe avec des pairs. Cet enfant souffre davantage de solitude et peut devenir plus souvent agressif ou se replier sur lui-même pour tenter de résoudre ses difficultés.

On entend souvent dire que tout se joue avant 6 ans. Cette expression veut signaler à quel point les premières années de la vie d'un enfant sont critiques pour son développement physique, social, intellectuel et émotionnel.

photo: Jocelyn Boutin

Bien que les parents soient les premiers responsables de la santé émotionnelle de leur enfant, les éducatrices qui prennent soin des enfants d'âge préscolaire ont également un rôle à jouer pour contribuer au bon départ émotif des enfants. L'enfant en services de garde saisit rapidement qu'il peut compter sur son éducatrice pour recevoir soins, affection et réconfort.

L'apprentissage de l'enfant, surtout quand il a moins de 2 ans, dépend en grande partie de son interaction avec les adultes qui l'entourent. Ce sont eux qui lui fournissent la base de la sécurité affective à partir de laquelle il peut explorer son environnement et développer ses compétences sociales avec ses pairs. Quand l'adulte répond aux besoins et aux signaux du bébé, par exemple quand il le félicite pour ses tentatives de marcher, il contribue à construire sa confiance en lui et à développer ses habiletés physiques et cognitives. Il l'encourage à poursuivre ses apprentissages. Quand l'adulte parle à l'enfant, quand il l'encourage à dire des mots et à chanter, il stimule son désir de communiquer et, partant, favorise le développement du langage.

Rappelons que l'enfant ne se développe pas en ligne droite : les bonds en avant sont régulièrement suivis de retours en arrière et l'acquisition complète d'un nouvel apprentissage ou d'un nouveau comportement prend du temps. Par exemple, tel enfant a appris à s'habiller seul. Mais il peut demander de l'aide quand il est fatigué, s'il a de la peine ou encore pour mettre ses habits d'hiver. Cette règle fondamentale, il faut s'y adapter sans cesse quand on travaille auprès des tout-petits.

Dans ce chapitre sur le bien-être psychologique, nous décrivons d'abord brièvement les principales caractéristiques affectives et sociales qu'un enfant doit développer dans la petite enfance pour pouvoir continuer à évoluer harmonieusement quand il ira à l'école.

Nous abordons ensuite les interventions du service de garde qui favorisent le développement socio-affectif du jeune enfant. Cette partie comprend l'éducation sexuelle des enfants d'âge préscolaire.

Puis, nous examinons certaines conditions qui peuvent nuire au développement socio-émotif de l'enfant, comme le stress et l'abus sous toutes ses formes.

Le développement du langage de l'enfant, outil essentiel à sa croissance socio-affective, fera l'objet de la section suivante.

Enfin, nous traitons de difficultés du comportement plus importantes observées chez certains enfants et des façons dont les éducatrices des services de garde ont à intervenir : hyperactivité, agressivité et retrait.

# Le développement socio-affectif de l'enfant

Le développement socio-affectif de l'enfant[1] s'articule autour de 3 principaux apprentissages que l'enfant doit faire progressivement au cours de sa petite enfance et autour desquels sa personnalité de base va se déployer. Ce sont:

- La construction de la confiance en soi;
- Le développement de l'autonomie;
- Le développement de l'initiative.

## Le premier apprentissage socio-affectif de l'enfant: construire sa confiance en lui

L'enfant commence dès la naissance à construire sa confiance en lui. Si cet apprentissage est fait, il développe un espoir fondamental plutôt qu'une méfiance de base par rapport à la vie.

### L'enfant a besoin de soins de base constants et d'un traitement chaleureux

Si les soins de base sont constants et empreints de chaleur dans la petite enfance, l'enfant a toutes les chances d'acquérir un sens de l'espoir qui va soutenir le développement de son identité. Au début, le développement de la confiance ne dépend pas nécessairement de la quantité de nourriture ou des manifestations d'affection, mais plutôt de la qualité de la relation: autrement dit, ce n'est pas d'abord l'habileté avec laquelle l'enfant est lavé, habillé ou transporté qui compte, mais la façon dont l'amour, la chaleur et l'affection s'expriment. La relation parent-enfant est importante pour le développement psychosocial de l'enfant. L'enfant doit également recevoir des autres adultes qui s'en occupent de l'attention et des soins de qualité peu importe la source, surtout de la part de la personne qui assure sa garde en l'absence du parent.

À mesure que le nourrisson grandit, il contrôle davantage l'environnement puisqu'il peut faire connaître plus clairement ses besoins à son entourage. Le bébé commence à toucher, à saisir les objets et à coordonner ses réponses à celles de son milieu. Il devient un être social. Sa première réussite est sa capacité de laisser ses parents hors de sa vue sans être trop anxieux parce qu'il sait qu'ils vont revenir.

1. Inspiré des théories de Erik H. Erickson, *Enfance et société*, Delachaux et Niestlé, (Actualités pédagogiques et psychologiques), Neuchâtel, 1982, 285 pages.

### L'enfant a besoin de sentir que l'univers est un lieu sûr

L'enfant peut faire confiance à ses propres sentiments et il est en quelque sorte protégé du danger quand il se met à explorer. Il a besoin d'apprendre à maîtriser certaines petites habiletés et qu'on le stimule à entreprendre de plus grandes explorations. Si son environnement est instable, l'enfant n'est pas porté à prendre des initiatives car il n'a aucun moyen de savoir s'il peut explorer sans danger et ne peut pas anticiper les événements.

L'alimentation constitue une des interactions les plus importantes entre l'enfant et les personnes qui en prennent soin. Si les boires du bébé et le développement de l'alimentation de l'enfant se font en douceur, le parent ou les personnes qui prennent soin de lui vont se sentir détendus, en confiance. Si l'alimentation du jeune enfant est cause d'inquiétude et de consternation plutôt qu'une occasion de joie et d'intimité, l'interaction est insatisfaisante pour l'enfant et pour l'adulte qui en prend soin. Cela aura des effets négatifs sur le développement de la confiance. Or, c'est l'acquis le plus important à réaliser durant cette étape.

### L'enfant a besoin que l'adulte qui s'en occupe s'intéresse vraiment à lui

Cet intérêt est visible dans la manière dont l'éducatrice agit avec les enfants. Son attitude est chaleureuse: elle se laisse toucher par les enfants et les touche en retour. Un sourire complice, un clin d'œil et une accolade spontanée et enjouée font partie de cet intérêt. Quand l'enfant est changé ou lavé, quand on lui donne son biberon, il ne faut surtout pas être mécanique et distante: il faut toucher l'enfant et le caresser tendrement. Ces moments privilégiés aident à établir la relation affective avec l'enfant.

### L'enfant a besoin d'être rassuré s'il ressent un besoin ou s'il a peur

Il faut répondre avec efficacité aux signaux que l'enfant émet pour obtenir de l'aide, par exemple quand il pleure, quand il crie, quand il se cramponne à l'adulte ou qu'il le suit à quatre pattes avec insistance, etc. Plus l'enfant est jeune, plus la réponse à son trouble ou à son agitation doit être rapide. À mesure que l'enfant grandit, si l'on n'est pas immédiatement disponible, on peut lui expliquer qu'on répondra à sa demande dès qu'on pourra se libérer. Petit à petit, l'enfant apprend à croire qu'on va répondre à sa demande.

Au cours de cette étape dans la vie de l'enfant, le maternage constant de ses parents et des adultes qui en prennent soin est essentiel au développement de la confiance en soi.

## Le deuxième apprentissage socio-affectif de l'enfant: développer son autonomie

L'établissement de l'indépendance est le point majeur dans le développement de l'enfant qui commence à marcher.

### L'enfant a besoin d'explorer et d'essayer de nouvelles choses

La mobilité de l'enfant, c'est-à-dire le fait de pouvoir se déplacer sans aide, est essentielle au développement de son autonomie. L'enfant qui se promène à quatre pattes ou sur ses deux jambes commence à exprimer sa volonté. Il est alors partagé entre sa forte envie d'indépendance et d'action et son besoin d'aide. S'il réussit, c'est son estime de soi et son sentiment de fierté qui sont renforcés.

Un environnement sécuritaire est essentiel pour permettre l'exploration et développer l'autonomie. Par exemple, en services de garde, on doit s'assurer que l'enfant qui s'exerce à ramper ou à marcher n'a pas accès à des escaliers, que les meubles sur lesquels il s'appuie ne peuvent pas basculer, etc.

### En se déplaçant seul, l'enfant augmente ses contacts avec les autres enfants

L'enfant commence à apprendre les bons côtés et les côtés difficiles de la vie en société: entre autres, partager, communiquer, ne pas frapper.

### L'enfant cherche un équilibre entre son désir d'agir et d'explorer par lui-même et celui d'être approuvé et soutenu par les adultes

Par exemple, l'enfant qui réussit à atteindre un jouet sur une table en se mettant debout est fier de lui. Il est prêt à recommencer. Si au contraire il ne réussit pas après de nombreux efforts, s'il se blesse ou si un adulte le contrôle et l'empêche d'essayer, il peut douter, être frustré ou se fâcher parce qu'il se sent incompris, et ainsi être moins disposé à recommencer.

Si le parent ou les éducatrices reçoivent de façon négative les tentatives d'autonomie de l'enfant (indifférence, blâme, humiliation), l'enfant apprend «à douter en permanence de son droit d'avoir ses propres désirs et de faire ses propres choix»[2].

«D'un côté, l'enfant doit exercer sa volonté, et il le fait parfois avec fracas, de l'autre, il a besoin du soutien affectueux des adultes qui prennent soin de lui»[3]. Même quand l'enfant manifeste colère et négativisme, l'éducatrice doit se montrer patiente et continuer de l'aimer et de l'accepter tout en lui répétant les règles de conduite et en évitant les réactions de colère et de rejet de même que les punitions trop sévères.

Le rôle des parents et des adultes qui prennent soin de l'enfant à cette étape du développement de son autonomie est d'appuyer la recherche d'autonomie de l'enfant et de l'assurer qu'il peut toujours obtenir de l'aide en cas de besoin.

## Le troisième apprentissage socio-affectif de l'enfant : développer de l'initiative

À cette étape, l'enfant prend habituellement des risques et des initiatives de diverses façons.

Il commence à prendre diverses responsabilités et cherche à conserver une certaine maîtrise de lui-même, même sans supervision constante.

Ne pas laisser l'enfant prendre des initiatives à cette étape retarde la maîtrise de son indépendance physique, le rend dépendant et exigeant et lui fait retarder l'apprentissage des habiletés sociales nécessaires pour s'intégrer à un groupe de pairs. L'enfant perçoit clairement ses échecs sur ce plan et la culpabilité peut s'installer. Cela peut entraîner une perte d'estime de soi.

À cette étape, on peut encourager l'enfant à prendre plusieurs initiatives : choisir lui-même la quantité de nourriture qu'il veut manger, se verser à boire seul, montrer un jeu à un enfant plus jeune, etc.

2. Pauline Carignan, *Une question de tendresse*, Petit à Petit, janvier-février 1994, p. 6.
3. *Ibid.*

### L'enfant commence à se percevoir comme une personne séparée des autres

La maîtrise de ses fonctions physiques et cognitives est progressivement acquise. Il hésite entre la dépendance et l'indépendance. Un jour il réclame le soutien affectueux de l'adulte et, le jour suivant, il refuse sa supervision et ses conseils. L'imitation joue alors un rôle central dans l'apprentissage des comportements socialement acceptables.

### L'enfant peut prendre certaines décisions pour lui-même et faire des choix

À cette étape, les relations avec ses pairs sont tout aussi fondamentales. Là encore, il est important de lui laisser l'initiative et de lui permettre de trouver les règles à suivre dans ses interactions. Il a souvent besoin d'une oreille attentive ou d'un conseil plutôt que de voir quelqu'un résoudre le problème à sa place. En même temps, il faut continuer d'offrir un environnement sécuritaire, une routine stable et des règles de conduite claires et fermes.

> Le rôle des parents et des adultes qui prennent soin de l'enfant à cette étape est de le laisser prendre des initiatives.

## Les principales interventions du service de garde pour favoriser le développement socio-affectif de l'enfant

Tous ces facteurs favorisent l'estime de soi et l'apprentissage des règles de la vie en société: présence disponible, aimante et encourageante, règles de conduite claires, appliquées de façon constante et comportant des conséquences, selon qu'elles sont respectées ou non, instauration d'un climat de collaboration entre les enfants et bonne communication avec les parents.

L'organisation générale du service de garde et le style de pédagogie instauré de façon quotidienne ont aussi une grande influence sur le comportement général des enfants et sur leur bien-être quand ils sont au service de garde. Par exemple, un local trop petit ou sans subdivision ou encore un local bruyant peut avoir des effets sur le comportement des enfants et causer désorganisation et manque de concentration; partager l'espace peut aussi entraîner stress, conflits et agressivité. Un programme d'activités avec une certaine structure et des routines répond aux besoins de sécurité et d'encadrement de l'enfant.

L'environnement d'un enfant en bas âge et les soins qu'il reçoit ont des conséquences profondes qui durent toute la vie. D'où l'importance d'avoir un personnel stable, chaleureux, compétent et en nombre suffisant durant cette période. Les échanges sur la pédagogie dans les centres de la petite enfance contribuent à développer une même approche chez l'ensemble des éducatrices.

## Les interventions souhaitées[4]

Pour soutenir l'enfant dans son développement socio-affectif, l'éducatrice doit privilégier certaines interventions. Celles-ci ont un impact direct sur les sentiments de confiance en soi et d'estime de soi et sur les habiletés à coopérer et à s'entraider. Ces interventions reposent sur des notions de respect de soi et des autres, notions qui constituent les bases de l'empathie.

### L'expression adéquate des besoins et des sentiments

L'éducatrice doit être assez sensible pour percevoir de façon précise les sentiments que l'enfant ressent et lui permettre de les exprimer adéquatement. L'expression des émotions se distingue de l'attaque verbale qui insulte l'autre. L'éducatrice privilégie ainsi l'utilisation du message «je» par l'enfant: «Je suis fâché parce qu'il a pris mon jouet». Utiliser ce message constitue l'attitude de base à adopter quand on désire communiquer ses idées et ses sentiments. Le message «je» touche directement la personne qui parle; il décrit comment elle se sent dans une situation donnée sans porter préjudice à l'autre.

### La capacité d'écoute

L'éducatrice qui privilégie l'écoute active devient un modèle pour l'enfant. Elle prête ainsi une attention particulière à ce qu'il exprime et insiste pour qu'il soit à son tour attentif aux sentiments d'autrui. L'éducatrice reformule les paroles dites par l'enfant pour bien signifier le message émis. Enfin, elle l'encourage à mettre cette technique en pratique avec les autres enfants. En position d'écoute active, celui qui exprime le message se sent accepté tel qu'il est, ne craignant aucun jugement ni aucune critique de la part de la personne qui l'écoute.

L'expression adéquate des besoins et des sentiments et l'écoute active constituent les éléments d'une communication positive.

4. Le texte sur les interventions souhaitées est tiré et adapté de: ministère de la Famille et de l'Enfance, *Jouer, c'est magique*, tome 2 (section 7, L'intervention auprès des jeunes enfants, une démarche positive), Les Publications du Québec, 1998, p. 107-109.

### Une réponse adéquate aux besoins de l'enfant

L'éducatrice réconforte l'enfant quand il est triste. Elle l'aide à résoudre ses conflits ou ses problèmes. Elle porte une attention particulière aux besoins de chacun et s'efforce d'y répondre le plus adéquatement possible car elle reconnaît le caractère unique de chaque enfant. L'éducatrice accepte l'enfant tel qu'il est et lui exprime fréquemment son affection.

### Les encouragements

L'éducatrice encourage l'enfant, car elle reconnaît ainsi les efforts qu'il déploie même si les tentatives ne mènent pas toujours au succès. Elle organise l'environnement de façon à encourager l'initiative et à soutenir l'enfant dans ses décisions. Elle l'incite à faire preuve d'initiative dans les réalisations qu'il entreprend et l'encourage à faire des choix selon ses goûts et intérêts personnels.

### Le respect de l'enfant

L'éducatrice fait preuve de respect quand elle écoute l'enfant et accepte sa volonté quand il fait un choix acceptable. Elle le respecte quand elle évite de l'humilier, surtout devant d'autres enfants, et quand elle s'abstient de porter un jugement à son sujet en sa présence ou en présence du groupe. Les interventions qui ont pour objectif de mettre fin à un comportement inacceptable doivent être discrètes pour ne pas attirer l'attention de tout le groupe. Une autre forme de respect consiste à expliquer les règles, les interdictions et les obligations. Enfin, le respect se vit aussi à travers les liens que l'éducatrice crée avec la famille de l'enfant.

### La création d'un environnement chaleureux

L'éducatrice doit avoir le souci de favoriser un climat de détente, de plaisir et d'humour où le rire est contagieux. Ce climat ne doit jamais être altéré par des discussions animées entre adultes; mieux vaut régler les différends hors de la présence des enfants.

### L'entraide et la collaboration

Les valeurs d'entraide et de collaboration doivent être véhiculées tout au long de la journée. L'enfant doit être amené à consoler ses compagnons et à les aider quand ils ont besoin d'un coup de main. L'enfant aime aider l'adulte dans l'accomplissement des tâches quotidiennes; ce même désir doit être encouragé entre enfants.

## La coopération plutôt que la compétition

L'éducatrice doit décourager la rivalité entre enfants; elle doit plutôt privilégier l'entraide. Organiser une course à l'habillage autour d'une récompense pour celui qui sera le premier peut constituer une forme d'intervention auprès d'enfants de 4 et 5 ans. Toutefois, cette tactique a comme résultat d'encourager la récompense par une victoire sur les autres plutôt que par le plaisir d'avoir accompli une action avec les autres. Plutôt que de cibler un seul gagnant, l'éducatrice peut récompenser tout le groupe pour l'entraide démontrée lors de l'habillage.

## Le développement des habiletés sociales

L'éducatrice favorise les regroupements et encourage les initiatives de l'enfant à s'intégrer à un groupe de jeu. Par ailleurs, elle reconnaît que les enfants ont le droit de choisir leurs compagnons de jeu mais elle intervient pour que ces choix soient exprimés dans le respect de chacun et qu'aucun enfant ne soit laissé seul contre son gré.

## La création d'un milieu de vie favorisant la coopération, l'empathie et l'altruisme

Les compétences de l'enfant ne sont pas innées. Il les acquiert par imitation, dans son contact avec les autres. Quand il évolue en présence d'adultes qui vivent des relations positives entre eux et avec les enfants, il apprend à interagir de même avec ses pairs. Opter pour un style d'intervention démocratique permet à l'éducatrice d'établir avec les enfants des relations positives en créant une atmosphère propice au développement socio-affectif.

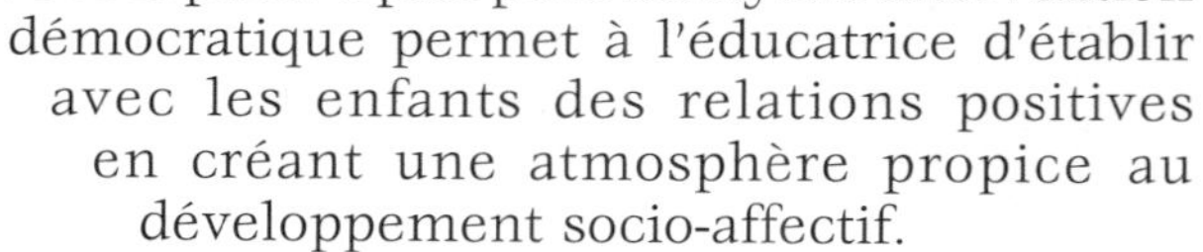

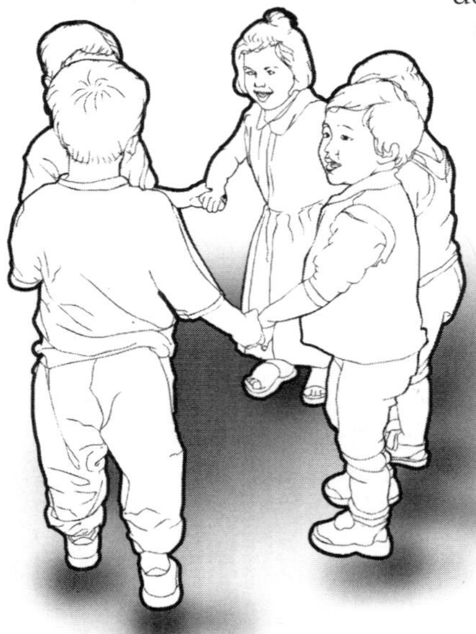

## L'éducation sexuelle des enfants d'âge préscolaire[5]

Pourquoi aborder la question de l'éducation sexuelle dans un chapitre sur la santé émotionnelle des enfants?

C'est dans une optique de prévention que nous abordons cette question: un enfant renseigné selon son âge, dans un climat sain, aborde la sexualité avec sérénité et l'intègre aux autres renseignements reçus sur divers sujets. L'enfant informé saura davantage reconnaître les comportements abusifs et en parler.

### Le développement sexuel de l'enfant

Dimension inhérente à l'être humain, la sexualité s'exprime de diverses façons selon l'âge. Chez les enfants d'âge préscolaire, c'est le besoin d'exploration qui domine:

- Pour l'enfant de 0 à 18 mois, le corps est source de curiosité et de plaisir par la bouche, le toucher, etc.
- Entre 1 an et demi et 2 ans et demi, l'enfant s'intéresse aux parties de son corps et s'aperçoit des différences sexuelles. S'il lui arrive de s'auto-stimuler à cette période, il s'agit davantage d'un apprentissage par accident, plutôt qu'une activité dirigée et consciente.
- De 2 ans et demi à 5 ans, l'enfant connaît une période plus active: il démontre un intérêt accru pour les questions sexuelles et les naissances et pose des questions à ce sujet. C'est aussi la période de la masturbation solitaire et des jeux sexuels où il s'expose et examine les autres. C'est aussi à la fin de cette période que vont s'intégrer les normes du milieu quant aux valeurs sexuelles (bon/mauvais).

### Quels sont les aspects de la sexualité qui intéressent les enfants d'âge préscolaire?

- Les différences sexuelles dans l'anatomie: quand on enseigne les parties du corps aux enfants, il est important d'utiliser les mots véritables pour désigner les parties sexuelles (pénis, vagin).

5. Barton D. Smitt, m.d., *Sex education and the preschooler*, Contemporary pediatrics, Children Virtual hospital, children hospital Iowa, l'ensemble de l'article et en particulier les aspects de la sexualité à enseigner aux enfants d'âge scolaire.
www.vh.org/Patients/IHB/Peds/psych/sexEducation.html

Christine M. Todd, Ph.D., *Responding to sexual play*, Human development and family studies, University of Illinois cooperative extension, National Network for Child Care's Connections Newsletter, en particulier les 5 questions à se poser pour savoir si la conduite sexuelle d'un enfant est normale.
www.nncc.org/Guidance/cc35_respond.sex.play.html

Suzanne Dansereau, *Sexualité des petits: Comment distinguer les comportements indicateurs d'abus sexuels*, Petit à Petit, mai-juin 1994, p. 3-5.

- La grossesse et d'où les enfants viennent: on peut expliquer le processus de la naissance de façon simple. Là encore, il est important d'utiliser les bons termes. Les livres (histoires et illustrations) peuvent aussi aider l'enfant à comprendre.
- L'enfant se questionne aussi sur les relations sexuelles. Beaucoup de parents qui expliquent la grossesse et la naissance remettent à plus tard le sujet des relations sexuelles. Certains enfants qui ont des questions au sujet des relations sexuelles ne les posent pas parce qu'ils perçoivent le malaise des adultes. On peut franchir cet obstacle à l'aide de livres d'enfants qui expliquent les relations sexuelles dans le cadre d'une éducation plus large. Comme pour toute approche pédagogique, mieux vaut en discuter avec le parent pour s'entendre sur l'approche à retenir au service de garde.

### Comment répondre à leurs préoccupations?

- Profiter des jeux sexuels normaux entre enfants pour leur parler de la sexualité: se déshabiller et regarder les parties génitales de l'autre fait partie du développement sexuel normal de l'enfant. Les enfants qui jouent à des jeux de déshabillage ou de «docteur» sont probablement en train de s'adonner à des jeux sexuels normaux: ils tentent d'en apprendre davantage sur les différences sexuelles. Plutôt que de réagir avec émotion, inquiétude ou horreur, mieux vaut saisir cette occasion de faire vivre une expérience d'apprentissage positive. On peut alors parler brièvement des différences entre les corps des garçons et des filles, ce qui aide à démystifier les choses et, partant, à réduire le temps passé à ces jeux d'exploration. Par la suite, on peut revenir sur le sujet à l'aide d'un livre d'éducation sexuelle conçu pour ce groupe d'âge.
- Enseigner aux enfants que leurs parties génitales sont du domaine privé: c'est pour cela qu'on porte des vêtements. Ce n'est pas non plus acceptable de montrer ses parties génitales de façon délibérée ou de demander à voir les parties sexuelles de quelqu'un et de les toucher. Les enfants des services de garde intégreront bientôt le monde scolaire où la nudité n'est certainement pas acceptée et où l'enfant qui ne respecte pas ces règles risque d'avoir de sérieuses difficultés.
- Si les enfants se montrent occasionnellement leurs parties génitales, c'est une exploration normale qu'il faut ignorer. Mais si ces comportements deviennent plus fréquents, les décourager et dire aux enfants d'arrêter. On peut suggérer un autre jeu. Si le comportement persiste, on peut très brièvement mettre l'enfant à l'écart du groupe. On doit également en discuter avec le parent. L'important, c'est d'intervenir dans le calme, sans colère et sans manifester de gêne ou d'émotion forte.

- Enseigner aux enfants le respect de l'intimité: il faut commencer à enseigner aux enfants le respect de l'intimité entre 4 et 5 ans. À cet âge, il est normal qu'un enfant ferme la porte des toilettes quand il les utilise.
- Montrer aux enfants par l'exemple comment être affectueux: enseigner par exemple que l'expression d'affection physique avec les amis ou les parents peut être agréable et saine. Faire preuve devant les enfants d'une attitude saine à l'égard des démonstrations physiques d'affection et à l'égard des façons appropriées de se toucher les uns les autres.
- Se montrer à l'aise quand on parle de questions sexuelles avec les enfants: être ouvert et positif sur ces questions. Si le sujet est peu connu ou qu'on ne sait pas comment l'expliquer aux enfants, se renseigner dans les livres conçus pour les parents ou les éducateurs.

### Comment réagir à certaines expressions de la sexualité chez les enfants?

Plusieurs parents et éducateurs se sentent mal à l'aise quand ils observent l'expression de certains éléments de sexualité dans le jeu des enfants. D'une part, on dit qu'il est normal pour les enfants à certains âges d'agir ainsi: cela résulte de leur besoin de tout explorer. C'est aussi une façon d'indiquer aux adultes de l'entourage qu'ils désirent plus d'informations à ce sujet.

D'autre part, on se demande souvent si la conduite des enfants qui agissent ainsi est normale ou même s'il ne s'agit pas d'indices d'agression sexuelle.

Il faut répondre aux questions des enfants de façon positive, simple, brève et adaptée à leur âge et apporter des précisions seulement si d'autres questions émergent.

Il est important de rectifier les conceptions erronées qu'ils peuvent avoir sur la sexualité comme: «c'est pas beau». Si l'on ne sait pas comment aborder la question, on peut lire aux enfants des livres conçus pour eux, qui abordent le sujet.

Voici cinq questions qui permettent d'établir si l'exploration sexuelle de l'enfant est normale:

1. Le comportement est-il approprié à l'âge? Il est très normal pour un enfant de 2 ans de se promener les mains dans son caleçon. Mais la plupart des enfants de 5 ans savent déjà que cela ne se fait pas.
2. Le comportement est-il prolongé? Si l'enfant s'engage constamment dans des jeux à caractère sexuel sans changer d'activités, il y a peut-être matière à s'interroger.

3. L'enfant peut-il faire face à ses sentiments? Le jeu se caractérise par le rire et un cœur léger. Par exemple, les petites filles vont souvent rire quand elles lèvent leur jupe. Mais si les enfants qui s'engagent dans des explorations sexuelles ont un air anxieux ou coupable ou s'ils deviennent extrêmement excités, il faut accorder plus d'attention à ce comportement.
4. Y a-t-il des signes qu'un enfant oblige un autre enfant à s'engager dans une exploration sexuelle, soit en le forçant physiquement, soit en l'achetant, soit en lui criant des noms? Si c'est le cas, il faut intervenir.
5. Est-ce qu'un enfant en sait plus que ce qu'il devrait savoir pour son âge? Les connaissances varient naturellement selon les milieux, mais de façon habituelle, il est très rare qu'un enfant imite une relation sexuelle, par exemple. Cela peut indiquer que l'enfant a été témoin d'activités sexuelles entre adultes.

- Certains comportements des enfants demandent une plus grande attention et, partant, une intervention. Voici quelques exemples:
  - L'enfant touche sans cesse les parties génitales des autres enfants.
  - L'enfant essaie de déshabiller d'autres enfants.
  - L'enfant tente d'entraîner des enfants plus jeunes dans des jeux sexuels.
  - L'enfant montre à répétition ses parties génitales aux autres après s'être fait dire de ne pas le faire.
  - L'enfant continue de se masturber en public après s'être fait dire de ne pas le faire.
  - L'enfant manifeste un intérêt excessif pour les questions sexuelles ou la nudité.

Si l'on soupçonne un abus sexuel, en discuter avec la Direction de la protection de la jeunesse ou le CLSC. Les mauvais traitements sous toutes leurs formes (physique, émotif, sexuel ou par négligence) sont abordés dans la section suivante de ce chapitre.

### La masturbation

La masturbation est normale chez l'enfant. Beaucoup d'adultes se demandent si cette conduite est bonne ou mauvaise. Évaluer la conduite comme bonne ou mauvaise repose avant tout sur les valeurs morales ou religieuses de la personne. Les parents et les éducatrices ne doivent pas s'alarmer si l'enfant se masturbe à l'occasion. Toutefois, certains parents ou éducatrices jugent cette conduite acceptable dans certaines circonstances tandis que d'autres la jugent mauvaise ou dérangeante et veulent la décourager.

Quand l'enfant se masturbe en service de garde, ne pas le punir, ne pas le faire se sentir coupable ni lui dire que c'est mauvais ou sale. Si la masturbation continue plus d'un jour ou deux ou si ce comportement s'étend aux autres enfants, encourager les enfants à s'engager dans d'autres activités.

La masturbation peut être un signe de stress dans la vie de l'enfant. Lui offrir des activités intéressantes et lui donner une attention supplémentaire feront probablement disparaître ce comportement. Si l'enfant est assez vieux pour comprendre, on peut avoir avec lui une brève conversation. Lui enseigner que la masturbation est un acte privé et qu'on ne touche pas ses parties génitales quand on est avec les autres.

On peut demander au parent s'il a remarqué la conduite de son enfant et comment il y a répondu. Toutefois, l'éducatrice qui soupçonne que l'enfant peut être victime d'agression sexuelle doit signaler la situation à la Direction de la protection de la jeunesse.

# Les conditions qui nuisent au développement socio-émotif de l'enfant

## Les mauvais traitements[6]

L'enfant maltraité est une réalité souvent présente dans notre société. Le service de garde est par conséquent confronté à cette réalité: il peut accueillir un enfant victime de mauvais traitements ou qui l'a déjà été. Il est donc particulièrement important de connaître les signes ou les symptômes des mauvais traitements et de savoir comment intervenir auprès d'un enfant qu'on sait victime de mauvais traitements.

6. Lee Dunster, chap. 17, *Child Abuse in Home Child care*: A Caregiver's Guide, publié par Child Care Providers Association, May 1994, www.efc.ca/docs/00000938.htm

*Négligence et mauvais traitements envers les enfants: prévention et intervention en services de garde*, Office des services de garde à l'enfance, Marie-Patricia Gagné, 1995; édition revue et corrigée, 1996, 51 pages.

## Qu'est-ce qu'abuser d'un enfant?

Les mauvais traitements infligés à l'enfant peuvent prendre bien des formes:

- Les mauvais traitements sont physiques quand une personne blesse intentionnellement un enfant, le frappe ou le secoue. Les sévices doivent être assez sérieux pour qu'il y ait lieu de craindre que la santé, le développement ou même la vie de l'enfant sont compromis.
- L'abus est émotionnel quand on prive l'enfant d'affection et de valorisation: on le rejette, on le traite avec indifférence, froideur ou agressivité verbale.
- Les mauvais traitements peuvent prendre la forme de la négligence quand on omet de donner à l'enfant les soins requis pour sa sécurité et son développement physique, psychologique et social.
- L'abus peut aussi être de nature sexuelle. Cela va du toucher non approprié au viol. La Direction de la protection de la jeunesse définit l'abus sexuel comme tout geste posé par un adulte donnant ou recherchant une stimulation sexuelle non appropriée pour l'âge ou le niveau de développement de l'enfant[7].

Ne rien faire pour mettre fin aux mauvais traitements peut aussi être considéré comme une façon d'y consentir.

Les adultes qui abusent d'un enfant appartiennent à tous les milieux sociaux et économiques. Ils vivent à la ville comme à la campagne, ils occupent divers types d'emplois et ils appartiennent aux deux sexes. Certains de ces adultes ont eux-mêmes été maltraités dans leur enfance mais ce n'est pas toujours le cas.

## Les indices d'abus et de négligence

Certains indices se rencontrent dans la plupart des situations de mauvais traitements, en particulier dans le comportement des enfants: par exemple, passer d'une conduite à son extrême, de très agressif à très passif. D'autres indices se rencontrent dans le comportement de l'adulte: réagir avec hostilité ou indifférence quand on tente de discuter avec lui de préoccupations au sujet de l'enfant.

Pris isolément, certains comportements de l'enfant et de l'adulte ne signifient pas nécessairement qu'il y a eu abus ou négligence. Ils peuvent simplement indiquer un stress dans la vie de l'enfant ou de l'adulte. De plus, un seul indice ne suffit pas. Habituellement, l'éducatrice doit s'interroger sur la possibilité d'abus quand la situation de l'enfant présente une combinaison d'indicateurs. Elle peut en discuter confidentiellement, sans nommer l'enfant, avec une collègue ou un membre de la direction et faire part de ses inquiétudes ou prendre conseil au CLSC ou à la Direction de la protection de la jeunesse.

7. Définition de l'Association des Centres de services sociaux du Québec, au 1992-08-12, dans *op. cit.*, note 6, p. 19.

## Les indices de mauvais traitements physiques chez l'enfant

### Les signes physiques chez l'enfant

- Ecchymoses, traces de coups ou de lésions corporelles, traces de morsures ou de brûlures, cheveux arrachés, blessure à la tête et membres disloqués ou brisés.
- Enfant malade ou qui présente des troubles physiques attribuables à la consommation de médicaments, de drogues ou d'alcool.
- L'enfant soumis à des conditions qui nuisent à son développement, à sa santé ou même à sa vie : enfant attaché, enfermé, etc.

### Les comportements de l'enfant

- Être sur ses gardes lors de contacts physiques avec les adultes ;
- Manifester de la peur à l'égard de ses parents ou d'un autre adulte ;
- Manifester de la peur devant la désapprobation de l'adulte ;
- Aller d'un comportement extrême à son contraire : docilité excessive ou agressivité soudaine ou problèmes inexplicables de comportement comme le repli sur soi, des problèmes d'attention ou de concentration ;
- Manifester un grand empressement à faire plaisir ;
- Manifester de l'anxiété quand d'autres enfants pleurent ;
- Ne pas savoir comment approcher les adultes ;
- Appeler à l'aide de manière indirecte par le silence ou des justifications qui expriment les craintes de l'enfant envers l'adulte qui l'agresse ;
- Se confier à propos de situations qu'il a vécues ou que d'autres enfants ont vécues ;
- Être agressif avec les autres enfants ou les animaux, ou les maltraiter ; briser des jouets ou du matériel.

### Les comportements de l'adulte

L'enfant peut manifester des signes de mauvais traitements sans que la personne qui le maltraite soit connue de l'éducatrice. Ce peut être le parent, mais peut-être aussi un ami de la famille, un membre du personnel du service de garde, un grand-parent ou toute autre personne que l'éducatrice ne rencontre pas. Les renseignements qui suivent sont donc donnés à titre indicatif. Ne jamais oublier que c'est à la Direction de la protection de la jeunesse d'évaluer les mauvais traitements et d'identifier la personne qui les inflige.

- Être souvent en colère avec l'enfant, être impatient et perdre le contrôle ou passer près de le faire ;
- Punir l'enfant fréquemment pour n'importe quel motif et parfois sans raison ;
- Ne pas paraître préoccupé de l'état physique de l'enfant ;
- Voir l'enfant comme mauvais et comme la cause de ses propres problèmes d'adulte ;
- Refuser de discuter de l'état de l'enfant ou le faire avec réticence ; interpréter les questions avec méfiance ;
- Donner des explications illogiques, contradictoires ou peu convaincantes des blessures de l'enfant ou encore n'en fournir aucune ;
- Utiliser une discipline inappropriée à l'âge de l'enfant ;
- Mal comprendre le développement normal de l'enfant ou encore attendre de lui un comportement d'adulte ;
- Être dépassé par les exigences de son enfant ou par ses propres conditions de vie et avoir de la difficulté à se contrôler.

## Les indices d'abus émotifs chez l'enfant

L'apparence de l'enfant ne laisse pas toujours voir l'étendue des difficultés; l'enfant peut sembler propre, bien soigné et bien nourri. Le visage et la posture de l'enfant peuvent exprimer tristesse, dépression, timidité ou agressivité retenue.

| Les comportements de l'enfant | Les comportements de l'adulte |
|---|---|
| • Paraître trop passif, timide et docile;<br>• Se conduire à l'occasion de façon très agressive, exigeante et colérique;<br>• Avoir peur de l'échec, avoir de la difficulté à se concentrer et abandonner facilement;<br>• Exprimer des sentiments de rejet, de dépréciation, d'abandon, ou se vanter, manquer d'autonomie, d'initiative et de débrouillardise parce qu'il n'est pas valorisé;<br>• S'excuser constamment, même sans nécessité;<br>• Se cacher et se tenir en retrait. | Encore ici, ne jamais oublier que la personne qui maltraite l'enfant peut ne pas être connue de l'éducatrice et que c'est à la Direction de la protection de la jeunesse de l'identifier.<br>• Faire preuve d'indifférence et de froideur à l'égard de l'enfant et ne pas lui témoigner d'affection;<br>• Déprécier l'enfant en public ou à la maison;<br>• Ne pas chercher à réconforter l'enfant quand il est effrayé ou bouleversé;<br>• Traiter différemment et mieux d'autres enfants dans la famille; les critiquer moins et leur montrer plus d'amour et d'acceptation;<br>• Tendre à décrire l'enfant de façon négative: «stupide, mauvais, fauteur de troubles»; lui prédire l'échec ou un avenir sombre;<br>• Rendre l'enfant responsable de ses déceptions et de ses propres difficultés dans la vie;<br>• Identifier l'enfant à un proche que l'adulte n'aime pas. |

## Les indices de négligence chez l'enfant

| Les comportements de l'enfant | Les comportements de l'adulte |
|---|---|
| • Montrer des signes de privation: poids largement sous la normale, fesses constamment et gravement irritées, diarrhée, anémie, problèmes respiratoires récurrents et retards de développement;<br>• Être constamment sale et porter des vêtements troués ou inappropriés pour la saison;<br>• Montrer une amélioration visible quand l'enfant reçoit une alimentation et une stimulation adéquates;<br>• Manquer de soins médicaux ou dentaires;<br>• Être souvent affamé ou assoiffé; | • Avoir une vie familiale chaotique;<br>• Ne pas surveiller l'enfant pendant de longues périodes ou encore quand l'enfant s'engage dans des activités possiblement dangereuses;<br>• Laisser l'enfant utiliser nourriture, boissons et médicaments de façon inappropriée;<br>• Amener régulièrement l'enfant au service de garde tôt et venir le chercher tard sans motif connu;<br>• Être indifférent aux progrès de l'enfant et difficile à rejoindre au téléphone; ne pas venir aux rendez-vous fixés pour discuter de l'enfant; |

| Les comportements de l'enfant | Les comportements de l'adulte |
| --- | --- |
| • Être souvent fatigué ou sans énergie;<br>• Demander souvent de l'attention et des contacts physiques à l'adulte;<br>• Assumer des tâches non appropriées à son âge;<br>• Démontrer beaucoup de débrouillardise pour résoudre les problèmes. | • Exploiter l'enfant ou le faire trop travailler pour son âge;<br>• Changer souvent de partenaire ou de conjoint. |

## Les indices d'abus sexuels chez l'enfant

**Il n'y a pas toujours des signes physiques évidents de l'abus sexuel chez le jeune enfant. Souvent la relation sexuelle n'est pas complète et l'abus est davantage de l'ordre des touchers.**

Signes physiques qui peuvent être présents:

- Vêtements déchirés et taches de sperme ou de sang;
- Douleurs ou démangeaisons dans la région génitale ou dans la gorge; difficulté à aller aux toilettes ou à avaler;
- Ecchymoses, saignements ou enflure dans la région génitale ou anale;
- Odeurs ou pertes vaginales.

| Les comportements de l'enfant | Les comportements de l'adulte |
| --- | --- |
| • Montrer un intérêt exagéré pour les questions sexuelles;<br>• Utiliser un langage ou faire des dessins explicitement sexuels;<br>• Se masturber de façon excessive;<br>• Craindre ou éviter certains lieux ou certaines personnes: avoir peur de retourner à la maison, craindre les endroits fermés comme les vestiaires ou les salles de bain et refuser les changements de couches ou les soins d'hygiène;<br>• Adopter des attitudes séductrices. | Ne jamais oublier que c'est à la Direction de la protection de la jeunesse d'identifier l'abuseur de l'enfant.<br>• Avoir des relations sociales ou conjugales difficiles;<br>• Montrer son propre isolement social et sa solitude en tant qu'adulte;<br>• S'accrocher à l'enfant physiquement et émotivement; tenir ou toucher l'enfant de façon inappropriée;<br>• Avoir tendance à blâmer «les autres» pour ses problèmes dans la vie, même les comportements sexuels de l'enfant.<br>Se rappeler que la plupart des adultes abuseurs sexuels fonctionnent en société. |

### Le signalement à la Direction de la protection de la jeunesse par le service de garde

S'il y a soupçon de mauvais traitements, d'abus ou de négligence à l'égard de l'enfant[8], la *Loi sur la protection de la jeunesse* oblige à signaler les cas de mauvais traitements ou de négligence à l'égard d'un enfant.

L'article 39 donne l'obligation à un adulte de signaler une situation au directeur de la protection de la jeunesse:

«Tout professionnel qui, par la nature même de sa profession, prodigue des soins ou toute autre forme d'assistance à des enfants et qui, dans l'exercice de sa profession, a un motif raisonnable de croire que la sécurité d'un enfant est compromise au sens de l'article 38 ou au sens de l'article 38.1, est tenu de signaler sans délai la situation au directeur; la même obligation incombe à tout enseignant ou à tout policier qui, dans l'exercice de ses fonctions, a un motif raisonnable de croire que la sécurité ou le développement d'un enfant est ou peut être considéré compromis au sens de ces dispositions.

Toute personne autre qu'une personne visée au premier alinéa qui a un motif raisonnable de croire que la sécurité ou le développement d'un enfant est compromis au sens du paragraphe *g* de l'article 38 est tenue de signaler sans délai la situation au directeur».

Pour signaler la situation d'un enfant, s'adresser à la Direction de la protection de la jeunesse du centre jeunesse qui intervient sur le territoire où le service de garde est situé.

Signaler une situation n'est pas chose facile, surtout s'il s'agit de la première fois. Ne pas hésiter à le mentionner: l'intervenant de la Direction de la protection de la jeunesse peut alors en tenir compte quand il recueille les données et échange avec le signalant.

Toujours se rappeler qu'il faut avant tout penser au bien-être de l'enfant.

La personne qui signale une situation n'a pas à faire la preuve de l'abus ou à interpréter les faits observés. Un signalement est un signal d'alarme lancé à la Direction de la protection de la jeunesse sur une possibilité d'abus. Ne pas faire un signalement, c'est exposer l'enfant à un danger plus grand

8. Le gouvernement du Québec prépare une *Entente multisectorielle relative aux enfants victimes d'abus sexuels, de mauvais traitements physiques ou d'une absence de soins menaçant leur santé physique*. Cette entente facilitera la collaboration des services de garde avec les organismes concernés par ces situations (Direction de la protection de la jeunesse, corps policiers, etc.) de façon à mieux répondre aux besoins des enfants et de leur famille.

et à un abus plus grave la prochaine fois. L'enfant a besoin de protection et l'adulte abuseur a besoin d'aide. Douter du bien-fondé d'un signalement est normal mais si les indices de mauvais traitements sont là, un signalement doit être fait: l'article 39 de la *Loi sur la protection de la jeunesse* en donne l'obligation.

En cas de doute, toujours s'adresser à la Direction de la protection de la jeunesse: les personnes qui reçoivent les signalements peuvent fournir de l'information et aider à prendre la décision sur l'opportunité de compléter le signalement.

Si l'on soupçonne que l'enfant est maltraité, s'assurer de noter par écrit ses observations et ses inquiétudes. Cela est utile lors du signalement de l'enfant à la Direction de la protection de la jeunesse. Noter les faits suivants:

- les signes physiques observés, avec la date et l'heure;
- les conversations avec les parents au sujet des préoccupations de l'éducatrice, avec la date et l'heure;
- toute information fournie spontanément par l'enfant à ce sujet, avec la date et l'heure;
- toute autre information pertinente.

Préparer également les renseignements relatifs à l'identité de l'enfant, des parents et de la personne qui signale et du service de garde.

Si l'enfant vous fait part d'une agression, le rassurer, l'écouter, le réconforter et lui montrer qu'on le croit. Surtout, garder son calme et signaler la situation immédiatement: l'enfant n'a pas besoin de connaître la détresse de sa confidente en plus de la sienne.

**Il n'est pas recommandé de questionner l'enfant.**

Les intervenants de la Direction de la protection de la jeunesse sont en mesure d'interviewer l'enfant et de poser les bonnes questions. Si la travailleuse du service de garde pose les mauvaises questions ou suggère les réponses, cela peut nuire à l'enquête.

### Qui doit signaler la situation de l'enfant?

- La personne qui a été témoin d'une situation de mauvais traitements, d'abus ou de négligence;
- celle qui a reçu les confidences de l'enfant;
- celle qui soupçonne de telles situations après avoir relevé divers indices.

L'éducatrice du service de garde ou la responsable d'un service de garde en milieu familial qui se retrouve dans l'une des situations décrites au paragraphe précédent doit demander le soutien de la direction du centre de la petite enfance ou de la garderie dès le signalement et au cours des démarches subséquentes s'il y a lieu, sauf si la direction du service de garde semble impliquée dans les situations à signaler. On doit alors avoir recours au soutien d'autres membres du personnel ou d'intervenants du CLSC.

On peut aussi signaler la situation d'un enfant sans se nommer, si cela permet de se sentir plus à l'aise à cause des circonstances qui entourent l'abus. Par contre, le fait de donner son identité permet au directeur de la protection de la jeunesse de faire appel à une personne-ressource et de faciliter le processus d'aide à l'enfant. Tout signalement est confidentiel: le nom de la personne qui signale ne sera donc jamais divulgué à la famille. Au moindre doute, toujours s'adresser à la Direction de la protection de la jeunesse.

### Que se passe-t-il à la suite du signalement?

Si le signalement n'est pas retenu, le service de garde ou la personne qui a pris part au signalement en est automatiquement avisé.

Si le signalement est retenu, on évalue d'abord l'urgence d'intervenir selon:

- la gravité des faits signalés;
- la vulnérabilité de l'enfant (son âge, ses limites personnelles);
- l'incapacité des parents à le protéger.

Par la suite, on évalue les faits signalés et on en vérifie le fondement en recueillant des preuves. Si l'évaluation conclut que la sécurité ou le développement de l'enfant est compromis, le directeur de la protection de la jeunesse détermine les mesures à prendre pour redresser la situation. Selon la gravité de l'abus, les forces de la famille et de la présence ou non de l'abuseur dans le domicile de l'enfant, on peut donner un soutien aux parents pour faire cesser l'abus ou la négligence et les aider à mieux remplir leur rôle. L'enfant peut aussi être retiré de sa famille jusqu'à ce que le problème soit résolu. Si les parents collaborent, le directeur peut signer avec eux une entente sur des mesures volontaires. Sinon, il peut soumettre la situation de l'enfant au tribunal.

### La confidentialité

L'enquête qui donne suite au signalement d'un enfant est confidentielle. Il peut être frustrant de ne pas être informé des progrès de l'enquête, mais la loi est claire là-dessus: l'intervenant de la Direction de la protection de la jeunesse qui discute des preuves ou des démarches avec le signalant contrevient à la loi et manque d'éthique. On n'a qu'à s'imaginer comment la plupart des familles réagiraient si l'on pouvait, sur un simple coup de téléphone à un intervenant, obtenir des renseignements très personnels sur l'un de ses membres.

De même, le caractère confidentiel d'un signalement (par une éducatrice ou une responsable d'un service de garde en milieu familial ou une gestionnaire du centre de la petite enfance ou d'une garderie) doit être respecté. Cette information ne doit être connue que des personnes concernées, soit à cause de leur rôle d'autorité, soit à cause de l'information supplémentaire ou du soutien qu'elles peuvent donner. Cette information ne doit pas non plus être partagée avec les autres parents ni avec les membres du personnel non concernés.

En général, une fois les décisions prises par le directeur de la protection de la jeunesse, l'intervenant peut informer le signalant de la conclusion de l'enquête.

## Pour la protection des enfants en services de garde

Afin d'assurer la sécurité des enfants en services de garde, la *Loi sur les services de garde éducatifs à l'enfance* et son règlement d'application exigent que toutes les personnes majeures qui travaillent ou qui sont appelées à travailler dans un service de garde fassent l'objet d'une vérification d'absence d'empêchement. Le Règlement sur les services de garde éducatifs à l'enfance vient préciser ces personnes, notamment :

- le demandeur de permis [de centre de la petite enfance ou de garderie] (art. 2, alinéa 1, et art. 10, par. 11);
- les administrateurs [de centre de la petite enfance ou de garderie] (art. 2, alinéa 1, et art. 10, par. 11);
- toute personne qui travaille dans une installation d'un centre ou d'une garderie pendant les heures de prestation des services de garde (art. 4, alinéa 1);
- les membres du personnel d'un bureau coordonnateur de la garde en milieu familial affectés à la gestion du bureau, à la reconnaissance, à la surveillance ou au soutien pédagogique et technique des responsables de services de garde en milieu famial qu'il a reconnues (art. 4, alinéa 2);
- la personne qui demande une reconnaissance à titre de responsable d'un service de garde en milieu familial (art. 3, art. 51, par. 10, et art. 60, par. 13);
- les personnes majeures vivant dans la résidence privée où sont fournis les services de garde (art. 3, art. 51, par. 10, et art. 60, par. 13);

- la personne qui assiste (art. 5, alinéa 1, et art. 60, par. 13) une personne responsable d'un service de garde en milieu familial et sa remplaçante occasionnelle (art. 5, alinéa 1, et art. 83);
- le stagiaire et le bénévole qui se présentent régulièrement dans une installation d'un centre ou d'une garderie ou dans la résidence où sont rendus les services de garde (art. 5, alinéa 1);
- la personne qui effectue régulièrement le transport des enfants pour le compte d'un titulaire de permis (art. 4, alinéa 4).

## Quelques conseils pour le service de garde et le personnel éducateur chargé de prendre soin d'un enfant victime d'abus ou de négligence

Souvent, l'enfant agressé par un adulte qui en avait la responsabilité n'a plus confiance dans le monde qui l'entoure. Son estime de soi est très pauvre et il est facilement effrayé.

Il a besoin qu'on l'entoure avec patience, tout en lui laissant du temps pour se réorganiser. Il est important de lui accorder une attention particulière pour l'aider à reconstruire sa confiance en lui et dans les autres.

### Limiter les comportements inadéquats

- Limiter les comportements inadéquats, tout en montrant qu'on accepte les sentiments de l'enfant. Exemple : «C'est correct d'être fâché ; ce n'est pas correct de frapper». Le jeune enfant ne fait pas de distinction entre les sentiments et les comportements qu'il provoque. C'est encore plus évident chez l'enfant qu'on a maltraité. En effet, la plupart des modèles de contrôle des sentiments agressifs qu'il a connus sont inappropriés. Il faut régulièrement répéter la différence entre les sentiments et les comportements. Il faut soutenir l'enfant dans l'identification de ses sentiments en le questionnant avec ses mots à lui et l'aider à trouver des façons acceptables de s'exprimer.
- Prendre un ton calme avec l'enfant pour lui donner des consignes ou lui mettre des limites. S'assurer qu'il écoute.
- Autant que possible, utiliser les éloges et le renforcement positif pendant les activités.
- Utiliser des phrases positives et explicatives plutôt que négatives : lui dire ce qu'on attend de lui plutôt que ce qu'on ne veut pas. Par exemple : «mets tes pieds par terre pour garder la table propre» plutôt que «ne mets pas tes pieds sur la table».
- Aider l'enfant à résoudre les conflits. Par exemple, si deux enfants veulent la même bicyclette, leur dire qu'ils peuvent l'avoir tous les deux, mais à tour de rôle.

- Ne pas surprotéger l'enfant malgré la sympathie qu'il inspire et même si l'on désire compenser pour ses malheurs: l'enfant abusé a besoin de connaître et d'apprendre les limites et les attentes normales.
- Demander aux intervenants professionnels du CLSC et de la Direction de la protection de la jeunesse de soutenir le travail du service de garde auprès de l'enfant abusé ou négligé.

**Développer la confiance**

Voici des façons d'aider l'enfant et plus particulièrement l'enfant abusé à développer sa confiance en lui:

- L'encourager à s'affirmer vis-à-vis des autres. Renforcer l'idée que chacun a des droits et que chacun peut les faire respecter.
- Lui donner des choix. Il faut commencer par des choix très simples, suivis de choix plus complexes.
- Faire beaucoup d'activités motrices: courir, sauter, etc., aide l'enfant à sentir qu'il contrôle son corps, un facteur important dans le développement de la confiance. Pratiquer la relaxation favorise également la maîtrise de soi.
- Éviter les activités compétitives.
- Les jeux d'eau, de sable et de pâte à modeler calment les enfants.
- Présenter à l'enfant beaucoup d'occasions de réussir: s'il excelle dans une activité, lui donner des occasions de la pratiquer et de développer son habileté.
- Donner du temps et de l'espace: bon nombre d'enfants qui ont été abusés ne sont pas à l'aise avec les contacts physiques et ne savent pas comment y répondre. Leur laisser le temps d'établir leur propre rythme.
- Inviter l'enfant à se joindre aux activités sans le forcer. Par exemple, si le groupe écoute une histoire, inviter l'enfant à se joindre au groupe et le réinviter chaque jour. C'est à lui d'établir son rythme d'intégration.

**Passer outre à ses sentiments envers un parent abuseur**

Les relations de l'éducatrice avec les parents d'un enfant maltraité sont très importantes. Il est naturel d'éprouver de l'agressivité ou de l'antipathie envers un parent abuseur. Puisque les contacts avec l'enfant et ses parents sont quotidiens, les sentiments doivent être contrôlés pour que les relations soient positives.

À long terme, le temps et les efforts consentis pour établir et maintenir les communications avec les parents bénéficieront à l'enfant lui-même. Bon nombre de parents peuvent surmonter leurs difficultés et développer des habiletés parentales dans un environnement qui les appuie et avec un soutien professionnel.

## Prévenir les situations d'abus et les mauvais traitements en services de garde

Le service de garde doit tenir compte de la possibilité de mauvais traitements ou de négligence dans ses murs et s'organiser en conséquence. Prendre les mesures suivantes:

- Les enfants sont constamment sous la surveillance attentive d'une éducatrice en tout temps y compris durant la sieste et l'utilisation des toilettes.
- L'accès au service de garde est réservé aux enfants inscrits, à leurs parents et aux membres du personnel[9]. Toute autre personne qui se trouve sur les lieux doit avoir un motif valable et être accompagnée d'un membre du personnel. En milieu familial, l'accès doit être restreint ou réservé aux membres de la famille immédiate durant les heures de garde.
- On exerce une grande vigilance au cours des sorties à l'extérieur du service de garde. Deux membres du personnel doivent accompagner les enfants et les compter à intervalles réguliers. Les enfants doivent porter des dossards voyants et tenir le «serpent» ou la corde s'ils sont à pied. Les déplacements des poupons doivent se faire dans des véhicules sécuritaires (sièges d'auto approuvés ou bébé-bus).

La personne responsable de la garde d'enfants doit être très consciente et sensible: certains parents craignent que leur enfant soit maltraité pendant qu'il est gardé. Les éducatrices et les responsables d'un service de garde en milieu familial sont vulnérables à des accusations d'abus, surtout dans le cas où la personne intervient seule auprès des enfants.

Les pratiques suivantes favorisent une bonne communication avec les parents. C'est d'ailleurs la meilleure façon de les assurer que leur enfant est en sécurité.

- Avant même que la garde de l'enfant commence, le service de garde informe le parent de son approche pédagogique et des activités prévues pour mettre en application le programme éducatif en vigueur. Dire au parent qu'en service de garde, il n'y a pas de place pour les punitions corporelles, les humiliations et les cris.
- Dire au parent qu'il peut se présenter à n'importe quel moment de la journée.
- Informer régulièrement le parent de ce qui se passe durant la journée. Si les enfants sont dans une phase où tout ce qui concerne les toilettes est source de rires et de blagues ou s'ils explorent une série de mots «interdits», il faut en aviser le parent.
- Si certains enfants ont un comportement agressif (mordre, pousser, etc.), prévenir les parents et les informer des mesures prises.

9. Obligation de doter l'installation d'un mécanisme contrôlant l'accès au service (*Règlement sur les services de garde éducatifs à l'enfance*, art. 30, par. 1).

- En milieu familial, s'assurer que les parents savent qui peut se retrouver dans la maison durant les heures de garde et s'assurer qu'ils ont rencontré ces personnes. Les parents doivent également connaître les remplaçantes, dans la mesure du possible.
- Informer les parents de tout incident comme d'un simple fait, sans en faire un drame. Un incident rapporté directement aux parents prête moins à confusion que s'il est rapporté dans les termes colorés de l'enfant.
- L'enfant est curieux au sujet de son corps et de son fonctionnement, y compris la reproduction. Cela fait partie de son développement. Informer les parents de la façon dont l'éducatrice répond aux questions des enfants. Leur communiquer les prises de position du comité de pédagogie à ce sujet.

Avant tout, garder ouvertes les lignes de communication avec les parents. Encourager ces derniers à discuter ouvertement de toutes leurs préoccupations sur la façon d'éduquer leurs enfants et sur les pratiques du service de garde.

## Le stress[10]

Les enfants d'aujourd'hui, même très jeunes, semblent vivre beaucoup d'événements stressants. Cela peut avoir pour conséquences des réactions physiques (maux de ventre, diarrhée, nausées, vomissements, nervosité, problèmes de sommeil et d'appétit, plus grande vulnérabilité à l'infection) ou des difficultés de comportement: poussées d'irritabilité ou d'agressivité, apathie ou manque de concentration.

Le stress est un événement ou une situation qui cause un déséquilibre dans la vie d'une personne. Le stress peut être considéré comme une réponse normale d'adaptation: les transitions, telle l'entrée au service de garde ou à l'école, sont des périodes de stress que tous les enfants vivent et qui font partie des défis de la vie. De même, dormir dans un nouvel endroit ou apprendre un nouveau jeu sont aussi des occasions normales de stress chez la plupart des enfants.

Mais il y a aussi le stress «négatif», c'est-à-dire le stress qui se manifeste quand les demandes faites à l'enfant dépassent ses capacités d'adaptation. Chez l'enfant comme chez l'adulte, le stress est souvent causé par des situations qui échappent à son contrôle. Le stress engendre alors de la détresse.

---

10. Karen DeBord, Ph.D., *Helping children cope with stress*, North Carolina Cooperative Extension Service, in National Network for child care, www.nncc.org/Guidance/cope.stress.html et Marie-Claude Désorcy, *Le stress chez l'enfant, ses causes, ses signes, ses effets*, Petit à Petit, mai-juin 1992, p. 3-7.

Les principales causes d'augmentation de stress chez les enfants d'âge préscolaire sont[11] :

- la mort d'un parent ou d'un membre de la famille immédiate;
- le divorce, la séparation ou encore la réconciliation ou le remariage des parents;
- une longue maladie de l'enfant;
- les mauvais traitements et la violence dans la famille ou la communauté;
- un déménagement;
- une naissance dans la fratrie;
- un désastre naturel.

Quand plusieurs sources de stress sont présentes en même temps, le niveau et la durée du stress augmentent.

Aujourd'hui, la façon dont on élève les enfants est également source de stress:

- La surabondance de choix offerts à l'enfant: en voulant apprendre à l'enfant à se responsabiliser et en lui donnant confiance en lui, on lui demande parfois de faire des choix qui dépassent son développement intellectuel ou affectif.
- Très tôt, on oblige l'enfant à performer et à réussir. S'il perçoit cette pression, il peut avoir peur de perdre l'affection de l'adulte s'il ne comble pas ses attentes.
- Chaque fois que l'enfant ne peut satisfaire tous ses besoins dans la sérénité, il éprouve du stress.

### Quelques signes typiques d'un degré élevé de stress chez l'enfant d'âge préscolaire

L'enfant qui vit un stress important a ses réactions bien à lui. Il peut avoir plusieurs comportements: irritabilité, anxiété, pleurs incontrôlables, tremblements de peur, problèmes d'alimentation ou de sommeil.

Mais attention: on ne peut pas tout attribuer au stress. Il est normal pour un enfant d'âge préscolaire de manquer de contrôle, de ne pas toujours avoir la notion du temps, d'être trop curieux, de mouiller son lit à l'occasion, de changer ses habitudes alimentaires, d'avoir des difficultés de sommeil ou de langage et de ne pas pouvoir exprimer certains de ses sentiments aux adultes.

La façon dont l'enfant réagit au stress varie selon son développement, sa capacité de faire face aux difficultés, la durée de son exposition au stress et le degré de soutien qu'il reçoit de sa famille et des autres adultes qui l'entourent.

---

11. Ministère de la Famille et de l'Enfance, D. Elkind, *L'enfant stressé*, cité dans *Jouer, c'est magique*, tome 2, Les Publications du Québec, 1998, p. 135.

Les deux principaux indices d'un degré de stress élevé chez l'enfant sont les changements de comportement et la régression.

- Les changements : le comportement de l'enfant stressé change ; il ne réagit pas comme d'habitude. Par exemple, il a peur d'être seul, il se retire, il mord ou réagit fortement aux bruits soudains ou forts. L'enfant stressé peut se sentir triste ou agressif et ne pas savoir comment l'exprimer. Il peut aussi avoir des cauchemars ou être enclin aux accidents.
- La régression : des façons de faire propres aux étapes précédentes du développement peuvent réapparaître. Par exemple, le comportement du trottineur peut régresser à celui du nourrisson comme sucer son pouce ou mouiller sa culotte.

## Diminuer le stress de l'enfant en services de garde ?

### L'organisation matérielle du service de garde

- Diminuer le bruit, un facteur physique de stress important ; voir les moyens suggérés au chapitre 2 sur le contrôle du bruit.
- Donner aux enfants un espace assez grand pour qu'ils puissent s'y ébattre à leur aise et pour qu'ils trouvent des possibilités de silence et de calme quand ils en ont besoin.

### Le fonctionnement quotidien du service de garde

- Réduire au minimum le roulement du personnel.
- Mettre en place des groupes stables d'enfants et d'éducatrices ; le groupe doit convenir à l'âge de l'enfant et à son niveau de développement.
- Empêcher les manifestations d'agressivité physique et verbale des enfants et du personnel. Apprendre aux enfants à exprimer leurs frustrations avec des mots et les encourager par l'exemple.
- Pour l'enfant, être témoin de critiques ou de conflits ouverts entre ses parents et le personnel du service de garde est source d'anxiété[12].

12. M.-C. Désorcy, *op. cit.*, note 11, p. 5.

**L'enfant invulnérable**[13]

Chez certains enfants, le stress ne se mue pas en détresse. Les chercheurs leur ont trouvé les cinq caractéristiques suivantes:

**La compétence sociale**
L'enfant se sent à l'aise et bien avec les autres.

**La disposition face à soi**
L'enfant se perçoit comme attrayant et charmant.

**La confiance en soi**
L'enfant se sent capable de maîtriser les situations stressantes.

**L'indépendance**
L'enfant n'est pas suggestible: par exemple, il est imperméable aux attaques de ses pairs; il est capable de trouver l'intimité dont il a besoin.

**Le sens de la réalisation**
L'enfant est créateur et imaginatif.
Il réalise des projets.
Plus on favorise l'émergence ou le maintien d'une partie ou de l'ensemble de ces caractéristiques chez un enfant, mieux on l'arme contre les méfaits du stress négatif.







## Facteurs qui aident les enfants à faire face au stress

La façon dont les enfants réagissent au stress et les stratégies qu'ils déploient pour y faire face varient d'un enfant à l'autre. Un environnement qui offre un bon soutien à l'enfant lui permet de développer des stratégies pour faire face au stress, de réagir adéquatement en période de stress et de récupérer par la suite. La résistance est la capacité de rebondir après un stress ou une crise.

Voici des facteurs qui soutiennent et protègent les enfants lors de périodes de stress.

Pour l'enfant:

- Vivre une relation saine avec au moins l'un des deux parents.
- Avoir des habiletés sociales bien développées.
- Être capable de résoudre les problèmes.

13. Ministère de la Famille et de l'Enfance, D. Elkind, *L'enfant stressé*, cité dans *Jouer, c'est magique*, tome 2 (section 6: Développement et stimulation du langage), Les Publications du Québec, 1998, p. 121.

Pour l'adulte qui en prend soin:

- Soutenir l'enfant: il doit se sentir appuyé, écouté et compris dans les périodes difficiles.
- Avoir de bonnes capacités d'observation afin de pouvoir remarquer les changements de comportement chez l'enfant.
- Encourager et féliciter l'enfant et lui montrer qu'il est important pour la personne qui en prend soin.
- Lui montrer qu'on a compris ses sentiments. Lui dire que c'est correct de se sentir fâché, seul, effrayé ou de s'ennuyer. Lui apprendre les mots qui expriment ses sentiments.
- L'aider à voir les bons côtés d'une situation.
- Jouer à des jeux coopératifs plutôt que compétitifs. Cela permet aux enfants d'apprendre à leur propre rythme et d'augmenter leurs habiletés sociales.
- Toujours discuter avec les parents des événements qui stressent leurs enfants. Encourager les échanges honnêtes, dans un climat de confiance.
- Parler avec les enfants des événements stressants de la vie et des situations de la vie quotidienne. Lire ensemble des livres qui traitent de ces situations. Utiliser l'expression par l'art, la peinture, l'argile, le sable et les jeux d'eau. Jouer avec des poupées, des téléphones, des marionnettes ou des autos sont autant d'occasions qui peuvent aider l'enfant à exprimer ses sentiments.
- Donner à l'enfant un certain contrôle sur l'organisation de sa vie.
- Relever les éléments qui peuvent causer du stress à l'enfant et organiser la vie du groupe de façon à les éliminer.
- Ne pas ajouter au stress de l'enfant en lui demandant de se conduire comme un adulte. L'encourager, avoir une attitude positive avec lui, trouver des solutions, l'aider à nommer ses sentiments. Lui enseigner l'honnêteté, l'équité et l'impartialité. Lui donner beaucoup d'amour et d'encouragement, surtout lors de périodes difficiles.
- User de calme et d'humour dans les situations difficiles peut lui montrer, par l'exemple, comment faire face au stress.

# Le langage: un outil essentiel au développement socio-émotif de l'enfant

## La parole: un excellent outil de communication

Apprendre à parler est une des tâches essentielles de l'enfant. Le besoin et le désir de communiquer sont à la base du langage. Ce sont les moteurs de son développement. La communication, c'est un échange entre deux personnes, fondé sur deux actions biens distinctes:

- La compréhension: comprendre le message que l'autre veut transmettre.
- L'expression: émettre des signes, des sons et des mots qui seront compris par l'interlocuteur.

On peut communiquer sans utiliser la parole, comme le fait le jeune bébé: dès la naissance, il communique avec son entourage par ses cris et ses pleurs et en réagissant physiquement aux stimulations des personnes qui en prennent soin.

Toutefois, pour exprimer des idées plus complexes et pour comprendre les demandes de son milieu, l'emploi de la parole s'impose. L'apprentissage du langage est aussi primordial pour le développement social de l'enfant. L'enfant qui ne peut échanger avec des mots (alors qu'il est en âge de le faire) a du mal à établir une communication efficace avec ses pairs et avec les adultes. Il exprime sa frustration par des sentiments d'incompétence, d'agressivité, de retrait, etc.

La capacité de parler est aussi la base nécessaire pour apprendre à lire et à écrire et pour obtenir renseignements et directives. L'enfant qui arrive à l'école primaire doit avoir assez maîtrisé le langage pour être en mesure de faire les apprentissages scolaires. Des problèmes de compréhension ou d'expression affectent tous les aspects de la vie à l'école: suivre des directives, exprimer ses besoins, apprendre du vocabulaire, comprendre ce qu'on lit. Selon plusieurs recherches, une intervention précoce, c'est-à-dire avant l'âge de 5 ans, est beaucoup plus positive pour le développement global de l'enfant et beaucoup plus susceptible de réussir qu'une intervention tardive. D'où l'importance d'une approche précoce et préventive auprès des enfants dans les services de garde.

## Comment apprend-on à parler?

L'enfant sait bien des choses au sujet du langage avant même de pouvoir prononcer un seul mot. Il peut distinguer sa langue maternelle d'une langue étrangère, il sait utiliser plusieurs moyens non verbaux pour exprimer ses besoins et il peut en babillant imiter divers modèles de langage.

C'est en écoutant les sons et le langage autour de lui et en interprétant ce qu'il entend que l'enfant apprend à parler. C'est ainsi qu'il en vient à comprendre et à décoder les règles de la langue et de la communication. Le langage ne s'apprend pas d'un seul coup: il s'acquiert par étapes et accompagne le développement cognitif de l'enfant.

Chez l'enfant, le développement du langage se fait en général sans enseignement formel, par simple exposition à la parole. Certains enfants ont besoin d'être stimulés davantage et d'autres, une minorité, ont des problèmes de langage qui demandent une intervention spécialisée.

## Comment le service de garde peut-il favoriser le développement du langage?

### Des attitudes propices au développement du langage chez l'enfant

- Servir d'exemple de communication active auprès des enfants. Toujours utiliser soi-même un langage approprié puisque les enfants apprennent à prononcer et à parler en écoutant.
- Parler beaucoup aux nourrissons et aux enfants puisque l'enfant apprend à parler d'abord en écoutant et en imitant. Laisser ou intégrer des pauses dans les échanges, tout en montrant qu'on attend une réplique ou une réaction verbale ou non verbale.
- Chanter pour les enfants ou avec eux, réciter des comptines et leur faire la lecture pour augmenter leur vocabulaire. Le faire lentement, avec les gestes et les intonations appropriées.
- Encourager l'enfant de tout âge à communiquer. Le tome 2 du livre *Jouer, c'est magique*[14] comprend une section complète sur le développement et la stimulation du langage, qui suggère de nombreuses activités et façons de faire utiles pour stimuler le langage en services de garde.

14. Ministère de la Famille et de l'Enfance, *op. cit.*, note 14, p. 35-99.

- Ne pas exiger que l'enfant parle comme un adulte. L'enfant parle parce qu'il veut communiquer. Par conséquent, le langage ne doit pas être une source de stress ou une occasion de performance.
- Écouter l'enfant. Si c'est impossible, lui dire pourquoi et préciser à quel moment on pourra le faire.
- Lui montrer qu'on a compris son message : dans le cas du poupon, on peut imiter ses gazouillis ; dans celui de l'enfant de plus de 2 ans, on répond par la parole.
- Toujours répondre au message que l'enfant essaie de communiquer plutôt que de corriger sa prononciation ou sa grammaire. Ne jamais interrompre un enfant pour le corriger. Par la suite, pour répondre à l'enfant qui a fait une erreur, utiliser la bonne tournure ou la bonne prononciation. Le signifier simplement par l'intonation. Ne pas exiger qu'il répète. Il suffit de lui présenter le bon modèle. Il va l'enregistrer.
- Ne jamais laisser un adulte ou un enfant se moquer d'un enfant qui s'exprime mal ou avec difficulté.
- Utiliser les circonstances de la vie de tous les jours pour augmenter l'usage des différentes fonctions du langage. Par exemple, saluer et faire saluer les enfants déjà présents à l'arrivée d'un nouvel enfant le matin. Désigner et prononcer correctement le nom des objets utilisés couramment, par exemple, les vêtements lors de l'habillage. Toujours utiliser le même ordre : mettre les bas avant les bottes, charger un enfant de demander à ses copains la quantité désirée lors de la distribution des repas et collations, encourager les tours de parole plutôt que de laisser un seul enfant s'exprimer. Tout est prétexte à communiquer et à pratiquer le langage.



## Les étapes de développement du langage chez l'enfant

Dans les prochaines pages, nous examinerons les principales étapes du développement verbal des enfants selon les âges[15].

---

15. Textes inspirés des articles et livres suivants : ministère de la Famille et de l'Enfance, *op. cit.*, note 14, p. 35-99.

    *Early childhood growth chart*,
    www.kidsource/content4/growth.chart/page

    *Activities to help your child learn about language*,
    www.kidsource/content4/growth.chart/page

    *Early identification of speech-language delays and disorders*,
    www.kidsource/content4/growth.chart/page

    *Pragmatic language tips*,
    www.kidsource/content4/growth.chart/page

    *General information about speech and language disorders*,
    www.kidsource/content4/growth.chart/page

À chaque étape du développement de l'enfant, nous présentons divers moyens simples de développer le langage. Les moyens utilisés à une étape peuvent servir à l'étape suivante, tant que l'enfant y prend plaisir.

Pour chaque étape du développement, nous relevons des signes qui démontrent que le développement verbal de l'enfant n'est pas typique et demande un suivi particulier.

> Attention : chaque enfant a son propre rythme de croissance. Certains sont plus rapides, d'autres sont plus lents. L'important, c'est que le langage de l'enfant se développe de façon continue.

## La communication chez le nouveau-né

Le bébé écoute les voix et les sons qui l'entourent et y répond. Il fait connaître ses sentiments de plaisir et d'inconfort par des gloussements, des gazouillis, des sourires et des pleurs.

On peut stimuler le langage du bébé en lui parlant à tout moment de la journée : quand on le nourrit, quand on le change et quand on le lave, prendre le temps de lui parler, de lui chanter des chansons, de lui dire des comptines et de répondre à ses sourires, à ses gazouillis et à ses cris. Mettre des mots sur les gestes posés. Lui sourire et le féliciter quand il fait quelque chose de nouveau. Toujours lui laisser assez de temps pour réagir : ainsi, on peut installer des « tours » de communication (communiquer tour à tour).

Il y a lieu de s'inquiéter si le bébé de 3 mois ne réagit guère à la voix humaine ou à d'autres sons et si son contact visuel est faible (ne suit pas les objets des yeux).

## La communication chez le bébé de 3 à 8 mois

Le bébé joue avec les sons. Il les répète, il vocalise pour lui-même et il commence à babiller. Il utilise les sons pour communiquer, il sourit au son d'une voix chaleureuse et semble malheureux s'il entend des voix colériques. Le bébé peut jouer à des jeux sociaux comme « coucou ». Il bouge les bras et les jambes pour exprimer son excitation. À cette étape, le bébé est plus en mesure de comprendre que de s'exprimer.

On peut stimuler le langage du bébé de 3 à 8 mois en lui parlant et en jouant avec lui : décrire au bébé ce que l'adulte ou le bébé lui-même est en train de faire : jouer à de petits jeux où chacun a son tour dans la communication ; réciter des comptines ; lui faire imiter des gestes accompagnés de paroles (roule, roule, tape, tape, etc.) ; lui offrir un hochet et un jouet qui font du bruit quand il les presse ; lui donner des objets et lui demander de les remettre.

Pour un enfant de cet âge, il y a lieu de s'inquiéter:

- s'il est trop silencieux (pas de gazouillis vers 4 mois ou pas de babillage vers 6 mois);
- s'il ne fait pas plusieurs sons;
- s'il ne cherche pas à attraper des objets ou s'il est incapable de les tenir;
- s'il explore peu et utilise toujours les objets de la même façon;
- s'il ne cherche pas d'où vient un bruit;
- ou encore, s'il ne manifeste pas d'intérêt pour communiquer;
- si le sourire est tardif ou rare.

### La communication chez le bébé de 8 à 12 mois

Bébé enchaîne des sons variés: il utilise son propre jargon. Il comprend des mots très simples comme «lait» ou «chat». Vers 8 mois, son babillage se modèle sur sa langue maternelle. Entre 10 et 12 mois, il dit son premier mot. Il comprend aussi les changements d'expression faciale, le ton de la voix et les gestes et répond à ces messages par des sons différents. Si on demande au bébé: «Où est maman?», il la cherche. À cette étape, le bébé est capable d'écouter ce qu'on lui dit et de répondre à sa façon. Bien qu'il porte les livres à sa bouche, il est capable de tourner les pages.

On peut stimuler le langage du bébé de 8 à 12 mois en lui racontant ou en lui lisant des histoires tous les jours. Lui montrer les images et, ensemble, nommer les objets. Mettre à sa disposition des livres sécuritaires en tissu ou en vinyle. Poser des images ou des photos stimulantes sur les murs à sa hauteur. Écouter son babillage ou ses demandes et y répondre pour lui montrer qu'il est capable de communiquer et qu'il a du pouvoir et un effet sur son environnement. Le mettre à terre pour lui permettre d'explorer les lieux de façon sécuritaire.

Il y a lieu de s'inquiéter:

- si le bébé ne regarde pas les personnes qui lui parlent ou s'il ne cherche pas à obtenir par des gestes ou des sons ce qu'il désire, un jouet préféré, par exemple;
- s'il a peu d'échanges avec le parent ou l'éducatrice ou s'il a peu de réactions quand il est stimulé, lors d'un chatouillement, par exemple.

### La communication chez le trottineur de 12 à 18 mois

Vers 12 mois, le bébé commence à prononcer ses premiers mots, pas toujours comme les adultes. Ses mots se précisent peu à peu. Il comprend le sens d'environ 50 mots et peut suivre des consignes simples de la vie quotidienne: «Viens ici, où est ton soulier, etc.» Il connaît son nom. Il peut remettre un objet si on lui demande. Il fait de longues phrases de jargon. Il regarde des livres d'images avec intérêt et nomme certains objets qu'il connaît. Il répète pour apprendre et essaie d'imiter. Il utilise le geste pour accompagner ou compléter sa demande. Il répond, demande et refuse.

On peut stimuler le langage du bébé de 12 à 18 mois en lui fournissant un matériel de jeux varié qui colle à son niveau d'habileté et à ses intérêts. Lui fournir un téléphone jouet et tenir des conversations téléphoniques avec lui. Le mettre à terre pour lui permettre d'explorer les lieux de façon sécuritaire.

Dans les cas suivants, il y a lieu de s'inquiéter:

- si le bébé de 15 mois ne dit aucun mot;
- si, à 18 mois, il ne dit que quelques mots clairement;
- s'il est plutôt silencieux ou s'il ne réagit pas à son nom;
- s'il gesticule beaucoup;
- s'il ne réagit guère aux jeux d'enfant (coucou, par exemple); ou
- s'il est peu interactif.



### La communication chez le trottineur de 18 mois à 2 ans

Le trottineur met 2 mots ou plus ensemble pour faire de courtes phrases: «Veux du lait» ou «Auto partie». Il apprend de nouveaux mots rapidement et s'exprime plus avec des mots qu'avec des gestes. Il peut imiter de mieux en mieux les sons, les mots et les gestes des adultes. Il possède un vocabulaire d'environ 100 mots et, vers 2 ans, d'environ 200 mots. Il pose des questions simples et peut y répondre. Il peut demander des objets avec insistance en les nommant par leur nom. Vers 18 mois, il commence à utiliser le «non». Il raconte des événements qui lui sont arrivés récemment. Il peut utiliser des crayons ou des marqueurs pour gribouiller. Le langage devient son mode de communication privilégié et il amorce des conversations. Il aime la compagnie des autres enfants.

On peut stimuler le langage du trottineur de 18 mois à 2 ans en lui apprenant de nouveaux mots, en l'aidant à se situer par rapport au passé et au futur et, surtout, en répondant à ses demandes. Lui chanter des chansons et l'encourager à chanter avec l'adulte. L'inviter à participer et à collaborer à des activités quotidiennes en nommant les objets et ce qu'il fait, par exemple nommer ses vêtements au moment de l'habillage.

Il y a lieu de s'inquiéter:

- si l'enfant de 20 mois ne peut suivre de simples consignes comme «Viens voir maman»;
- si l'enfant de 2 ans utilise rarement ou jamais les mots pour communiquer;
- s'il ne peut faire des phrases de 2 mots;
- si le vocabulaire n'apparaît que tardivement et avec effort;
- si l'enfant ne différencie pas toujours les bruits familiers;
- s'il doit utiliser le regard et les gestes pour combler les manques de son langage.

### La communication chez l'enfant de 2 à 3 ans

Durant cette période, l'enfant acquiert beaucoup de mots. Il dispose d'un vocabulaire de 100 à 200 mots vers 2 ans et d'environ 300 mots vers 3 ans, mots qu'il ne prononce pas nécessairement clairement. Il commence à faire des phrases de 2 ou 3 mots et il utilise des verbes sans les conjuguer. Vers 3 ans, la phrase simple apparaît (sujet, verbe, complément). Il connaît le nom des principales parties de son corps. Il utilise l'article avant le mot: «le chat, la poupée». Il se nomme par son prénom ou à la troisième personne.

L'enfant de cet âge écoute l'histoire qu'on lui lit. Il aime imiter et faire semblant. Vers l'âge de 2 ans, il commence les jeux symboliques. Il pose beaucoup de questions. Il utilise beaucoup le «non» et le «pourquoi». Il est capable de courtes conversations suivies. Il aime regarder les livres tout en nommant les objets qu'il y voit. Les barbouillages ressemblent davantage à de l'écriture.

On peut stimuler le langage de l'enfant de 2 à 3 ans en jouant avec lui à des jeux d'imagination; lire tous les jours des histoires à l'enfant; lire souvent les mêmes livres et encourager l'enfant à raconter, lui aussi, à partir des faits et des mots dont il se souvient tout en instaurant le «chacun son tour».

Il y a lieu de s'inquiéter:

- si l'enfant de 2 ans ne pose pas de questions ou ne répond pas à de simples questions par un oui ou un non;
- si l'enfant de 2 ans et demi s'exprime uniquement par un seul mot et ne semble pas vouloir acquérir de nouveaux mots;
- s'il répète la question au lieu de répondre;
- s'il ne peut imiter que des monosyllabes ou des sons isolés;
- s'il a tendance à perdre ses acquis;
- s'il est inintelligible;
- s'il préfère communiquer seulement par gestes;
- s'il tend à confondre certains sons: bouton, mouton.

### La communication chez l'enfant de 3 à 4 ans

Son vocabulaire varie de 300 à 800 mots. Il fait des phrases plus complexes comportant 3 à 5 mots. Il comprend les mots abstraits (3 ou 4 couleurs), la dimension des objets et certaines notions temporelles (hier, avant, après) ou spatiales (en haut, en bas). Il peut compter jusqu'à 3 et commence à utiliser le pluriel. Il peut se nommer en utilisant son prénom et son nom de famille. Il utilise le «je». Il peut raconter des événements qu'il a vécus et les commenter. Il sait adapter son message selon qu'il s'adresse à un enfant plus jeune que lui ou à un adulte. Il écoute attentivement une histoire et peut la raconter lui-même. Il invente des scénarios et des dialogues et il fait des jeux symboliques. Il aime les livres qui racontent des histoires vraies ou imaginaires. Il peut dessiner des formes comme le cercle et le carré et tente d'imiter l'écriture des adultes.

On peut stimuler le langage de l'enfant de 3 à 4 ans en échangeant avec lui sur des sujets variés et en lui faisant des demandes plus complexes. Disposer les livres à un endroit facilement accessible et l'encourager à regarder des livres seul. Il doit pouvoir s'identifier aux personnages rencontrés dans les livres. Il faut donc s'assurer que les enfants de diverses origines culturelles disposent de livres où ils sont représentés. Regarder avec eux des photos sur lesquelles ils sont présents et les inviter à se rappeler et à commenter les événements.

Il y a lieu de s'inquiéter:

- s'il n'utilise pas le langage facilement;
- s'il n'expérimente pas avec les sons;
- s'il n'utilise pas le langage pour résoudre des problèmes ou pour apprendre des concepts;
- si l'enfant de 3 ans et demi ou plus n'est compris que par des personnes qui le connaissent bien;
- si le vocabulaire est limité ou si l'enfant cherche le mot;
- s'il ne comprend pas les consignes reliées aux routines ou au contexte;
- s'il ne nomme pas les parties de son corps;
- s'il amorce rarement la communication.

Par ailleurs, il faut savoir que le bégaiement apparaît entre 2 et 5 ans; il faut user de vigilance, surtout s'il y a des antécédents familiaux de bégaiement et si les hésitations persistent depuis plus de 3 ou 4 mois.

### La communication chez l'enfant de 4 à 5 ans

L'enfant d'âge préscolaire parle beaucoup. Il joue avec les mots et les rimes et il aime faire des jeux de mots. Il connaît le nom et le sexe de tous les membres de sa famille. Il sait que les images, les lettres et les chiffres représentent des choses réelles et des idées. Il saisit ce qui est pareil et ce qui est différent. Il interprète souvent le message qui lui est adressé parce qu'il est encore centré sur sa propre perception de la réalité. Il prononce bien la plupart des consonnes, mais certaines peuvent encore lui donner du mal. Ses phrases deviennent plus complexes. À partir de cette étape, il n'a plus besoin de ne compter que sur l'adulte pour développer son langage, car ses interactions avec ses pairs multiplient les échanges et contribuent à raffiner son langage. L'enfant aime lire par lui-même. Il commence à reconnaître quelques mots écrits, entre autres, son nom.

On peut stimuler le langage de l'enfant de 4 à 5 ans en commençant à lui faire comprendre que la lecture et l'écriture sont des occupations importantes dans la vie quotidienne. Lui indiquer des directions écrites et lui montrer à quoi elles servent: le nom d'une rue, les règles d'un jeu, etc. Encourager les enfants à échanger entre eux, à se raconter des histoires à partir des livres disponibles, etc. Afficher des mots simples dans le local pour que les enfants apprennent à les reconnaître, par exemple leurs noms, les saisons, etc. Il est bon de rattacher ces mots à des dessins représentatifs.

Il y a lieu de s'inquiéter:

- si l'enfant de 4 ans hésite beaucoup quand il parle ou s'il répète plusieurs fois la même syllabe avant de dire un mot;
- s'il fait souvent des erreurs avec les prépositions, les pronoms, etc.;
- s'il confond le genre et le nombre;
- s'il n'utilise que des phrases très courtes et incorrectes;
- s'il ne peut pas dire deux phrases consécutives;
- s'il ne comprend pas les notions spatiales (dessus, dedans);
- s'il ne comprend pas les questions ou répond hors contexte;
- s'il ne comprend que le concret;
- si l'enfant de 4 à 5 ans est gêné parce que son langage est inadéquat, parce qu'il articule mal ou parce que ses amis se moquent de lui, etc.

## Les problèmes de langage chez l'enfant

Nous faisons ici un survol rapide des principales difficultés du langage qui demandent une intervention plus spécifique.

Il est important de repérer le plus rapidement possible les enfants dont le langage ne se développe pas normalement pour qu'une évaluation et une intervention plus spécifiques soient amorcées le plus tôt possible.

L'enfant qui accuse un retard dans le développement de son langage peut facilement être en retard dans d'autres domaines. Il est donc important que l'éducatrice et le parent fassent un dépistage rapide et qu'ils aient une bonne communication.

Toute préoccupation relative au langage d'un enfant, comme c'est le cas pour toute autre sphère qui touche son développement et son bien-être, doit être partagée le plus rapidement possible avec le parent. C'est lui qui doit faire évaluer l'enfant par le médecin, puis par une orthophoniste. Le rôle de l'éducatrice est de dépister les difficultés de langage chez l'enfant et d'en informer le parent et non de poser un diagnostic.

L'orthophoniste fournit à l'enfant des services spécialisés après avoir évalué ses problèmes. Elle peut également faire des suggestions au parent et au service de garde pour qu'ils puissent contribuer à la stimulation de l'enfant dans le domaine du langage. L'éducatrice pourra par la suite intégrer ces activités de stimulation dans sa programmation régulière puisqu'elles peuvent souvent s'appliquer à tout le groupe sous forme de jeux (jeux de mots, mots qui riment, etc.).

Certains enfants risquent particulièrement de développer des problèmes de langage : les enfants prématurés, les enfants chez qui on a diagnostiqué une condition médicale comme une infection chronique aux oreilles, et les enfants qui souffrent de retard de développement, de paralysie cérébrale, d'immaturité, etc. Une mauvaise audition dès la naissance ou par suite d'otites à répétition peut causer beaucoup de problèmes de langage. L'enfant qui a eu de nombreuses infections de l'oreille, des rhumes multiples ou d'autres infections des voies respiratoires doit être évalué par un audiologiste.

Les problèmes de langage de l'enfant se divisent en trois catégories principales : le retard de langage, les troubles de la parole et les troubles du langage.



### Le retard de langage

La communication de l'enfant est jugée en retard quand l'enfant est manifestement à un niveau moins avancé que les enfants du même âge dans l'acquisition des habiletés du langage.

Certains enfants peuvent ne pas avoir été exposés à suffisamment de vocabulaire pour apprendre à parler.

D'autres peuvent ne pas avoir été assez stimulés pour apprendre et comprendre le processus du langage. L'enfant n'a peut-être pas eu besoin de parler parce que les adultes qui l'entourent ont répondu à ses gestes sans l'inciter à utiliser la parole. Enfin, la cause première du retard de langage de l'enfant se situe parfois à d'autres niveaux.

## Les troubles de la parole

Les troubles de la parole sont des difficultés à émettre les sons du langage ou des problèmes dans la qualité du son.

L'expression peut être interrompue par le bégaiement, c'est-à-dire un problème de mécanique de la parole et de coordination motrice. Il se manifeste, entre autres, par des répétitions de sons, de syllabes et de mots, des prolongements de sons, des ajouts de mots inutiles et un manque d'enchaînement et de souplesse dans la production de la parole[16]. L'effort pour s'exprimer est souvent accompagné de mouvements de la figure ou du corps. L'enfant qui bégaie n'est pas plus susceptible d'avoir des problèmes psychologiques que les autres. Le bégaiement n'est pas non plus le résultat d'un traumatisme émotif, ni une maladie contagieuse, ni un tic nerveux.

L'enfant a un problème d'articulation quand il produit des sons ou des mots incorrectement. Ses interlocuteurs ont alors du mal à le comprendre. Les problèmes d'articulation consistent à produire des sons déformés, qui ressemblent aux sons attendus. Quant aux substitutions ou aux omissions de sons, ce sont des troubles phonologiques (touchant l'acquisition du système de sons et des règles) et du langage et non de l'articulation. Les causes sont multiples: sons mal perçus, sons interprétés dans le mauvais ordre, difficultés à produire certains sons précis, etc. Cela peut souvent entraîner des difficultés dans l'apprentissage de la lecture.

Les problèmes d'articulation peuvent être liés à des handicaps physiques comme la paralysie cérébrale, un palais fendu ou des problèmes d'audition, mais la plupart des problèmes d'articulation ne sont attribuables à aucun état physique particulier. Ne pas confondre les problèmes d'articulation avec le développement normal du langage de l'enfant: au cours de sa croissance, il a du mal à articuler et à prononcer certains sons, certaines syllabes et certains mots. Il y a problème articulatoire et phonologique quand le problème est sérieux, persistant, présent en dehors des limites d'âge connues et qu'il finit par gêner l'enfant et lui enlever le plaisir de communiquer.

16. Ordre des orthophonistes et audiologistes du Québec, fiche sur *Les troubles de la parole et du langage, le bégaiement*, 1998.

## Le trouble du langage

Le trouble du langage consiste entre autres en une incapacité de comprendre ou d'utiliser des mots dans leur contexte. Les principales caractéristiques d'un trouble du langage comprennent : l'utilisation inappropriée des mots et des formes grammaticales, l'incapacité d'exprimer des idées, un vocabulaire réduit et l'incapacité à suivre des directives.

Parfois, l'enfant comprend le langage parlé mais il a de la difficulté à s'exprimer ou à se rappeler les mots, même s'il en connaît le sens et qu'il peut pointer l'objet. Il omet des mots ou des fins de mots, met les mots dans le mauvais ordre ou n'utilise pas les bonnes formes des verbes. Il a du mal à mettre ses idées en mots d'une façon organisée. Les troubles du langage peuvent être reliés à d'autres incapacités comme un retard intellectuel, la paralysie cérébrale ou l'autisme.

## Que faire en cas de problème de langage ?

Si une éducatrice observe des difficultés ou des troubles de langage chez un enfant, elle doit faire part de ses observations au parent avec une grande délicatesse et sans poser de jugement. Elle peut aborder la question en lui demandant s'il a remarqué les mêmes difficultés quand l'enfant est à la maison et en l'invitant à être vigilant s'il n'a rien remarqué.

Quand le langage de l'enfant est source d'inquiétude, il faut le faire évaluer par un spécialiste plutôt que de croire qu'il parlera quand il sera prêt. Un langage approprié à l'âge est important pour le développement d'une communication solide. C'est aussi la base de l'apprentissage scolaire. Autant de raisons pour que l'enfant soit évalué le plus tôt possible.

L'orthophoniste est la spécialiste de la santé qui évalue et traite les problèmes de communication. Pour la petite enfance, ses services sont principalement offerts dans les hôpitaux, dans certains CLSC et en bureau privé. Il faut souvent la référence d'un médecin de famille ou d'un oto-rhino-laryngologiste. Diriger le parent vers le CLSC ou son médecin traitant pour qu'on puisse l'orienter vers les services disponibles dans la région.

Après l'évaluation, l'orthophoniste détermine la nature du problème de communication de l'enfant et peut faire des recommandations au parent et au service de garde pour aider le développement du langage de l'enfant ou soutenir l'intervention orthophonique[17].

17. L'Ordre des orthophonistes et audiologistes du Québec a mis à la disposition des services de garde un outil de prévention, *Guide de prévention des troubles de la communication à l'intention de la clientèle de la petite enfance*, 2000.

# Les principales interventions du service de garde en présence de comportements problématiques

Certains enfants ont parfois des comportements difficiles ou dérangeants, qui se produisent à l'occasion ou qui durent un certain temps. La plupart de ces comportements disparaissent après une intervention ponctuelle. Il reste que d'autres enfants ont de véritables comportements problématiques, c'est-à-dire inacceptables, répétitifs et persistants. Ils ne savent pas comment exprimer leurs sentiments et développer des relations satisfaisantes avec les autres enfants.

## Les tâches de l'éducatrice

L'éducatrice doit alors intervenir de façon systématique pour favoriser les apprentissages affectifs et sociaux dont ces enfants ont besoin pour modifier leurs comportements difficiles.

Cette intervention doit se faire dans un climat positif, qui respecte les sentiments de l'enfant. L'éducatrice intervient directement sur l'enfant de diverses façons. Elle peut:

- dédramatiser la situation en utilisant l'humour;
- ignorer les comportements agaçants qui, bien que désagréables, n'ont pas de conséquences dangereuses pour le groupe ou pour l'enfant;
- gratifier l'enfant problème, comme tous les enfants du groupe, de moments personnels d'attention;
- souligner les comportements positifs de l'enfant, plus particulièrement ses efforts et ses nouveaux apprentissages;
- aider l'enfant à développer sa capacité de se contrôler;
- servir de modèle à l'enfant, en l'invitant à imiter sa conduite à elle;
- appliquer avec constance les règles de conduite imposées à l'enfant;
- intervenir sans attendre dans le cas d'un comportement inacceptable: être ferme et ne pas élever inutilement la voix;
- instaurer des conséquences proportionnelles aux gestes indésirables (exemple, demander à l'enfant de ramasser l'objet qu'il a lancé) les appliquer peu après la conduite inacceptable; puis, en parler avec l'enfant pour l'aider à mieux comprendre ce qui est inacceptable; des moyens visuels qui illustrent les gestes inacceptables peuvent aider l'enfant à reconnaître ces gestes.

L'éducatrice peut également agir indirectement sur les comportements difficiles en améliorant l'organisation du service de garde:

- l'organisation du temps: alterner les activités dirigées et les activités libres de même que les activités qui demandent beaucoup d'énergie et les activités calmes;
- l'organisation pédagogique: diversifier les activités et la façon de regrouper les enfants, proposer un matériel de jeux varié qui offre assez de défis tout en respectant le niveau de développement des enfants;
- l'organisation physique: *Jouer, c'est magique*[18] propose de diviser l'espace en plusieurs coins, certains consacrés à des activités calmes, d'autres à des activités physiques, etc. Un aménagement qui permet d'absorber le bruit et de réduire les stimuli visuels lors des activités dirigées réduit la distraction.

Peu importe le comportement difficile de l'enfant, l'éducatrice doit lui montrer qu'elle l'aime et lui faire savoir clairement qu'elle a confiance en lui et qu'elle est certaine qu'il va apprendre à mieux collaborer. Il est préférable de réprimander l'enfant ou de donner des orientations à l'enfant dans l'intimité, afin de préserver sa confiance en lui et pour éviter qu'il soit vu comme fauteur de troubles.

## Des conduites difficiles exigeant un plan d'intervention précis

En présence de comportements difficiles et dérangeants, l'éducatrice tente, avec le soutien du parent et de l'équipe de travail, de trouver un ensemble de moyens qui permettront de modifier le comportement de l'enfant. Elle doit aussi miser sur ses forces et encourager ses efforts pour changer sa conduite. Un ensemble systématique de moyens instaurés pour modifier les conduites problématiques d'un enfant consiste en un plan d'intervention établi à la suite d'une observation détaillée des comportements difficiles de l'enfant. On applique ce plan après avoir informé le parent et obtenu son assentiment[19].

Le service de garde qui a de la difficulté à trouver la meilleure façon d'intervenir auprès d'un enfant au comportement problématique peut faire appel à l'équipe enfance-famille-jeunesse du CLSC de son territoire. Celle-ci peut fournir une aide directe par le biais de ses propres ressources (infirmière, psychologue, éducatrice ou agent de relations humaines) ou suggérer d'autres ressources spécialisées dans la communauté.

18 Ministère de la Famille et de l'Enfance, *Jouer, c'est magique*, tomes 1 et 2, Les Publications du Québec, 1998.

19. Pour plus d'information sur le plan d'intervention dans le cas de conduites difficiles, on peut se référer au ministère de la Famille et de l'Enfance, *Jouer, c'est magique*, tome 2, chapitre sur les comportements problématiques, Les Publications du Québec, 1998, p. 129-133.

## L'enfant agressif[20]

Au départ, il faut distinguer entre la colère et l'agressivité. La colère est un état émotif temporaire causé par de la frustration. L'agressivité est souvent une tentative de faire mal à quelqu'un (bousculer, donner des coups, menacer verbalement ou injurier) ou de détruire des biens. L'agressivité est souvent une réponse à un désir immédiat non comblé.

Les éducateurs et les parents doivent permettre aux enfants de ressentir tous leurs sentiments. Ensuite, ils leur enseignent des façons acceptables de les exprimer.

Les sentiments forts ne peuvent être niés. Par conséquent, une bouffée d'agressivité ne doit pas nécessairement être vue comme un problème sérieux.

Il convient de chercher à préciser ce qui a provoqué le comportement agressif :

- L'agressivité peut être une défense contre des sentiments souffrants; chez l'enfant, l'agressivité est souvent associée à la tristesse et à la dépression.
- L'agressivité peut être associée à un sentiment d'échec, à une faible estime de soi ou à un sentiment d'isolement.
- L'agressivité peut être reliée à une anxiété au sujet de situations sur lesquelles l'enfant n'exerce aucun contrôle.
- L'agressivité peut être apprise : un enfant victime d'agressivité ou de violence peut réagir en adoptant la même conduite.

### Comment intervenir avec l'enfant agressif

Les interventions suggérées peuvent être utilisées auprès de tous les groupes d'enfants et sont particulièrement indiquées pour les enfants qui ont des comportements agressifs.

- Dire à l'enfant qu'on accepte ses sentiments de colère et lui offrir des suggestions pour les exprimer : traduire ses sentiments agressifs par des mots acceptables plutôt que par des coups.
- Lui expliquer la situation et la cause de ses frustrations.
- Lui apprendre à s'exprimer par la parole et d'une façon constructive. Parler aide l'enfant à développer la maîtrise de soi.
- Organiser l'environnement pour éviter les situations de conflit.
- Organiser des activités qui vont permettre aux enfants d'exprimer toute l'énergie dont ils sont capables au cours de leurs premières années.

20. Adapté de Luleen S. Anderson, The Agressive Child, Children Today, janvier-février 1978. www.kidsource.com/kidsource/content2/angry.children.html

- Aider l'enfant à se construire une image positive ; l'encourager à voir ses forces et ses faiblesses ; lui montrer qu'il peut réaliser des choses.
- Le complimenter quand il se comporte de la façon désirée.
- Ignorer les comportements inappropriés qu'on peut tolérer. Ne pas ignorer l'enfant, seulement le comportement indésirable. Ignorer le comportement inapproprié de façon planifiée et constante. Bien que sa conduite soit tolérée, l'enfant doit savoir qu'elle est inappropriée.
- Toucher l'enfant et utiliser la proximité physique. Le jeune enfant a besoin que l'adulte s'intéresse à ses activités. Il est souvent calmé par cette présence rapprochée et intéressée. Par exemple, si l'enfant qui a de la difficulté à manipuler un jouet est soutenu par un adulte, cela peut l'empêcher de jeter le jouet ou de tenter de le briser.
- Témoigner de l'affection à l'enfant. Parfois, une caresse ou un signe d'affection peut aider l'enfant agressif à se maîtriser. Mais il n'en demeure pas moins que l'enfant qui a des problèmes émotifs sérieux a du mal à recevoir de l'affection.
- Enlever la tension par l'humour. Une expression humoristique peut aider l'enfant à sortir de sa colère tout en « sauvant la face ». Toutefois, savoir distinguer l'humour de la moquerie ou du ridicule.
- Exprimer clairement les limites aux enfants et les appliquer avec fermeté. Surtout, leur dire de façon positive ce qui est attendu : « Sois doux avec tes amis » ou « Parle à voix basse ». L'enfant doit être libre de se conduire à l'intérieur de ces limites.
- S'il le faut, retenir physiquement l'enfant agressif : s'il perd le contrôle, il faut l'arrêter physiquement ou le retirer pour l'empêcher de blesser les autres ou de se blesser lui-même. La restriction physique ne doit pas être vue par l'enfant comme une punition, mais comme une façon de dire : « Tu ne peux pas faire ça ». Dans ce cas, garder son sang-froid et ne tolérer aucune remarque désagréable de la part des autres enfants.
- En discuter avec le parent et développer conjointement avec lui une approche pour réagir aux comportements agressifs.

## Le déficit de l'attention avec comportements perturbateurs[21]

Le trouble déficitaire de l'attention ou déficit de l'attention avec comportements perturbateurs peut apparaître dès la petite enfance. Certains enfants présentent surtout des symptômes d'inattention; d'autres présentent des troubles davantage liés à l'hyperactivité ou à l'impulsivité. Un diagnostic médical et des évaluations spécialisées sont nécessaires pour conclure à un trouble déficitaire de l'attention ou à un trouble d'hyperactivité.

Ne pas qualifier d'hyperactif l'enfant qui s'exprime davantage par de l'activité physique ou qui est agité ou impulsif. De même, ne pas conclure au déficit de l'attention quand l'enfant manifeste certaines conduites distraites. Tous les enfants qui grandissent ont ces comportements de temps à autre. Pour certains, c'est une façon de réagir à des événements difficiles comme la maladie, les problèmes familiaux, etc.

Le déficit de l'attention avec comportements perturbateurs dont il est question ici implique un élément neurophysiologique. Il ne procède pas que de facteurs environnementaux ou familiaux. Il est difficile d'établir ce genre de diagnostic sans faire évaluer l'enfant par des médecins et des psychologues.

Pour être problématique, le déficit de l'attention avec comportements perturbateurs doit nuire au développement de l'enfant. Ses principales manifestations sont décrites ci-dessous.



### Comportements liés à l'hyperactivité

L'enfant agite souvent les pieds et les mains et se tortille sur sa chaise. Il a du mal à rester assis quand la situation le demande. Ses gestes sont maladroits. Il court et il grimpe beaucoup dans des situations inappropriées, voire dangereuses. Il a de la difficulté à jouer tranquillement. Il agit souvent comme s'il était commandé par un moteur. Il est incapable de s'adonner à un même jeu aussi longtemps que les enfants de son âge. Il parle souvent trop.

21. Robert Dubé, M.D., *L'hyperactivité chez l'enfant*, Petit à Petit, septembre-octobre 1992, p. 3-7.
ADDO foundation, Attention deficit disorder in children and adults, www.addofoundation.org/info.htm
*Thématiques: hyperactivité et déficit d'attention: présentation*, www.adapt-scol-franco.educ.infinit.net/themes/hyda/tabhyd.htm

### Comportements liés à l'inattention

L'enfant est facilement distrait par des stimuli de l'extérieur. Il a de la difficulté à maintenir son attention pendant les jeux et les activités. Il a du mal à s'organiser et il mène rarement ses occupations jusqu'au bout. Il n'a pas l'air d'écouter quand on lui parle et il évite ou réalise difficilement les activités qui exigent un effort mental soutenu. S'il a du mal à respecter les consignes des adultes et des autres enfants, ce n'est pas parce qu'il veut s'y opposer.

### Comportements liés à l'impulsivité

L'enfant répond souvent avant qu'on ait formulé toute la question. Il interrompt souvent la conversation des autres ou impose sa présence. Il a de la difficulté à attendre son tour dans les jeux ou dans les situations de groupe. Ses erreurs sont souvent attribuables à l'impulsivité ou à l'inattention.

Pris individuellement, aucun de ces comportements ne peut être considéré comme un trouble déficitaire de l'attention avec comportements perturbateurs. C'est la présence de plusieurs comportements perturbateurs de même que leur fréquence et leur intensité qui fait soupçonner une difficulté plus sérieuse. En règle générale, ce n'est pas une maladie qui peut être diagnostiquée dans la petite enfance, avant l'entrée en milieu scolaire, bien qu'on puisse la voir se dessiner.

Le trouble déficitaire de l'attention avec comportements perturbateurs est souvent associé à d'autres problèmes d'apprentissage ou psychologiques. À cause de ses nombreux échecs et des réprimandes que lui font souvent les adultes et les autres enfants qui ne reconnaissent pas ses problèmes de santé, l'enfant risque d'avoir une faible estime de lui-même. Ses relations avec ses pairs peuvent être conflictuelles parce qu'il a du mal à se conformer, que son comportement est instable et qu'il dérange ainsi fréquemment les autres.

### Comment intervenir avec l'enfant présentant un déficit de l'attention

Disons d'emblée que ce n'est pas à l'éducatrice qu'il incombe de diagnostiquer un déficit de l'attention ou tout autre trouble. C'est la responsabilité d'un professionnel de la santé. Pour l'éducatrice, la collaboration avec le parent demeure essentielle.

- Commencer par observer attentivement l'enfant. Ses manques d'attention sont-ils nombreux, fréquents, persistants et perturbateurs?
- En discuter avec le parent pour voir s'il observe la même chose. Puis, si les difficultés persistent, tenter d'établir avec lui une même façon d'agir avec l'enfant.

- Une évaluation médicale et psychologique peut compléter les observations du parent et des éducatrices du service de garde.
- Pour avoir une perspective plus équilibrée de l'enfant qui présente un déficit de l'attention avec comportements perturbateurs, noter soigneusement ses aspects positifs et miser sur ses forces.
- Comme tous les enfants, celui qui vit avec un déficit de l'attention a besoin d'un environnement stable, prévisible et calme.
- Tous les enfants peuvent profiter d'un aménagement qui isole les coins bruyants des coins tranquilles et d'activités variées qui leur permettent de bouger beaucoup, de se détendre et d'apprendre à leur rythme. À plus forte raison pour l'enfant qui vit avec un trouble déficitaire de l'attention. Les services d'ergothérapie peuvent aider dans plusieurs cas en suggérant des moyens simples, par exemple un repose-pieds qui peut donner un repère à l'enfant et diminuer son envie de se lever pendant les activités en position assise.

- Les règles de conduite doivent être simples, et plus particulièrement pour l'enfant qui a un déficit de l'attention. Il faut que l'enfant comprenne ce que l'éducatrice attend de lui. Lui donner des directives positives plutôt que des interdictions et s'assurer qu'il regarde l'éducatrice. Les consignes doivent être claires et peu nombreuses. S'il y en a plus de deux, l'enfant qui a un trouble déficitaire de l'attention risque de ne pas se rappeler la troisième.
- L'enfant doit connaître les conséquences de ses comportements inappropriés et de ses manquements aux règles. Lui expliquer le comportement inapproprié car, souvent, l'enfant qui présente un trouble déficitaire de l'attention ne sait pas ce qu'il a fait d'incorrect. Il est préférable d'avoir ces discussions seul à seul avec l'enfant, pour avoir toute son attention et pour empêcher qu'il soit déprécié devant les autres. On peut aussi convenir avec lui d'un signe pour lui rappeler les consignes.
- L'enfant a besoin de connaître des succès. Il faut souligner ses réussites, surtout quand il a une certaine maîtrise de sa difficulté. Lui donner de petits projets à réaliser, là où il peut réussir.

- Ne pas exiger de lui des périodes d'attention trop longues pour ses capacités. Il est important de reconnaître les signes de stress chez l'enfant ou chez soi-même en tant qu'éducatrice pour empêcher que la frustration et les comportements les plus dérangeants s'installent. Peut-être vaut-il mieux reconsidérer l'objectif de l'activité ou les demandes faites à l'enfant et permettre une pause.
- Avant tout, établir et conserver une bonne relation avec l'enfant. Éviter les affrontements continuels.
- Surtout, établir un partenariat avec le parent. C'est un gage de succès dans l'intervention auprès de l'enfant.

## L'enfant réservé ou timide[22]

Certains enfants ne sont pas intéressés à participer aux activités du groupe ou à interagir avec les adultes ou les autres enfants.

Ce comportement peut être temporaire: l'enfant qui intègre un nouveau service de garde ou qui change de groupe à l'intérieur du service de garde observe son nouveau milieu de vie avec une certaine timidité ou avec anxiété, surtout quand il est le centre de l'attention. C'est tout naturel.

### Comment faciliter l'intégration d'un enfant en services de garde

Certaines stratégies peuvent aider l'enfant à s'intégrer en services de garde et favoriser l'adaptation des autres enfants et adultes à ce nouveau venu. En voici quelques-unes[23]:

- Planifier l'intégration dans des conditions de constance et de stabilité des adultes responsables de l'enfant.
- Planifier une intégration graduelle (heures, jours et activités).
- Faire connaître les goûts et les besoins de l'enfant à son éducatrice avant qu'il arrive dans le groupe.
- Demander au parent de dire à l'enfant qu'il va bientôt fréquenter un service de garde, qu'il va participer à des activités et qu'il va y côtoyer un groupe.
- Inviter l'enfant à visiter le service à quelques reprises avec un de ses parents.

22. Marion C. Hyson et Karen Van trieste, *The shy child*, et NPIN, www.aboutliving.com/08-03-1998/pa_shychild_hysontrieste_01.html

23 . Regroupement des centres de la petite enfance de la Montérégie, *Retour au travail: pour qui le prix à payer est-il le plus élevé?*, Le Bulletin, 1999, vol. 20, n° 3, p. 19-22.

- Les premiers jours, utiliser un album de photos de l'enfant et des membres de sa famille pour le réconforter et échanger avec lui.
- Échanger avec le parent sur place, au téléphone et par écrit, en présence de l'enfant et parfois sans lui, au besoin, pour mieux se connaître.

L'enfant qui vit une période difficile peut être timide ou réservé. À la suite d'une mortalité dans la famille, d'une séparation des parents ou d'une situation traumatisante comme un incendie ou un accident, il se peut que certains enfants connaissent une période de retrait social, tandis que d'autres réagissent avec agressivité ou en étant bruyants.

Il se peut que l'enfant soit tout simplement timide. Il éprouve des émotions contradictoires: il veut entrer en relation avec les autres d'une part et, d'autre part, il craint ce contact. L'enfant timide suit ce qui se passe de façon détournée. En même temps, son attitude physique et verbale traduit sa réticence à s'approcher. Il peut aussi sucer son pouce. L'enfant timide parle doucement, souvent d'une voix hésitante ou tremblante.

En général, l'enfant qui a pu observer les nouvelles personnes de son entourage et entrer en contact avec elles ne manifeste plus de timidité. Respecter le rythme d'intégration de l'enfant. Ne pas le forcer. Il peut être souhaitable de faciliter son intégration à certaines activités ou à certains échanges interpersonnels.

Certains enfants très timides n'arrivent pas à s'intégrer et tendent à rester en marge des groupes. D'autres sont réservés: ils sont souvent dans la lune, ils ne cherchent pas à communiquer et ne répondent guère aux avances des autres.

Dans ce cas, la timidité ou la réserve est accompagnée d'une faible image de soi et d'un manque d'habiletés sociales. Ces enfants sont donc moins sollicités par leurs pairs, ils sont plus solitaires et ils ont moins de chances de développer leurs compétences sociales.

### Comment intervenir avec l'enfant réservé ou timide

La façon d'intervenir proposée ici convient non seulement à l'enfant timide mais à tous les enfants du service de garde.

- Commencer par montrer à l'enfant qu'on le connaît et qu'on l'accepte tel qu'il est. En prenant le temps d'établir une relation avec l'enfant et en favorisant l'empathie avec lui, on l'aide à se sentir plus en confiance et moins inhibé.
- Pour aider l'enfant timide à construire sa confiance en lui, lui donner beaucoup de renforcement positif, le complimenter souvent et l'encourager à être autonome. Connaître ses intérêts et ses forces et le soutenir dans son développement.

- Soutenir le développement de ses habiletés sociales: tout comportement social chez l'enfant timide doit être renforcé. On peut aussi enseigner à l'enfant des ouvertures sociales: «Veux-tu jouer avec moi?» ou «Est-ce que je peux jouer moi aussi?». Lui faire pratiquer des façons acceptables d'entrer en contact. On peut aussi le faire jouer à l'occasion avec des enfants plus jeunes ou faire en sorte qu'il se retrouve dans un petit groupe ou dans une paire avec un enfant reconnu pour son accueil de l'autre, ce qui lui permet de s'affirmer ou de s'exprimer davantage. 
- Lui donner le temps de se familiariser avec les situations nouvelles. Le pousser à interagir quand il se sent menacé ne l'aide pas à développer ses compétences sociales.
- Créer un environnement où l'enfant se sent en sécurité et mettre en place des activités ou du matériel de jeu qui l'attireront vers les autres.
- Pour aider l'enfant rêveur, s'adresser directement à lui. Se mettre à côté de lui pour attirer son attention quand on donne une explication au groupe. L'inciter à commencer la nouvelle activité rapidement.

Ne pas oublier que la timidité n'a pas que des aspects négatifs: la modestie et la réserve sont aussi des qualités appréciées.

Si l'enfant est timide à l'extrême ou si le retrait persiste, une intervention plus systématique peut être nécessaire: l'enfant peut avoir développé une peur des situations sociales et un inconfort sérieux qui pourraient nuire à l'ensemble de son fonctionnement. Après en avoir discuté avec le parent pour établir si ce comportement est systématique dans tous les contextes, le service de garde peut lui suggérer de consulter le CLSC, qui pourra intervenir lui-même ou lui recommander d'autres ressources spécialisées.

Un plan d'intervention qui reprend et adapte de façon systématique toutes les suggestions proposées plus haut peut aider l'enfant à établir de nouvelles relations.

# Conclusion

## L'importance d'une collaboration concertée pour garder l'enfant en santé

La santé se définit davantage par la qualité de vie des personnes que par l'absence de maladies. Dans ce guide, nous avons défini les paramètres qui favorisent la santé de l'enfant et présenté les moyens à mettre en place pour la préserver.

Mais la santé physique et mentale de l'enfant ne peut être le travail d'une seule personne dans un service de garde. Il faut travailler en équipe, tant à l'intérieur du service de garde qu'avec les parents et les autres collaborateurs que peuvent être les ressources externes de santé et de services sociaux.

## La collaboration à l'intérieur du service de garde

Comme nous l'avons déjà vu, la protection de la santé des enfants qui fréquentent un service de garde exige la collaboration assidue de tous les adultes qui travaillent en service de garde : responsable d'un service de garde en milieu familial, éducatrice, gestionnaire, conseillère pédagogique, cuisinière, préposé à l'entretien, tous sont concernés par la question et responsables, à leur niveau, de la qualité de vie offerte aux enfants.

Le personnel des services de garde et les responsables d'un service de garde en milieu familial doivent être sensibilisés à l'importance de leur rôle en matière d'hygiène et de prévention des infections. Ils doivent être conscients de toutes les mesures que cela implique sur deux plans : les adultes qui travaillent en services de garde (contrôle de l'état immunitaire, consultation médicale lors d'infections aiguës, hygiène personnelle, etc.) et l'environnement (contrôle de la qualité de l'air et du niveau de bruit, désinfection régulière des locaux et de l'équipement, conditions adéquates de conservation et de manipulation des aliments, etc.). Cette sensibilisation doit s'accompagner d'une planification rigoureuse du travail et d'un partage précis des tâches entre tous les membres du personnel. Sinon, certaines mesures risquent de demeurer des vœux pieux.

## La collaboration avec les parents

Ce sont les parents qui choisissent le service de garde de leur enfant et qui lui confient leur enfant. Ils sont en tout temps les premiers responsables de leur enfant et ils sont les premiers concernés par sa santé, son bien-être et son développement. Ils ont le droit d'être informés et consultés sur tous les aspects de la vie de leur enfant en services de garde.

Dans un service de garde, les personnes qui fournissent le service et les parents doivent travailler en équipe. Chacun amène ses préoccupations sur la croissance et le développement de l'enfant et chacun a un point de vue différent et unique. Tous ont besoin du soutien des autres dans leurs rôles respectifs relatifs à l'éducation de l'enfant.

Les communications doivent être fréquentes. Ne jamais oublier que les parents confient au service de garde leur bien le plus précieux: il faut faciliter leur participation et leur prise de responsabilité auprès de leur enfant.

## Comment communiquer et établir un partenariat

Lors de l'inscription de l'enfant en services de garde, fournir le plus de renseignements possible sur la ressource de garde offerte à l'enfant et à sa famille. Comme il est difficile de retenir tout ce qui s'est dit dans une seule rencontre, il est suggéré de mettre l'essentiel par écrit. Les parents pourront lire ce dossier plus tard ou le relire au besoin. Ce document doit comprendre des éléments de régie interne et du programme éducatif. Il doit préciser la philosophie et les priorités du service de garde et comment celui-ci tente de les mettre en place. Entre autres, il peut comprendre les éléments suivants: explications sur les jours et les heures d'ouverture et les prix du service de garde; type de nourriture servie aux enfants, façon de nourrir le jeune enfant, principales règles d'hygiène et de désinfection en place pour protéger la santé des enfants; principales activités offertes aux enfants; méthode utilisée pour guider et développer l'autonomie, l'estime de soi et la maîtrise de soi des enfants; collaboration demandée aux parents en ce qui concerne l'information à fournir sur l'enfant; politiques du service en cas de maladie, de prise de médicaments, etc. Cette information est primordiale pour les parents. Elle démontre que le service de garde connaît les enfants et qu'il a réfléchi à la meilleure façon d'en prendre soin.

De brèves conversations à l'arrivée en services de garde et au départ sont idéales pour établir une communication amicale avec les parents et faciliter la transition pour l'enfant et ses parents.

À l'arrivée, on peut demander au parent si l'enfant est en forme et si le parent a des consignes particulières. On peut annoncer le plan de la journée. Le soir, on peut communiquer au parent au moins une bonne chose que l'enfant a faite ou encore un nouvel apprentissage. Cela contribue à établir une relation chaleureuse entre l'éducatrice et le parent. Si les parents sont convaincus que le service de garde et l'éducatrice ou la responsable du service de garde en milieu familial connaissent l'enfant et l'apprécient, la communication sera plus facile en cas de difficulté.

Des communications en face à face entre les parents et les éducatrices ou les responsables de la garde en milieu familial, même brèves, ne sont pas toujours possibles tous les jours. On peut alors utiliser d'autres types de communications:

- Chaque jour, laisser dans la case du jeune enfant une note qui décrit les boires et l'appétit de l'enfant, sa sieste, son humeur générale et les problèmes de santé notés, s'il y a lieu.
- Laisser dans la case de l'enfant un peu plus vieux des notes sur une activité qu'il a appréciée, sur les relations amicales nouées, un développement intéressant dans son caractère, etc. La note n'a pas besoin d'être longue, mais cette information est essentielle pour le parent. Le parent doit être encouragé lui aussi à informer l'éducatrice de ce qui se passe dans la vie de l'enfant à la maison, de son humeur, de son appétit, etc. Si cela ne peut se faire par écrit ou en personne, le parent doit être encouragé à téléphoner.
- Afficher l'horaire des principales activités, le menu des repas et collations, les principales réalisations des enfants, etc.
- Distribuer aux parents une courte lettre qui annonce les principales activités de la semaine et les événements spéciaux projetés.
- Faire connaître aux parents les services offerts dans la communauté pour les enfants et les familles, en mettant des dépliants à leur disposition. Bon nombre d'organismes publics et privés publient de la documentation sur des sujets qui intéressent les parents: le développement de l'enfant, les immunisations, la nutrition, la discipline, etc. Quand c'est possible, mettre ces documents à la disposition des parents. Encourager les parents à partager avec les autres parents toute l'information dont ils disposent à ce sujet.
- Des rencontres individuelles peuvent avoir lieu avec le parent pour discuter des progrès et réussites de l'enfant et de ses difficultés au service de garde et à la maison. Sans remplacer les communications quotidiennes, ces rencontres permettent au parent et aux éducatrices ou aux responsables d'un service de garde en milieu familial d'établir un bilan conjoint du développement physique, affectif, social et intellectuel de l'enfant et de développer une vision commune de

ce dernier, de ses besoins et de son caractère. Ces rencontres et ce bilan doivent se faire dans un climat de bienveillance et de respect de l'enfant et de sa famille.

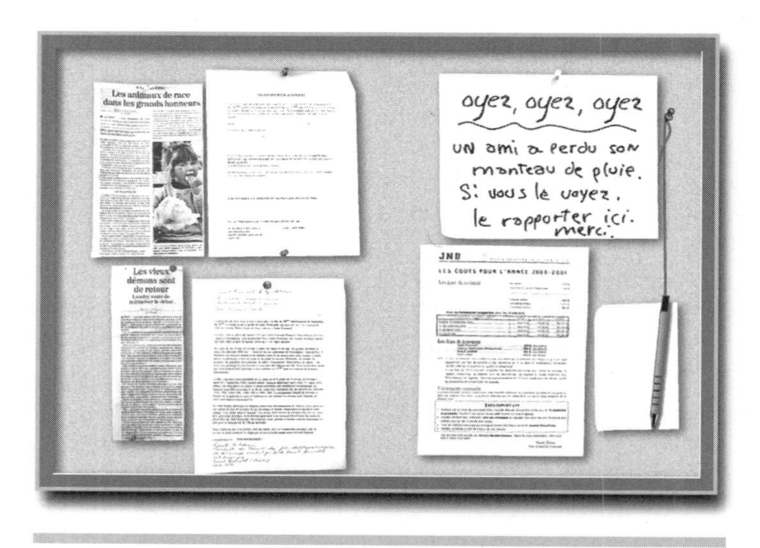


- Des rencontres collectives entre parents et éducatrices ou parents et responsables d'un service de garde en milieu familial pour discuter du fonctionnement général du service de garde et de la pédagogie sont essentielles à l'engagement actif des parents.
- Encourager les parents pour les inciter à participer au conseil d'administration, au comité de parents ou aux comités de travail.

## Et si des difficultés surviennent...

Travailler en équipe avec les parents ne veut pas dire qu'il n'y aura pas de différends. Par exemple, tel parent ne se conforme pas aux règles sur les heures d'ouverture et de fermeture du service de garde. Dans la plupart des cas, une relation bien établie avec le parent et une bonne communication peuvent aider à régler les divergences: s'exprimer et écouter l'autre.

Si un problème se présente ou si l'on observe des changements d'ordre physique ou affectif chez un enfant, en avertir immédiatement le parent pour qu'il puisse en prendre connaissance, réagir et trouver des solutions. Si le temps ne permet pas d'en discuter sur-le-champ, décrire brièvement le comportement ou la situation préoccupante et fixer un moment avec le parent pour une conversation plus poussée, ininterrompue. Cela peut se faire directement ou au téléphone.

La personnalité de l'enfant qui présente des difficultés importantes a néanmoins des aspects intéressants. En faire part aux parents. Ils verront que le service de garde a une vision d'ensemble de leur enfant, et qu'il ne s'arrête pas seulement aux aspects négatifs. Ne pas négliger, non plus, de leur dire qu'on a remarqué ce qu'ils font de bien pour leur enfant. Les parents auront plus de facilité à comprendre et à accepter les difficultés, ce qui favorisera la découverte d'une solution.

La façon de présenter le problème au parent joue beaucoup dans l'établissement d'une collaboration pour le résoudre. Il est préférable d'interroger le parent sur ce qu'il vit avec l'enfant plutôt que d'affirmer le problème, de blâmer ou de présenter une solution déjà toute trouvée.

Quand le parent a une réclamation ou un reproche à formuler au service de garde, il faut surtout écouter attentivement ses paroles et lire ses sentiments. Éviter d'être sur la défensive ou de paraître blessé. Le problème serait encore plus difficile à régler.

Quand le parent s'est exprimé, résumer devant lui sa demande pour s'assurer d'avoir bien compris. Puis, exprimer au parent l'opinion du service de garde sur le problème, de sorte que le parent comprenne bien la position des personnes qui gardent son enfant.

L'autre étape consiste à chercher ensemble des solutions et à en retenir une qui convient au parent et au service de garde. Conclure en expliquant le plus clairement possible les pas que le service de garde entend faire pour remédier au problème.

La recherche de solutions doit toujours faire l'objet d'un partage avec les autres membres de l'équipe : responsable de la gestion, conseillère pédagogique. Cela peut permettre d'explorer d'autres points de vue et des façons différentes d'envisager une solution.

Bien des raisons peuvent empêcher de trouver une solution. Chacun a sa façon de concevoir l'éducation et chacun a sa propre personnalité. Blâmer l'une ou l'autre partie ne règle rien.

> Le parent responsable de son enfant et membre d'un organisme sans but lucratif ou utilisateur d'un autre type de service de garde a le droit de porter plainte. Il peut d'abord s'adresser au conseil d'administration ou au comité de parents et ultérieurement au ministère de la Famille et de l'Enfance si le premier niveau de plainte ne permet pas une solution satisfaisante. Sa critique peut contribuer à améliorer la qualité du service.

# La collaboration avec des ressources extérieures

Le service de garde cherche à développer une vision d'ensemble des besoins des enfants dont il prend soin. Toutefois, il ne peut leur offrir tous les services sociaux, éducatifs ou de santé dont ils ont besoin. Ces autres services existent dans la communauté environnante. Le rôle du service de garde est de connaître les ressources de la communauté, de développer de bonnes relations avec eux et de les utiliser directement ou de les recommander aux parents.

Le CLSC du territoire où le service de garde est situé est le principal organisme en mesure de le soutenir, et ce, à plusieurs égards: instauration de mesures d'hygiène et de salubrité; conseils dans le contrôle des immunisations, des maladies contagieuses et de l'état de santé des enfants et des travailleuses. Pour intervenir avant que les difficultés s'aggravent, on peut également inciter les parents à recourir au CLSC et aux autres ressources de la communauté.

Le CLSC peut également conseiller le service de garde qui vit des difficultés particulières touchant la santé physique et psychologique des enfants. S'assurer, toutefois, d'avoir le consentement des parents des enfants concernés. Le service d'Info-Santé CLSC permet, partout au Québec, d'avoir accès rapidement à un conseil lié à la santé.

D'autres ressources, comme le centre hospitalier et les services d'orthophonie ou de réadaptation, peuvent être nécessaires au bien-être des enfants. Aussi, le service de garde voudra établir des relations avec elles. Les centres jeunesse, la Direction de la protection de la jeunesse et les services de santé mentale peuvent également demander une collaboration du service de garde au sujet d'un enfant donné.

Il est important de développer des relations de collaboration avec toutes ces ressources dans le but de répondre le mieux possible aux besoins des enfants, tout en établissant les possibilités et les limites de l'intervention du centre de la petite enfance ou de la garderie.

# Annexe 1

## Protocole pour l'administration d'acétaminophène

Acétaminophène est le nom générique du médicament commercialement offert sous les marques suivantes : Atasol, Tempra, Tylénol et autres marques maison.

Le Règlement sur les services de garde éducatifs à l'enfance prévoit que l'acétaminophène peut être administré à un enfant reçu par un prestataire de services de garde, sans autorisation médicale, pourvu qu'il le soit conformément au présent protocole et que le parent y consente par écrit.

Le parent n'est pas tenu de consentir à l'application du protocole. Toutefois, si le parent ne signe pas le formulaire d'autorisation, ce médicament ne pourra être administré à son enfant que si lui-même et un membre du Collège des médecins du Québec donnent leur autorisation par écrit.

### Les règles de base à respecter

Selon le présent protocole, l'acétaminophène ne peut être administré que pour atténuer la fièvre. Il ne peut être administré :

- à des enfants de moins de 2 mois;
- pour soulager la douleur;
- pendant plus de 48 heures consécutives (deux jours);
- à des enfants ayant reçu un médicament contenant de l'acétaminophène dans les quatre heures précédentes.

Dans ces quatre cas, le protocole ne s'applique pas et des autorisations médicales et parentales écrites sont requises pour administrer le médicament.

Le prestataire de services de garde peut avoir son propre contenant d'acétaminophène; la marque de commerce, la forme (gouttes, comprimés, sirop) et la concentration doivent alors être inscrites sur le formulaire d'autorisation.

Afin d'éviter toute confusion, le prestataire de services de garde devrait n'avoir qu'un seul type d'acétaminophène liquide : gouttes ou sirop. S'il reçoit des enfants de moins de 24 mois, il est recommandé d'utiliser les gouttes plutôt que le sirop. S'il choisit d'utiliser le sirop pour les autres enfants, il est recommandé d'utiliser une seule concentration.

On ne doit en aucun cas dépasser la posologie indiquée ci-après ou celle qui figure sur le contenant du médicament.

**On ne doit jamais fragmenter un comprimé destiné aux adultes pour l'administrer à un enfant. On pourrait ainsi fausser le dosage : une dose insuffisante n'atteindrait pas le résultat escompté ou, au contraire, une surdose pourrait présenter de sérieux risques pour l'enfant.**

Il est important de toujours vérifier la concentration d'acétaminophène et de suivre la posologie inscrite sur le contenant puisque de nouveaux produits plus ou moins puissants peuvent apparaître sur le marché. De plus, si la marque choisie existe en plus d'une concentration, il est recommandé de n'en utiliser qu'une seule.

L'administration de l'acétaminophène doit être inscrite au registre des médicaments prévu par le règlement. Il faut communiquer l'information au parent.

## Ce qu'il faut savoir

### Qu'est-ce qu'une température normale?

La variation normale de la température diffère selon la méthode utilisée. Le tableau ci-dessous illustre cette variation.

| Méthode utilisée | Variation normale de la température |
|---|---|
| Rectale | 36,6 °C à 38,0 °C |
| Orale | 35,5 °C à 37,5 °C |
| Axillaire (sous l'aisselle) | 34,7 °C à 37,3 °C |
| Tympanique (dans l'oreille) | 35,8 °C à 38,0 °C |

### Qu'est-ce que la fièvre?

La fièvre est une température du corps plus élevée que la normale. Cette dernière peut cependant varier quelque peu selon les enfants, la période de la journée, la température extérieure et le niveau d'activités. La cause de la fièvre demeure toutefois plus importante que le degré.

On considère généralement qu'il y a fièvre si la température est supérieure aux variations normales de la température, soit une température rectale ou tympanique de plus de 38,0 °C.

La seule façon sûre de mesurer la fièvre est de prendre la température. La température d'un enfant doit être vérifiée chaque fois que son état général (pleurs difficiles à apaiser, perte d'énergie, altération de l'état général, diminution de l'appétit, etc.) ou que des symptômes physiques (rougeurs aux joues, chaleur excessive de la peau, sueurs) permettent de soupçonner qu'il est fiévreux. Il est recommandé de :

- prendre la température par voie rectale chez les enfants de moins de 2 ans. À cet âge, pour savoir s'ils font de la fièvre, on peut prendre la température axillaire. Si elle est supérieure à 37,3 °C, on devrait aussi la prendre par voie rectale;
- prendre la température par voie rectale ou tympanique pour les enfants qui ont entre 2 et 5 ans. Si on décide néanmoins de prendre la température axillaire, il faut savoir qu'elle est beaucoup moins fiable;
- prendre la température par voie orale chez les enfants de plus de 5 ans;
- utiliser le thermomètre approprié. Les thermomètres en verre et au mercure ne sont pas recommandés à cause des risques d'exposition accidentelle à cette substance toxique s'ils se cassent. On ne recommande pas non plus les bandelettes thermosensibles car elles ne sont pas précises;
- toujours utiliser des embouts de plastique jetables car ils sont plus hygiéniques; sinon, désinfecter adéquatement le thermomètre entre chaque usage;
- si l'enfant vient de faire une activité physique, attendre une quinzaine de minutes; la température de son corps pourrait être plus élevée que la normale si on prend sa température immédiatement après l'activité;
- toujours respecter la durée indiquée selon le thermomètre utilisé pour prendre la température, car cette durée peut varier d'un thermomètre à l'autre. On recommande le thermomètre numérique, qui demande moins de temps pour la prise de température.

## Ce qu'il faut faire

Si l'enfant a moins de 2 mois et s'il s'agit de fièvre, c'est-à-dire, si la température rectale est supérieure à 38,0 °C, il faut :

- habiller l'enfant confortablement;
- le faire boire plus souvent;
- surveiller l'enfant et reprendre la température après 60 minutes ou plus tôt si son état général semble se détériorer;
- prévenir immédiatement le parent, lui demander de venir chercher l'enfant et, dans l'intervalle, appliquer les mesures indiquées précédemment;
- si le parent ne peut venir chercher l'enfant, appeler les personnes qu'il a désignées en cas d'urgence et, si on ne peut les joindre, conduire l'enfant à un service médical, au CLSC ou à l'urgence d'un centre hospitalier; ne pas administrer d'acétaminophène à moins d'une autorisation médicale écrite pour cet enfant.

Si l'enfant a 2 mois ou plus et s'il s'agit de fièvre, c'est-à-dire, si la température rectale ou tympanique est supérieure à 38,0 °C, il faut :

- appliquer les mesures énumérées ci-dessus en cas d'élévation de température (habiller confortablement; faire boire et surveiller);
- informer le parent de l'état de l'enfant;
- si la température rectale est supérieure à 38,5 °C, on peut, pour soulager l'enfant, administrer de l'acétaminophène selon la posologie indiquée ci-dessous, ou selon la posologie inscrite sur le contenant du médicament et conformément aux règles prévues par le présent protocole. Si on le juge nécessaire, on peut donner de l'acétaminophène dès que la température est de 38,1 °C ou plus élevée;
- une heure après l'administration de l'acétaminophène, prendre de nouveau la température et si elle demeure élevée, demander au parent de venir chercher l'enfant. Si on ne peut pas le joindre, appeler les personnes qu'il a désignées en cas d'urgence et, si on ne peut les joindre, conduire l'enfant à un service médical, au CLSC ou à l'urgence d'un centre hospitalier.

Lorsqu'on administre de l'acétaminophène, il faut :

- toujours expliquer à l'enfant avec des mots simples, adaptés à son âge, le lien entre son état, le médicament à prendre et le résultat escompté;
- se laver les mains avant de manipuler le médicament;
- bien vérifier la concentration, la posologie et la date d'expiration inscrite sur le contenant du médicament;
- verser le médicament (gouttes ou sirop) dans une cuillère graduée en ml et l'administrer à l'enfant; il ne faut jamais mettre le compte-gouttes directement dans la bouche de l'enfant, sauf s'il s'agit d'un compte-gouttes à usage unique. La cuillère utilisée doit être lavée à l'eau très chaude après usage;

OU

- s'il s'agit d'un comprimé, le déposer dans un gobelet et le faire prendre par l'enfant. Si celui-ci le désire, il peut boire un peu d'eau après l'avoir pris;
- se laver les mains après l'administration du médicament.

**ACÉTAMINOPHÈNE : POSOLOGIE**

| | Concentration | | | | |
|---|---|---|---|---|---|
| **Poids** | **Gouttes** | **Sirop** | | **Comprimés** | |
| | **80 mg/ml** | **80 mg/5 ml** | **160 mg/5 ml** | **80 mg/compr.** | **160 mg/compr.** |
| 2,4 – 5,4 kg | 0,5 ml (40 mg) | 2,5 ml (40 mg) | 1,25 ml (40 mg) | | |
| 5,5 – 7,9 kg | 1,0 ml (80 mg) | 5,0 ml (80 mg) | 2,5 ml (80 mg) | | |
| 8,0 – 10,9 kg | 1,5 ml (120 mg) | 7,5 ml (120 mg) | 3,75 ml (120 mg) | | |
| 11,0 – 15,9 kg | 2,0 ml (160 mg) | 10,0 ml (160 mg) | 5 ml (160 mg) | 2 compr. (160 mg) | 1 compr. (160 mg) |
| 16,0 – 21,9 kg | 3,0 ml (240 mg) | 15,0 ml (240 mg) | 7,5 ml (240 mg) | 3 compr. (240 mg) | 1,5 compr. (240 mg) |
| 22,0 – 26,9 kg | 4 ml (320 mg) | 20 ml (320 mg) | 10 ml (320 mg) | 4 compr. (320 mg) | 2 compr. (320 mg) |
| 27,0 – 31,9 kg | 5 ml (400 mg) | 25,0 ml (400 mg) | 12,5 ml (400 mg) | 5 compr. (400 mg) | 2,5 compr. (400 mg) |
| 32,0 – 43,9 kg | 6 ml (480 mg) | 30,0 ml (480 mg) | 15,0 ml (480 mg) | 6 compr. (480 mg) | 3 compr. (480 mg) |

On peut répéter la dose unitaire aux 4 heures. Ne pas dépasser 6 doses par période de 24 heures.
La posologie indiquée ci-dessus est basée sur une dose maximale de 10 à 15 mg/kg/dose.

## MISE EN GARDE

### L'ACÉTAMINOPHÈNE PAR RAPPORT À L'IBUPROFÈNE OU À D'AUTRES MÉDICAMENTS

IBUPROFÈNE :

- Comme il y a une grande distinction à faire entre l'acétaminophène et l'ibuprofène, une mise en garde est nécessaire;
- Même si ces deux médicaments ont des propriétés antipyrétiques (propriété de soulager la fièvre), il est important de ne pas les confondre étant donné qu'ils n'appartiennent pas à la même classe de médicaments et n'agissent pas de la même manière. On ne peut en aucun cas substituer l'ibuprofène à l'acétaminophène pour les raisons suivantes :
  - l'acétaminophène et l'ibuprofène ne sont pas de la même classe de médicaments;
  - l'ibuprofène est un anti-inflammatoire non-stéroïdien (AINS);
  - le dosage et la fréquence d'administration des deux médicaments sont différents;
  - il est reconnu que tous les AINS peuvent affecter les fonctions respiratoires; l'ibuprofène est donc contre-indiqué pour les personnes qui souffrent ou ont déjà souffert d'asthme;
  - une sensibilité croisée entre les salicylates et l'ibuprofène a été observée (réaction allergique);
  - il faut donc être vigilant dans l'application du présent protocole et ne jamais confondre l'ibuprofène et l'acétaminophène ni substituer l'un à l'autre;
- À noter que ce protocole peut être appliqué tel quel même si l'enfant a reçu de l'ibuprofène à la maison avant d'arriver au service de garde, et ce, peu importe le temps écoulé. Il n'y a donc aucune contre-indication ni aucun danger à donner de l'acétaminophène à un enfant qui a reçu de l'ibuprofène précédemment, puisque les deux médicaments n'agissent pas de la même façon.

AUTRES MÉDICAMENTS :

- Il existe de plus en plus de médicaments sur le marché contenant de l'acétaminophène en combinaison avec un autre produit pharmaceutique, ce qui nécessite une plus grande vigilance dans l'application du présent protocole. Par exemple, plusieurs sirops contre la toux contiennent de l'acétaminophène;
- Il est donc important qu'il y ait une bonne communication entre les parents et la personne autorisée à administrer le médicament. Celle-ci doit savoir quel médicament a été donné à l'enfant dans les quatre heures précédant son arrivée au service de garde. De cette façon, elle peut appliquer le protocole en toute sécurité pour la santé et le bien-être de l'enfant;
- Si, dans les quatre heures suivant l'arrivée de l'enfant, l'éducatrice ou la personne reconnue à titre de personne responsable d'un service de garde en milieu familial constate qu'il a de la fièvre et si elle a été informée que l'enfant a déjà pris un sirop ou un autre médicament, elle peut communiquer avec un pharmacien pour obtenir l'information nécessaire sur ce médicament. Elle pourra ainsi appliquer ce protocole.

**FORMULAIRE D'AUTORISATION**
**POUR L'ADMINISTRATION DE L'ACÉTAMINOPHÈNE**

Le parent n'est pas tenu de consentir à l'application du protocole. Toutefois, s'il ne signe pas le formulaire d'autorisation, l'acétaminophène ne pourra être administré à son enfant à moins que lui-même et un membre du Collège des médecins du Québec ne donnent leur autorisation par écrit. Il peut limiter la période de validité de l'autorisation en inscrivant la durée d'application à la rubrique prévue à cette fin.

J'autorise ______________________________________________

(nom du centre de la petite enfance, de la garderie, de la personne reconnue à titre de personne responsable d'un service de garde en milieu familial, de celle qui l'assiste, selon le cas, ou de celle qui est désignée en application de l'article 81 du Règlement sur les services de garde éducatifs à l'enfance) à administrer à mon enfant, conformément au présent protocole, de l'acétaminophène vendu sous la marque commerciale suivante :

______________________________________________

Marque de commerce, forme (gouttes, sirop ou comprimés) et concentration

______________________________________________

Nom et prénom de l'enfant

______________________________________________

Durée de l'autorisation

______________________ ______/ ______/ ______

Signature du parent date

Ce protocole, préparé par le ministère de la Famille et de l'Enfance, a été initialement approuvé par un groupe de travail composé de représentantes du réseau de la santé et des services sociaux et des services de garde à l'enfance. Il a été révisé par le Comité de prévention des infections dans les services de garde à l'enfance du Québec. L'information qu'il contient correspond à l'état des connaissances sur le sujet en 2006.

# Annexe 2

## Protocole pour l'application d'insectifuge

Le Règlement sur les services de garde éducatifs à l'enfance permet qu'un insectifuge soit appliqué sur un enfant reçu par un prestataire de services de garde, sans autorisation médicale, pourvu qu'il le soit conformément au présent protocole et que le parent y consente par écrit.

Le parent n'est pas tenu de consentir à l'application du protocole. Toutefois, si le parent ne signe pas le formulaire d'autorisation, l'insectifuge ne pourra être appliqué sur son enfant que si lui-même et un membre du Collège des médecins du Québec donnent leur autorisation par écrit.

### Les règles de base à respecter



L'insectifuge utilisé doit obligatoirement contenir du DEET (N, N-diéthyl-m-toluamide) d'une concentration inférieure à 10 %; il faut lire attentivement l'étiquette du produit puisque la concentration de DEET peut varier grandement d'un produit à un autre.

Le prestataire de services de garde peut avoir son propre contenant d'insectifuge : la marque de commerce, la forme (lotion, crème, gel, liquide, vaporisateur ou aérosol) et la concentration du produit actif DEET doivent alors être inscrites sur le formulaire d'autorisation. Afin d'éviter toute confusion, il est recommandé de n'avoir qu'un seul type d'insectifuge.

Les applications répétées ou excessives d'insectifuge ne sont pas nécessaires pour qu'il soit efficace; il est donc recommandé de n'en appliquer qu'une mince couche sur la peau. Il ne faut pas non plus utiliser ces produits pendant des périodes prolongées. L'insectifuge ne peut en aucun cas être appliqué :

- Dans les yeux ou sur les muqueuses;
- Sur des plaies ouvertes ou sur une peau présentant des lésions;
- Sur une peau irritée ou brûlée par le soleil;
- Sous les vêtements;
- Sur les mains;
- En quantité excessive.

Il ne peut l'être sur un enfant de moins de 2 ans, sans l'autorisation écrite du parent et d'un médecin. Le protocole ne s'applique donc pas pour un enfant de cet âge.

Pour un enfant de 6 mois à 2 ans, il est recommandé d'appliquer l'insectifuge une seule fois par jour et, pour un enfant de plus de 2 ans, au maximum trois fois par jour.

Les insecticides et les pesticides sont conçus pour les terrains ou l'intérieur des maisons et ne doivent pas être appliqués sur le corps.

Il faut d'abord tester les produits à base de DEET sur une petite partie de la peau en appliquant une petite quantité, de préférence sur la partie interne de l'avant-bras, et attendre entre huit et douze heures. Il est donc conseillé de faire le test en matinée pour s'assurer que l'insectifuge est bien toléré par les enfants durant la journée; il est important de prévenir les parents que le test a lieu ce jour-là. De plus, ce test doit se faire tôt au printemps bien avant l'application du protocole. S'il y a réaction, on doit laver immédiatement la peau traitée et consulter un médecin en prenant soin de lui donner la liste des ingrédients contenus dans le produit.

On ne doit jamais combiner insectifuge et écran solaire. Il faut donc éviter tout produit du genre « 2 dans 1 », à la fois insectifuge et écran solaire. Pour bien protéger contre les effets néfastes du soleil, un écran solaire doit être appliqué en abondance sur la peau exposée et sous les vêtements, contrairement à l'insectifuge, qu'il faut appliquer en petites quantités et jamais sous les vêtements. Si une lotion solaire est appliquée à la suite d'un insectifuge, l'efficacité des deux produits s'en trouve diminuée. De plus, l'application de DEET diminue d'environ 20 % l'efficacité des écrans solaires. Lorsqu'on fait usage d'une crème solaire et d'un insectifuge, il est donc conseillé d'utiliser une préparation de crème à facteur de protection solaire (FPS) de 30 et recommandé d'appliquer l'insectifuge 30 à 45 minutes après l'application de l'écran solaire.

On doit utiliser le produit dans des endroits bien aérés et loin des aliments.

Lorsqu'on applique un insectifuge, il faut le noter au registre des médicaments prévu par le règlement et informer le parent du nombre d'applications quotidiennes.

## MESURES PRÉVENTIVES

On ne doit utiliser l'insectifuge que dans les périodes où les moustiques sont abondants ou si les environs du service sont propices à la prolifération de moustiques et après avoir appliqué les mesures préventives suivantes.

Pour prévenir les piqûres d'insectes lors de sorties à l'extérieur, les enfants doivent :

- Porter un chandail à manches longues et un pantalon, idéalement fermés aux poignets et chevilles;
- Porter des vêtements amples, de couleur pâle et faits de tissus tissés serrés;
- Porter des chaussures et des chaussettes;
- Éviter l'usage de produits parfumés;
- Éviter les sorties dans les périodes de la journée où les moustiques sont plus abondants, par exemple en début ou en fin de journée.

Pour prévenir la prolifération des moustiques dans l'environnement, il faut :

- Éliminer les conditions propices à la reproduction des insectes en supprimant les sources d'eaux stagnantes;
- Tourner à l'envers les objets qui ne sont pas remisés à l'intérieur tels les embarcations, les pataugeoires, les contenants de jardinage, les jouets d'enfants;
- Couvrir les poubelles extérieures ou tout autre contenant pouvant accumuler de l'eau;
- Remplacer l'eau ou assurer le traitement quotidien de l'eau de la piscine ou de la pataugeoire;
- Utiliser des moustiquaires dans les aires de jeux des enfants plus jeunes;
- Réparer les moustiquaires endommagées le plus tôt possible.

Pour les enfants de moins de 6 mois, éviter les contacts avec les moustiques en munissant les poussettes de filets sécuritaires et en privilégiant les vérandas entourées de moustiquaires.

### Ce qu'il faut savoir

Les produits à base de DEET demeurent les insectifuges de choix et les plus efficaces contre une grande variété d'insectes; ceux qui ont une concentration de DEET inférieure à 10 % offrent une protection de deux à trois heures.

Quoique l'innocuité de ces produits soit prouvée, il n'en demeure pas moins que s'ils sont mal utilisés, ils peuvent présenter des risques, spécialement pour les enfants. Le DEET est en partie absorbé par la peau et peut ainsi se retrouver dans le sang. Il peut aussi s'accumuler dans les tissus adipeux, le cerveau et le cœur. Quelques cas d'intoxication ont été décrits dans la littérature. Les insectifuges risquent peu de nuire à la santé lorsqu'on les utilise avec discernement et de façon occasionnelle.

Appliquer l'insectifuge sur les vêtements (sauf les vêtements synthétiques ou les matières plastiques) peut être une façon de diminuer les risques de toxicité chez les enfants de plus de 2 ans. Il faut par contre faire attention pour que l'enfant ne porte pas à sa bouche le vêtement imprégné d'insectifuge ou encore qu'il ne le touche et s'en mette accidentellement dans les yeux. Les produits à base de DEET sont très irritants pour les yeux.

Certains avantages et désavantages sont à noter et devront être pris en considération dans le choix du produit :

- Les insectifuges sous forme de lotion, de gel ou de crème sont généralement faciles à appliquer; il faut toutefois éviter d'en mettre en grande quantité;
- Les insectifuges en vaporisateur ou en aérosol exigent des précautions supplémentaires. On ne doit pas les appliquer dans des endroits fermés ou peu aérés afin d'éviter les inhalations nocives et ils ne doivent pas atteindre le visage ou les mains des enfants.

## Ce qu'il faut faire

L'insectifuge doit toujours être appliqué par la personne autorisée à ce faire. Les enfants ne doivent jamais le faire eux-mêmes, quel que soit leur âge.

Lors de sorties avec les enfants, il faut :

- Appliquer les mesures préventives;
- Appliquer l'insectifuge en suivant les étapes suivantes :

– expliquer à l'enfant, avec des mots simples, le lien entre la situation, l'application de l'insectifuge et le résultat escompté;
– se laver les mains avant de manipuler le produit;
– bien lire l'étiquette du produit avant l'application et s'assurer que la concentration de DEET est moindre que 10 % et que le produit ne contient pas d'écran solaire;
– de préférence, porter des gants pour l'application;
– porter des gants à usage unique et les changer si un enfant présente des lésions cutanées (comme par exemple des piqûres d'insectes, souvent susceptibles de se surinfecter) afin d'éliminer les risques de transmission d'infections cutanées d'un enfant à l'autre;
– mettre une petite quantité de produit dans la main, appliquer en petite quantité et seulement sur les régions exposées ou sur les vêtements, seulement sur la nuque et aux chevilles, dans la mesure du possible;
– s'assurer que l'enfant ne touche pas avec ses mains les régions où l'insectifuge a été appliqué. S'il le fait, il doit se laver les mains à l'eau savonneuse;
– se laver les mains après avoir appliqué l'insectifuge à l'ensemble des enfants du groupe, et ce, même si on a porté des gants pour le faire.

Il faut laver la peau traitée au savon et à l'eau, en rentrant ou lorsque la protection n'est plus nécessaire. Cela est particulièrement important si on applique l'insectifuge à plusieurs reprises dans la même journée ou plusieurs journées consécutives.

FORMULAIRE D'AUTORISATION
POUR L'APPLICATION D'UN INSECTIFUGE

Le parent n'est pas tenu de consentir à l'application du protocole. Toutefois, s'il ne signe pas ce formulaire, l'insectifuge ne pourra être appliqué sur son enfant à moins que lui-même et un membre du Collège des médecins du Québec ne donnent leur autorisation par écrit. Il peut limiter la période de validité de l'autorisation en inscrivant la durée d'application à la rubrique prévue à cette fin.

J'autorise ______________________________________________

(nom du centre de la petite enfance, de la garderie, de la personne reconnue à titre de personne responsable d'un service de garde en milieu familial, de celle qui l'assiste, selon le cas, ou de celle qui est désignée en application de l'article 81 du Règlement sur les services de garde éducatifs à l'enfance, s'il y a lieu) à appliquer sur mon enfant, conformément au présent protocole, l'insectifuge vendu sous la marque commerciale suivante :

______________________________________________

Marque de commerce, forme (lotion, crème, gel, liquide, vaporisateur ou aérosol) et concentration du produit actif DEET

______________________________________________

Nom et prénom de l'enfant

______________________________________________

Durée de l'autorisation

______________________________ ______/ ______/ ______

Signature du parent date

**Ce protocole, préparé par le ministère de la Famille et de l'Enfance, a été approuvé par un groupe de travail composé de représentantes du réseau de la santé et des services sociaux et des services de garde à l'enfance. L'information qu'il contient correspond à l'état des connaissances sur le sujet en 2006.**

---

D. 582-2006, ann. II.

# Index

## A



## B

## E

## F



## G

## H



## I

## N



## O



## P

## Q



## R

## S

## T

## U



## V

Achevé d'imprimer en juin 2013
sur les presses de
Marquis Imprimeur
à Louiseville (Québec)